위대한 나라 위대한 국민입니다.

대통령 문 재 인

아무도 흔들 수 없는 나라

아무도 흔들 수 없는 나라

1판 1쇄 발행 2022. 3. 28.
1판 2쇄 발행 2022. 4.11.

엮은이 대통령 비서실

발행인 고세규
편집 박보람 이혜민 디자인 이경희 마케팅 고은미 홍보 이한솔
발행처 김영사
등록 1979년 5월 17일(제406-2003-036호)
주소 경기도 파주시 문발로 197(문발동) 우편번호 10881
전화 마케팅부 031)955-3100, 편집부 031)955-3200 | 팩스 031)955-3111

값은 뒤표지에 있습니다.
ISBN 978-89-349-6153-6 03340

홈페이지 www.gimmyoung.com   블로그 blog.naver.com/gybook
인스타그램 instagram.com/gimmyoung   이메일 bestbook@gimmyoung.com

좋은 독자가 좋은 책을 만듭니다.
김영사는 독자 여러분의 의견에 항상 귀 기울이고 있습니다.

한 권에 담은 문재인 대통령 주요 연설문집

아무도
흔들 수 없는
나라

문재인 대통령 말글
대통령 비서실 엮음

김영사

| 차례 |

2부 우리는 거대한 물줄기를 바꾸고 있습니다

3부 우리는 대한민국 100년의 미래를 열었습니다

문재인 대통령의 말과 글을 엮으며

3·1독립운동 참가로 감옥에 갇힌 《상록수》의 소설가 심훈 선생은 옥중에서 어머니에게 편지를 씁니다. "어머님! 우리가 천 번 만 번 기도를 올리기로서니 굳게 닫힌 옥문이 저절로 열려질 리는 없겠지요. 우리가 아무리 목을 놓고 울며 부르짖어도 크나큰 소원이 하루아침에 이루어질 리도 없겠지요. 그러나 마음을 합하는 것처럼 큰 힘은 없습니다. 한데 뭉쳐 행동을 같이하는 것처럼 무서운 것은 없습니다. 우리들은 언제나 그 큰 힘을 믿고 있습니다."

100년 전, 심훈 선생이 깨달은 우리의 모습이 오늘의 대한민국을 설명한다고 생각합니다. 우리의 근현대사는 도전의 역사였습니다. 식민지와 분단, 전쟁과 가난을 극복하며 경제 발전을 이뤘고, 민주주의를 찬란하게 지켜냈습니다. 그때마다 평범한 사람들이 마음을 합하고 한데 뭉쳐 행동했습니다. '잘살고 싶지만 혼자만 잘살고 싶지는 않다', '자유롭고 싶지만 혼자만 자유롭고 싶지는 않다'는 마음들이 모여 역사의 힘찬 물결이 되었습니다. 평범함이 모여 이룬 위대한 역사가 아닐 수 없습니다.

문재인 대통령의 국정철학은 평범한 국민이 이룬 성취를 평범한 국민에게 돌려 드려야 한다는 지점에서 출발합니다. 오래도록 우리는 반목과 대결 안에서 살았습니다. 특정 세력이 특권과 반칙을 일삼는 동안 국민의 삶은 뒷전으로 내몰리거나 이용당했습니다. 이것을 바로잡는 것이 촛불혁명으로 탄생한 문재인 정부의 숙명이었습니다. 복지 확장, 불평등과 격차 해소, 권력기관 개혁은 모두 평범한 국민의 권익을 높이기 위해 역대 민주 정부가 추구해 온 것이며, 문재인 정부에서 발전적으로 계승되었습니다.

특별히 이 책의 1부는 이름 없이 희생한 분들의 이름을 찾아드리고, 평가받지 못한 분들에게 명예를 돌려드리기 위해 노력한 문재인 대통령의 말과 글을 담았습니다. 독립운동가와 참전 용사, 청계천 여공, 파독 광부와 간호사, 민주주의 관련 희생자, 소방관과 경찰, 우리 이웃인 의인들까지 애국의 방법이 다를 뿐 모두 대한민국의 애국자로 호명함으로써 평범한 사람들의 땀방울과 헌신을 기렸습니다. 문재인 정부의 보훈은 한 분 한 분을 소중하게 여기며 존엄한 삶을 위해 정성을 다한 정책입니다. 새로운 대한민국의 정체성은 보훈에서 시작되고, 우리의 마음을 하나로 모으는 구심점 역시 보훈이 될 것입니다.

문재인 대통령의 말과 글을 엮으며

2부는 해외 순방에서 SNS로 올린 문재인 대통령의 소회를 묶었습니다. 우리는 명실상부한 선진국이 되었고, 한반도를 넘어 세계 곳곳에서 우리 역량을 발휘하고 있습니다. 우리의 성숙한 민주주의, 현지 동포들의 성실한 삶, 기업들의 책임감과 신의가 어우러져 대한민국은 우리가 생각하는 것 이상으로 국제적 위상이 높아졌습니다. 우리는 국제적 협력으로 발전해 왔고, 앞으로도 그럴 것입니다. 모든 나라와 편견 없이 우정을 쌓은 문재인 대통령의 글을 따라 세계를 만나고, 세계가 바라보는 우리를 만나 보길 바랍니다.

문재인 대통령은 미래를 향해 옷깃을 여밀 줄 아는 대통령입니다. 미래를 준비하는 일은 과거와 현재에 대한 냉정한 평가, 많은 비판을 감당해 낼 만한 굳은 소신, 아직 태어나지 않은 아이들에 대한 깊은 애정이 뒷받침되어야 합니다. 선도국가 대한민국의 미래비전은 문재인 대통령의 고독한 결단에서 나왔습니다. 3부는 대한민국 미래 먹거리를 만들어 낼 '한국판 뉴딜', 아무도 가 보지 않은 길인 '탄소중립', 평범한 사람이 만드는 새로운 희망 '혁신적 포용국가'를 담았습니다. 강대국 중심의 국제질서에 휘둘리지 않고 우리의 삶과 역사를 우리가 주도해 나갈 수 있는 힘을 함께 길러 낼 수 있을 것입니다.

대통령의 말과 글은 그 자신의 것이면서 동시에 같은 시대를 살아가는 무수한 사람들의 말과 글입니다. 문재인 대통령은 항상 국민의 입장에서 국민의 희망과 꿈, 행동을 말하고자 했습니다. 권위주의 문법을 깰 수 있었던 것도 자신의 삶이 평범한 국민들의 삶과 늘 함께였기 때문입니다. 대통령의 말과 글은 현재의 기록이자 미래의 이정표이며 오직 국민들의 것입니다. 문재인 대통령의 진심이 이 책을 통해 오래도록 남겨지길 바랍니다.

대통령 비서실

문재인 대통령의 말과 글을 엮으며

아무도 흔들 수 없는 나라

정부는 대한민국 보훈의 기틀을 완전히 새롭게 세우고자 합니다. 대한민국은 나라의 이름을 지키고, 나라를 되찾고, 나라의 부름에 기꺼이 응답한 분들의 희생과 헌신 위에 서 있습니다. 그 희생과 헌신에 제대로 보답하는 나라를 만들겠습니다.

기억하고 기리겠습니다. 그것이 국가가 해야 할 일입니다. 더 이상 서러운 죽음과 고난이 없는 대한민국으로 나아가겠습니다. 참이 거짓을 이기는 대한민국으로 나아가겠습니다.

기억하고
기리겠습니다

광주가 내민 손은
가장 질기고 강한 희망이 될 것입니다

제37주년 5·18민주화운동 기념식
2017년 5월 18일

"5월 광주의 시민이 나눈 주먹밥과 헌혈이야말로 우리 자존의 역사입니다. 민주주의의 참모습입니다. 목숨이 오가는 극한 상황에서도 절제력을 잃지 않고 민주주의를 지켜 낸 광주 정신은 그대로 촛불광장에서 부활했습니다. 촛불은 5·18민주화운동의 정신 위에서 국민 주권 시대를 열었습니다. 국민이 대한민국의 주인임을 선언했습니다."

존경하는 국민 여러분!

오늘 5·18민주화운동 37주년을 맞아 5·18 묘역에 서니 감회가 매우 깊습니다. 37년 전 그날의 광주는 우리 현대사에서 가장 슬프고 아픈 장면입니다.

저는 먼저 1980년 5월의 광주 시민 여러분을 떠올립니다. 누군가의 가족이었고, 이웃이었습니다. 평범한 시민이었고, 학생이었습니다. 그들은 인권과 자유를 억압받지 않는 평범한 일상을 지키기 위해 목숨을 걸었습니다.

저는 대한민국 대통령으로서 광주 영령들 앞에 깊이 머리 숙여 감사드립니다. 5월 광주가 남긴 아픔과 상처를 간직한 채 오늘을 살고 계시는 유가족과 부상자 여러분께도 깊은 위로 말씀을 전합니다.

1980년 5월 광주는 지금도 살아 있는 현실입니다. 아직도 해결되지 않은 역사입니다. 대한민국의 민주주의는 이 비극의 역사를 딛고 섰습니다. 광주의 희생이 있었기에 우리 민주주의는 버티고 다시 일어설 수 있었습니다. 저는 5월 광주의 정신으로 민주주의를 지켜 주신 광주 시민과 전남 도민 여러분께 각별한 존경의 말씀을 드립니다.

존경하는 국민 여러분!

5·18민주화운동은 불의한 국가 권력이 국민의 생명과 인권을 유린한 우리 현대사의 비극이었습니다. 하지만 이에 맞선 시민항쟁이 민주주의의 이정표를 세웠습니다. 진실은 오랜 시간 은폐되고, 왜

1부 기억하고 기리겠습니다

곡되고, 탄압받았습니다. 그러나 서슬 퍼런 독재의 어둠 속에서도 국민은 광주의 불빛을 따라 한 걸음씩 나아갔습니다. 광주의 진실을 알리는 일이 민주화 운동이 되었습니다.

부산에서 변호사로 활동하던 저도 다르지 않았습니다. 저 자신도 5·18민주화운동 때 구속된 일이 있었지만 제가 겪은 고통은 아무것도 아니었습니다. 광주의 진실은 저에게 외면할 수 없는 분노였고, 아픔을 함께 나누지 못했다는 크나큰 부채감이었습니다. 그 부채감이 민주화 운동에 나설 용기를 주었습니다. 그것이 저를 오늘 이 자리에 서기까지 성장시켜 준 힘이 되었습니다.

마침내 5월 광주는 지난겨울 전국을 밝힌 위대한 촛불혁명으로 부활했습니다. 불의에 타협하지 않는 분노와 정의가 그곳에 있었습니다. 나라의 주인은 국민임을 확인하는 함성이 그곳에 있었습니다. 나라를 나라답게 만들자는 치열한 열정과 하나 된 마음이 그곳에 있었습니다. 저는 이 자리에서 감히 말씀드립니다. 새롭게 출범한 문재인정부는 5·18민주화운동의 연장선 위에 서 있습니다. 1987년 6월 민주항쟁과 국민의정부, 참여정부의 맥을 잇고 있습니다.

저는 이 자리에서 다짐합니다. 새 정부는 5·18민주화운동과 촛불혁명의 정신을 받들어 이 땅에 민주주의를 온전히 복원할 것입니다. 광주 영령들이 마음 편히 쉬실 수 있도록 성숙한 민주주의의 꽃을 피워 낼 것입니다.

여전히 우리 사회 일각에서는 5월 광주를 왜곡하고 폄훼하려는 시도가 있습니다. 용납할 수 없는 일입니다. 역사를 왜곡하고 민주주의를 부정하는 일입니다. 우리는 많은 사람의 희생과 헌신으로 이룩된 이 땅의 민주주의 역사에 자부심을 가져야 합니다. 새 정부는 5·18민주화운동의 진상을 규명하는 데 더욱 큰 노력을 기울일 것입니다. 헬기 사격까지 포함하여 발포의 진상과 책임을 반드시 밝혀내겠습니다. 5·18민주화운동 관련 자료의 폐기와 역사 왜곡을 막겠습니다. 전남 도청 복원 문제는 광주시와 협의하고 협력하겠습니다.

완전한 진상 규명은 결코 진보와 보수의 문제가 아닙니다. 상식과 정의의 문제입니다. 우리 국민 모두 함께 가꾸어야 할 민주주의의 가치를 보존하는 일입니다. 5·18민주화운동 정신을 헌법 전문에 담겠다는 저의 공약도 반드시 지키겠습니다. 광주 정신을 헌법으로 계승하는 진정한 민주공화국 시대를 열겠습니다. 5·18민주화운동은 온 국민이 기억하고 배우는 자랑스러운 역사로 자리매김할 것입니다.

5·18 정신을 헌법 전문에 담아 개헌을 완료할 수 있도록 이 자리를 빌려서 국회의 협력과 국민 여러분의 동의를 정중히 요청합니다.

존경하는 국민 여러분!

〈임을 위한 행진곡〉은 단순한 노래가 아닙니다. 5월의 피와 혼이 응축된 상징입니다. 5·18민주화운동의 정신 그 자체입니다. 〈임을 위한 행진곡〉을 부르는 것은 희생자의 명예를 지키고 민주주의의

　　　　　　　1부 기억하고 기리겠습니다

역사를 기억하겠다는 것입니다. 오늘 〈임을 위한 행진곡〉 제창은 그동안 상처받은 광주 정신을 다시 살리는 일이 될 것입니다. 오늘의 제창으로 불필요한 논란이 끝나기를 희망합니다.

존경하는 국민 여러분!

2년 전 진도 팽목항에 5·18의 엄마가 4·16의 엄마에게 보낸 펼침막이 있었습니다. "당신 원통함을 내가 아오. 힘내소. 쓰러지지 마시오"라는 내용이었습니다. 국민의 생명을 짓밟은 국가, 국민의 생명을 지키지 못한 국가를 통렬히 꾸짖는 외침이었습니다. 다시는 그런 원통함이 반복되지 않도록 하겠습니다. 국민의 생명과 사람의 존엄함을 하늘처럼 존중하겠습니다. 저는 그것이 국가의 존재가치라고 믿습니다.

저는 오늘 5월의 죽음과 광주의 아픔을 자신의 것으로 삼으며 세상에 알리려 했던 많은 이들의 희생과 헌신도 함께 기리고 싶습니다.

1982년 광주교도소에서 광주 진상 규명을 위해 40일간의 단식으로 옥사한 스물아홉 살 전남대생 박관현, 1987년 '광주사태 책임자 처벌'을 외치며 분신 사망 한 스물다섯 살 노동자 표정두, 1988년 '광주학살 진상 규명'을 외치며 명동성당 교육관 4층에서 투신 사망한 스물네 살 서울대생 조성만, 1988년 '광주는 살아 있다' 외치며 숭실대 학생 회관 옥상에서 분신 사망한 스물다섯 살 숭실대생 박래전……

수많은 젊음이 5월 영령의 넋을 위로하며 자신을 던졌습니다. 책임자 처벌과 진상 규명을 촉구하기 위해 목숨을 걸었습니다. 국가가 책임을 방기하고 있을 때 이들은 마땅히 밝히고 기억해야 할 것을 위해 자신을 바쳤습니다. 진실을 밝히려던 많은 언론인과 지식인도 강제 해직되고 투옥당했습니다.

저는 5월의 영령들과 함께 이들의 희생과 헌신을 헛되이 하지 않고 더 이상 서러운 죽음과 고난이 없는 대한민국으로 나아가겠습니다. 참이 거짓을 이기는 대한민국으로 나아가겠습니다.

광주 시민께도 부탁드립니다. 광주 정신으로 희생하며 평생을 살아온 전국의 5·18들을 함께 기억해 주십시오. 이제 차별과 배제, 총칼의 상흔이 남긴 아픔을 딛고 광주가 먼저 정의로운 국민 통합에 앞장서 주십시오. 광주의 아픔이 아픔으로 머무르지 않고 국민 모두의 상처와 갈등을 품어 안을 때 광주가 내민 손은 가장 질기고 강한 희망이 될 것입니다.

존경하는 국민 여러분!

5월 광주의 시민이 나눈 주먹밥과 헌혈이야말로 우리 자존의 역사입니다. 민주주의의 참모습입니다. 목숨이 오가는 극한 상황에서도 절제력을 잃지 않고 민주주의를 지켜 낸 광주 정신은 그대로 촛불광장에서 부활했습니다. 촛불은 5·18민주화운동의 정신 위에서 국민주권 시대를 열었습니다. 국민이 대한민국의 주인임을 선언했습니다.

문재인 정부는 국민의 뜻을 받드는 정부가 될 것임을 광주 영령들 앞에서 천명합니다. 서로가 서로를 위하고 서로의 아픔을 어루만져 주는 대한민국이 새로운 대한민국입니다. 상식과 정의 앞에 손을 내미는 사람이 많아질수록 숭고한 5·18 정신은 현실 속에서 살아 숨 쉬는 가치로 완성될 것입니다.

다시 한번 삼가 5·18 영령들의 명복을 빕니다.

이후 추진 내용

• 2018년 3월 13일 여야 합의로 '5·18 진상규명특별법'이 제정되고, 2019년 12월 27일 5·18민주화운동 진상규명조사위원회가 출범했습니다.

• 2022년 2월부터 5·18민주유공자(본인 또는 선순위 유족), 특수임무 유공자(본인 또는 선순위 유족), 고엽제후유의증 환자(본인), 참전유공자(본인) 중 생계급여, 의료급여 수급자 등 생활이 어려운 80세 이상의 고령자에게 월 10만 원의 생계지원금을 지급하기로 했습니다.

새로운 대한민국은 여기서 출발합니다

제62회 현충일 추념식
2017년 6월 6일

"독립운동가의 후손들이 겪고 있는 가난의 서러움, 교육받지 못한 억울함, 그 부끄럽고 죄송스러운 현실을 그대로 두고 나라다운 나라라고 할 수 없습니다. 애국의 대가가 말뿐인 명예로 끝나서는 안 됩니다. 독립운동가 한 분이라도 더, 그분의 자손들 한 분이라도 더, 독립운동의 한 장면이라도 더 찾아내겠습니다. 기억하고 기리겠습니다. 그것이 국가가 해야 할 일입니다."

존경하는 국민 여러분, 국가유공자와 유가족 여러분!

예순두 번째 현충일을 맞아 나라를 위해 희생하신 분들의 거룩한 영전 앞에 깊이 고개 숙입니다. 가족을 조국의 품에 바치신 유가족 여러분께 위로와 감사의 말씀을 드립니다. 국가유공자 여러분께 충심으로 경의를 표합니다.

저는 오늘 이곳 현충원에서 애국을 생각합니다. 우리 국민의 애국심이 없었다면 지금의 대한민국도 없었을 것입니다. 식민지에서 분단과 전쟁으로, 가난과 독재와의 대결로 시련이 멈추지 않은 역사였습니다. 애국이 그 모든 시련을 극복해 낸 힘이었습니다. 지나온 100년을 자랑스러운 역사로 만들었습니다.

존경하는 국민 여러분!

대한민국이라는 국호를 지킨 것은 독립운동가들의 신념이었습니다. 항일 의병부터 광복군까지 국권 회복과 자주독립의 신념이 태극기에 새겨졌습니다. 살이 찢기고 손발톱이 뽑혀 나가면서도 가슴에 태극기를 품고 조국을 버리지 않았습니다. 독립운동가들은 또 다른 독립운동가를 키우고 지원하며 나라 잃은 설움에도 굳건하게 살아 냈습니다. 그것이 애국입니다.

독립운동가와 그 후손들이 국가의 예우를 받기까지는 해방이 되고도 오랜 시간이 걸렸습니다. 그러나 "독립운동을 하면 3대가 망하고, 친일을 하면 3대가 흥한다"는 뒤집힌 현실은 여전합니다. 독립운동가의 후손들이 겪고 있는 가난의 서러움, 교육받지 못한 억울함, 그 부끄럽고 죄송스러운 현실을 그대로 두고 나라다운 나라라고 할 수 없습니다. 애국의 대가가 말뿐인 명예로 끝나서는 안 됩니다. 독립운동가 한 분이라도 더, 그분의 자손들 한 분이라도 더, 독립운동의 한 장면이라도 더 찾아내겠습니다. 기억하고 기리겠습니다. 그것이 국가가 해야 할 일입니다.

38선이 휴전선으로 바뀌는 동안 목숨을 바친 조국의 아들들이 있었습니다. 전선을 따라 늘어선 수백 개의 고지마다 한 뼘의 땅이라도 더 찾고자 피 흘렸던 우리 국군이 있었습니다. 그들의 짧았던 젊음이 조국의 땅을 넓혔습니다. 전선을 지킨 것은 군인만이 아니었습니다. 태극기 위에 위국헌신爲國獻身을 맹세하고 후방後方의 청년과 학생들도 나섰습니다. 주민들은 지게를 지고 탄약과 식량을 날랐습니다. 그것이 애국입니다.

철원 '백마고지', 양구 '단장의 능선'과 '피의 능선', 이름 없던 산들이 용사들의 무덤이 되었습니다. 전쟁의 비극이 서린 슬픈 이름이 붙여졌습니다. 전우를 그곳에 남기고 평생 미안한 마음으로 살아오신 호국 용사에게 눈물의 고지가 되었습니다. 아직도 백골로 묻힌 용사들의 유해, 단 한 구의 유골이라도 반드시 찾아내 이곳에 모시겠습니다.

전장의 부상을 안고 전우의 희생을 씻기지 않는 상처로 안은 채 살아가는 용사들, 그분들이 바로 조국의 아버지들입니다. 반드시 명예를 지켜 드리겠습니다. 이념에 이용되지 않고 이 땅의 모든 아들딸에게 존경받도록 만들겠습니다. 그것이 응당 국가가 해야 할 일입니다.

베트남 참전 용사의 헌신과 희생을 바탕으로 조국 경제가 살아났습니다. 대한민국의 부름에 주저 없이 응답했습니다. 폭염과 정글 속에서 역경을 딛고 묵묵히 임무를 수행했습니다. 그것이 애국입니다.

이국異國의 전쟁터에서 싸우다가 생긴 병과 후유장해는 국가가 함께 책임져야 할 부채입니다. 이제 국가가 제대로 응답할 차례입니다. 합당하게 보답하고 예우하겠습니다. 그것이 국가가 해야 할 일입니다.

존경하는 국민 여러분!

저는 오늘 조국을 위한 헌신과 희생은 독립과 호국의 전장에서만 있었던 것이 아니었음을 여러분과 함께 기억하고자 합니다.

1달러의 외화가 아쉬웠던 시절 이역만리 낯선 땅 독일에서 조국 근대화의 역군이 되어 준 분들이 계셨습니다. 뜨거운 막장에서 탄가루와 땀으로 범벅이 된 채 석탄을 캔 파독派獨 광부, 병원의 온갖 궂은일까지 견뎌 낸 파독 간호사. 그분들의 헌신과 희생이 조국 경제에 디딤돌을 놓았습니다. 그것이 애국입니다.

청계천변 다락방 작업장, 천장이 낮아 허리조차 펼 수 없었던 그곳에서 젊음을 바친 여성 노동자들의 희생과 헌신에도 감사드립니다. 재봉틀을 돌리며 눈이 침침해지고, 실밥을 뜯으며 손끝이 갈라진 그분들입니다. 애국자 대신 여공이라고 불렸던 그분들이 한강의 기적을 일으켰습니다. 그것이 애국입니다.

이제는 노인이 되어 가난했던 조국을 온몸으로 감당했던 시절을 회상하는 그분들께 저는 오늘 정부를 대표해서 마음의 훈장을 달아 드립니다.

존경하는 국민 여러분, 국가유공자와 유가족 여러분!

애국은 오늘의 대한민국을 있게 한 모든 것입니다. 국가를 위해 헌신하신 한 분 한 분이 바로 대한민국입니다. 보수와 진보로 나눌 수도 없고, 나누어지지도 않는 그 자체로 온전히 대한민국입니다. 독립운동가의 품속에 있던 태극기가 고지 쟁탈전이 벌어지던 수많은 능선 위에서 펄럭였습니다. 파독 광부·간호사를 환송하던 태극기가 5·18민주화운동과 6월 민주항쟁의 민주주의 현장을 지켰습니다. 서해를 지킨 용사들과 그 유가족의 마음에 새겨졌습니다. 애국하는 방법은 달랐지만, 모두가 애국자였습니다.

새로운 대한민국은 여기서 출발해야 합니다. 제도상의 화해를 넘어서 마음으로 화해해야 합니다. 빼앗긴 나라를 되찾는 데 좌우가 없었고, 국가를 수호하는 데 노소가 없었듯이 모든 애국의 역사 한복판에는 국민이 있었을 뿐입니다. 저와 정부는 애국의 역사를 존중하고 지키겠습니다.

대한민국을 지키기 위해 공헌하신 분들께서 바로 그 애국으로 대한민국을 통합하는 데 앞장서 주시기를 간절히 부탁드립니다. 여러분이 이 나라의 이념 갈등을 끝내 주실 분들입니다. 이 나라의 증오와 대립, 세대 갈등을 끝내 주실 분들도 애국으로 한평생 살아오신 바로 여러분입니다. 무엇보다 애국의 역사를 통치에 이용한 불행한 과거를 반복하지 않겠습니다. 전쟁의 후유증을 치유하기보다 전쟁의 경험을 통치의 수단으로 삼았던 이념의 정치, 편 가르기 정치를 청산하겠습니다.

존경하는 국민 여러분, 국가유공자와 보훈 가족 여러분!

저는 오늘 이 자리에서 보훈이야말로 국민 통합을 이루고 강한 국가로 가는 길임을 분명히 선언합니다.

그동안 우리의 보훈 정책은 꾸준히 발전해 왔습니다. 군사 원호軍事 援護에서 예우와 보상으로, 호국유공자에서 독립·민주유공자와 공무 수행 유공자까지 그 영역도 확대되어 왔습니다. 국가유공자로 모시지는 못했지만 그 뜻을 함께 기려야 할 군경과 공무원, 의인들을 예우하고 지원하는 제도도 마련해 왔습니다. 그러나 아직도 그분들의 공적에는 많이 미치지 못합니다. 국민의 상식과 눈높이에도 미치지 못합니다.

이제 한 걸음 더 나가겠습니다. 국회가 동의해 준다면 국가보훈처의 위상부터 강화하겠습니다. 장관급 기구로 격상하겠습니다. 국가유공자와 보훈 대상자, 그 가족이 자존감을 지키며 살아가실 수 있도록 하겠습니다.

국가를 위해 헌신하면 보상받고 반역자는 심판받는다는 흔들리지 않는 믿음이 있어야 합니다. 그것이 국민이 애국심을 바칠 수 있는 나라다운 나라입니다. 애국이 보상받고, 정의가 보상받고, 원칙이 보상받고, 정직이 보상받는 나라를 다 함께 만들어 나갑시다. 개인과 기업의 성공이 동시에 애국의 길이 되는 정정당당한 나라를 다 함께 만들어 나갑시다.

다시 한번 순국선열, 호국 영령, 민주 열사의 애국 헌신을 추모하며 명복을 빕니다.

감사합니다.

이후 추진 내용

- 2018년도부터 그동안 보상금 지급 대상이 되지 않았던 독립유공자 자녀 및 손자녀 중 생활이 어려운 분들에게 34만 5000원(중위소득 70퍼센트 이하), 또는 47만 8000원(중위소득 50퍼센트 이하)을 총 2만 256명에게 지급하고 있습니다.
- 2017년 7월 26일 정부조직법 개정으로 국가보훈처를 장관급으로 격상하고, 1관 4국 23과에서 1실 5국 3관리관으로 확대했습니다.

1부 기억하고 기리겠습니다

참전 용사 여러분
한 분 한 분이 대한민국의 역사입니다

6·25 한국전쟁 제67주년 국군 및 유엔군 참전유공자 위로연
2017년 6월 23일

"장진호전투와 흥남철수작전은 전쟁을 경험하지 못한 한국의
전후 세대에게도 널리 알려진 역사가 되었습니다. 그 덕분에 흥
남에서 피난 온 피난민의 아들이 지금 대한민국의 대통령이 되
어서 이 자리에 여러분과 함께 있습니다. 이 사실이 유엔군 참전
용사 여러분께 기쁨과 보람이 되기를 바라는 마음입니다."

존경하는 6·25 한국전쟁 참전 용사 여러분, 내외 귀빈 여러분!

반갑습니다. 여러분의 건강하신 모습을 뵙게 되어 기쁩니다. 특히 멀리 해외에서 오신 참전 용사와 가족, 외교사절 여러분을 진심으로 환영합니다. 올해로 67주년, 긴 시간이 흘렀습니다. 그렇지만 대한민국과 우리 국민은 국내외 참전 용사 여러분의 희생과 헌신을 결코 잊지 않고 있다는 말씀을 먼저 드립니다. 나는 앞으로 대한민국 역사 속에서 여러분의 공헌이 더욱 귀하고 값지게 기억될 수 있도록 힘껏 노력할 것입니다.

오늘의 자랑스러운 대한민국은 이 자리에 함께하고 계신 국군과 유엔군 참전 용사들의 빛나는 투혼 위에 서 있습니다. 우리 국군과 유엔군은 자유와 평화를 지키기 위해 목숨을 걸고 싸웠습니다. 그 용기와 결단이 대한민국을 지켰고, 눈부신 경제 성장과 성숙한 민주주의로 결실을 맺었습니다. 나라의 위기 앞에 분연히 일어선 의용군·학도병·소년병의 헌신이 조국을 지킨 힘이 되었고, 오늘 대한민국의 성숙한 시민 의식으로 성장했습니다. 올해는 특별히 여군과 여자 의용군, 교포 참전 용사, 민간인 수송단과 노무사단, 국군 귀환 용사를 처음으로 모셨습니다. 나라를 위기에서 구하기 위해 기꺼이 나섰던 한 분 한 분 귀한 마음으로 챙기겠습니다.

참전 용사 여러분은 대한민국의 자랑이고, 여러분 한 분 한 분이 대한민국의 역사입니다. 참전 용사들께서 그 분명한 사실에 자긍심을 가질 수 있도록 만드는 것이 대통령으로서 제가 해야 할 일이

1부 기억하고 기리겠습니다

라고 생각합니다. 최고의 성의를 가지고 보훈으로 보답하겠습니다. 참전명예수당과 의료, 복지, 안장 시설 확충은 국가가 책임져야 할 기본 도리입니다. 참전명예수당 인상과 의료, 복지 확대를 추진해 그 희생과 공헌에 합당한 예우가 이뤄지도록 하겠습니다. 참전 용사의 이름을 기억하는 것도 중요합니다. 미처 등록되지 못한 참전 용사도 끝까지 발굴하여 국가 기록으로 남기겠습니다. 최고의 보훈이 튼튼한 안보의 바탕이고 국민 통합과 강한 국가로 가는 길임을 실천으로 증명하겠습니다.

지금 이 자리에는 유엔군 참전 용사와 가족들도 함께하고 있습니다. 널리 알려진 문구 그대로 '알지도 못하는 나라, 만난 적도 없는 사람들'을 위해 기꺼이 달려와 희생하고 헌신하신 분들입니다. 나는 대한민국을 대표해 유엔 참전국과 참전 용사들께 특별한 존경과 감사의 인사를 전합니다. 이 자리에도 그 영웅들이 계십니다만, 장진호전투와 흥남철수작전은 전쟁을 경험하지 못한 한국의 전후 세대에게도 널리 알려진 역사가 되었습니다. 그 덕분에 흥남에서 피난 온 피난민의 아들이 지금 대한민국의 대통령이 되어서 이 자리에 여러분과 함께 있습니다. 이 사실이 유엔군 참전 용사 여러분께 기쁨과 보람이 되기를 바라는 마음입니다. 대한민국은 함께 피 흘리며 맺었던 우리의 우정을 영원히 기억하고 발전시켜 나갈 것입니다. 여러분께서 헌신적으로 실천한 인류애가 더욱 빛나도록 세계 평화와 번영에 기여하는 나라가 될 것을 약속드립니다.

존경하는 참전 용사 여러분!

 6·25 한국전쟁은 아픈 역사입니다. 한반도 땅 대부분이 전쟁의 참상을 겪었고 수백만 명에 이르는 사람들이 목숨을 잃거나 부상을 당했습니다. 온 국민의 노력으로 폐허가 되었던 국토는 복구되었지만 우리의 마음은 다 회복되지 못했습니다. 분단의 상처와 이산가족의 아픔은 오늘도 계속되고 있습니다. 서로를 향해 겨누었던 총부리는 아직도 원한으로 남았습니다. 아무리 세월이 흘렀다 한들 가족을 잃고, 전우를 잃고, 고향을 잃은 아픔이 쉽사리 씻기기는 어려울 것입니다. 그럼에도 우리는 앞으로 나아가야 합니다. 우리 자신과 미래세대를 위해 다시 용기와 결단이 필요한 때가 바로 지금이라고 생각합니다. 평화를 위한 우리와 국제사회의 노력에도 불구하고 북한은 한반도의 안전을 위협하고 도발을 반복하고 있습니다. 규탄받아 마땅한 일입니다. 나와 정부는 국민과 조국의 안위를 지키는 일에 그 어떤 주저함도 없을 것입니다. 확고한 한미동맹과 압도적 국방력으로 안보를 지키겠습니다.

 평화는 강하고 튼튼한 안보 위에서만 가능하다는 것을 우리 모두 잘 알고 있습니다. 동시에 나와 정부는 북한 스스로 핵을 포기하고 평화와 번영의 길을 선택할 수 있도록 대화의 문도 열어 두겠습니다. 많은 어려움과 우여곡절이 있겠지만 대화와 협력을 통해 만드는 평화라야 온전하고 지속 가능한 평화가 될 것이기 때문입니다. 참전 용사 여러분께서 함께해 주시기를 바랍니다. 참전 용사 여러

1부 기억하고 기리겠습니다

분께서 안보 대통령의 지원군이자 평화 대통령의 든든한 벗이 되어 주신다면 한반도의 평화와 번영이 좀 더 앞당겨질 것입니다.

나는 다음 주에 미국을 방문하여 한미 정상회담을 갖습니다. 한 미동맹 강화와 북핵 문제 해결을 위해 트럼프Donald Trump 대통령과 머리를 맞대겠습니다. 국제사회와의 공조도 더 단단하게 맺을 것입니다. 자유와 민주주의를 더욱 굳건히 지키고 발전시키는 일, 전쟁 걱정 없는 평화로운 한반도를 만드는 일, 그리하여 세계 평화에 기여하는 것이 참전 용사 여러분의 희생과 헌신에 보답하는 길이라고 믿습니다. 다시 한번 참전 용사 여러분께 존경과 감사의 마음을 전하며, 여러분 모두 행복하고 편안한 시간이 되기를 바랍니다. 감사합니다.

이후 추진 내용

- 미등록 참전유공자 발굴을 확대했습니다. 2017~2021년 총 8만 130명 발굴 등록을 완료했고, 정전 70주년이 되는 2023년까지 집중 발굴할 것입니다.

- 연도별 미등록 국가유공자 발굴 현황

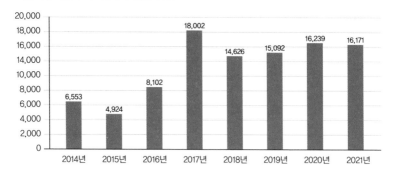

죽음의 바다를 건넌 자유와 인권의 항해

장진호전투 기념비 헌화
2017년 6월 28일

"한미동맹은 그렇게 전쟁의 포화 속에서 피로 맺어졌습니다. 몇 장의 종이 위에 서명으로 맺어진 약속이 아닙니다. 또한 한미동맹은 저의 삶이 그런 것처럼 양국 국민 한 사람 한 사람의 삶과 강하게 연결되어 있습니다. 그렇기 때문에 나는 한미동맹의 미래를 의심하지 않습니다. 한미동맹은 더 위대하고 더 강한 동맹으로 발전할 것입니다."

존경하는 로버트 넬러Robert Blake Neller 해병대 사령관님, 옴스테드 Steven Olmstead 장군님을 비롯한 장진호전투 참전 용사 여러분, 흥남 철수작전 관계자와 유족 여러분, 특히 피난민 철수에 결정적 역할을 하신 알몬드Edward Almond 장군님과 현봉학 박사님의 가족 여러분, 모두 반갑습니다.

장진호전투 기념비 앞에서 여러분을 뵙게 되니 감회가 깊습니다. 꼭 한번 와 보고 싶었던 곳에 드디어 왔습니다. 오늘 대한민국 대통령으로서 첫 해외 순방의 첫 일정을 이곳에서 시작하게 돼 더욱 뜻이 깊습니다.

67년 전인 1950년 미 해병들은 알지도 못하는 나라, 만난 적도 없는 사람들을 위해 숭고한 희생을 치렀습니다. 그들이 6·25 한국전쟁에서 치렀던 가장 영웅적인 전투가 장진호전투였습니다. 장진호 용사들의 놀라운 투혼 덕분에 10만여 명의 피난민을 구출한 흥남철수작전도 성공할 수 있었습니다. 그때 메러디스 빅토리호ss Meredith Victory에 오른 피난민 중에 나의 부모님도 계셨습니다.

피난민을 구출하라는 알몬드 장군의 명령을 받은 고故 라루 Lenoard Larue 선장은 단 한 명의 피난민이라도 더 태우기 위해서 무기와 짐을 바다에 버렸습니다. 무려 1만 4000명을 태우고 기뢰로 가득한 죽음의 바다를 건넌 자유와 인권의 항해는 단 한 명의 사망자도 없이 완벽하게 성공했습니다. 1950년 12월 23일 흥남부두를 떠나 12월 25일 남쪽 바다 거제도에 도착할 때까지 배 안에서 5명의 아기가 새로 태어나기도 했습니다. 크리스마스의 기적, 인류 역사상 최대의 인도주의 작전이었습니다.

2년 후 나는 빅토리호가 내려 준 거제도에서 태어났습니다. 장진호의 용사들이 없었다면, 그리고 흥남철수작전의 성공이 없었다면 내 삶은 시작되지 못했을 것이고 오늘의 나도 없었을 것입니다. 그러니 여러분의 희생과 헌신에 대한 고마움을 세상 그 어떤 말로 표현할 수 있겠습니까? 존경과 감사라는 말로는 너무나 부족한 것 같습니다. 나의 가족사와 개인사를 넘어서서, 나는 그 급박한 순간에 군인들만 철수하지 않고 그 많은 피난민들을 북한에서 탈출시켜 준 미군의 인류애에 깊은 감동을 느낍니다. 장진호전투와 흥남철수작전이 세계 전쟁 역사상 가장 위대한 승리인 이유입니다.

지금 아흔이신 내 어머니의 말씀에 의하면 항해 도중 12월 24일 미군들이 배 속의 피난민들에게 크리스마스 선물이라며 사탕을 한 알씩 나눠 줬다고 합니다. 알려지지 않은 이야기입니다. 비록 사탕 한 알이지만 그 참혹한 전쟁통에 그 많은 피난민들에게 크리스마스 선물을 나눠 준 따뜻한 마음씨가 나는 늘 고마웠습니다.

존경하는 장진호 용사와 후손 여러분!

대한민국은 여러분과 부모님의 희생과 헌신을 기억하고 있습니다. 감사와 존경의 기억은 영원히 계속될 것입니다. 한미동맹은 그렇게 전쟁의 포화 속에서 피로 맺어졌습니다. 몇 장의 종이 위에 서명으로 맺어진 약속이 아닙니다. 또한 한미동맹은 저의 삶이 그런 것처럼 양국 국민 한 사람 한 사람의 삶과 강하게 연결되어 있습니다. 그렇기 때문에 나는 한미동맹의 미래를 의심하지 않습니다. 한미 동맹은 더 위대하고 더 강한 동맹으로 발전할 것입니다.

존경하는 장진호 용사와 후손 여러분!

67년 전 자유와 인권을 향한 빅토리호의 항해는 앞으로도 계속되어야 합니다. 나 또한 기꺼이 그 길에 동참할 것입니다. 트럼프 대통령과 굳게 손잡고 가겠습니다. 위대한 한미동맹의 토대 위에서 북핵 폐기와 한반도의 평화, 나아가 동북아 평화를 함께 만들어 가겠습니다. 이 자리에 함께하고 계십니다만, 메러디스 빅토리호의 선원이었던 로버트 루니Admiral J. Robert Lunney 변호사 님의 인터뷰를 봤습니다. "죽기 전에 통일된 한반도를 꼭 보고 싶다"는 말씀에 가슴이 뜨거워졌습니다. 그것은 나의 꿈이기도 합니다.

오늘 나는 이곳에 한 그루 산사나무를 심습니다. 산사나무는 별칭이 윈터 킹Winter King(겨울의 왕)입니다. 영하 40도의 혹한 속에서 영웅적 투혼을 발휘한 장진호전투를 영원히 기억하기 위해서입니다. 이 나무처럼 한미동맹은 더욱 풍성한 나무로 성장할 것입니다. 통일된 한반도라는 크고 알찬 결실을 맺을 것입니다. 이제 생존해 계신 분이 오십여 분뿐이라고 들었습니다. 오래도록 건강하고 행복하십시오.

다시 한번 장진호 참전 용사와 흥남 철수 관계자, 그리고 유족 여러분께 감사와 존경의 인사를 드립니다. 감사합니다.

독립운동가들을 잊힌 영웅으로
남겨 두지 않겠습니다

제72주년 광복절 경축식
2017년 8월 15일

"역사를 잃으면 뿌리를 잃는 것입니다. 독립운동가들을 더 이상 잊힌 영웅으로 남겨 두지 말아야 합니다. 명예뿐인 보훈에 머물지도 말아야 합니다. '독립운동을 하면 3대가 망한다'는 말이 사라져야 합니다. 친일 부역자와 독립운동가의 처지가 해방 후에도 달라지지 않더라는 경험이 불의와의 타협을 정당화하는 왜곡된 가치관을 만들었습니다."

존경하는 국민 여러분, 독립유공자와 유가족 여러분, 해외에 계신 동포 여러분!

　촛불혁명으로 국민주권 시대가 열리고 첫 번째 맞는 광복절입니다. 오늘 그 의미가 유달리 깊게 다가옵니다. 국민주권은 이 시대를 사는 우리가 처음 사용한 말이 아닙니다. 100년 전인 1917년 7월 독립운동가 14인이 상하이上海에서 발표한 대동단결선언은 국민주권을 독립운동의 이념으로 천명했습니다. 경술국치庚戌國恥는 국권을 상실한 날이 아니라 오히려 국민주권이 발생한 날이라고 선언하며, 국민주권에 입각한 임시정부 수립을 제창했습니다. 마침내 1919년 3월 이념과 계급과 지역을 초월한 전 민족적 항일 독립운동을 거쳐 이 선언은 대한민국임시정부를 수립하는 기반이 되었습니다. 국민주권은 임시정부 수립을 통해 대한민국 건국이념이 되었고, 오늘 우리는 그 정신을 계승하고 있습니다. 그렇게 국민이 주인인 나라를 세우려는 선대들의 염원은 100년의 시간을 이어 왔고, 드디어 촛불을 든 국민의 실천이 되었습니다.

　광복은 주어진 것이 아니었습니다. 이름 석 자까지 모든 것을 빼앗기고도 자유와 독립의 열망을 지켜 낸 삼천만이 되찾은 것입니다. 민족의 자주독립에 생을 바친 선열들은 말할 것도 없습니다. 독립운동을 위해 떠나는 자식의 옷을 기운 어머니도, 일제의 눈을 피해 야학에서 모국어를 가르친 선생님도, 우리의 전통을 지켜 내고 쌈짓돈을 보탠 분도, 모두가 광복을 만든 주인공입니다.

광복은 항일 의병에서 광복군까지 애국선열들의 희생과 헌신이 흘린 피의 대가였습니다. 직업도, 성별도, 나이의 구분도 없었습니다. 의열단원이며 몽골의 전염병을 근절시킨 의사 이태준 선생, 간도참변 취재 중 실종된 동아일보 장덕준 선생, 무장 독립 단체 서로군정서西路軍政署에서 활약한 독립군의 어머니 남자현 여사, 과학으로 민족의 힘을 키우고자 했던 과학자 김용관 선생, 독립군 결사대 단원이었던 영화감독 나운규 선생……. 우리에게는 너무도 많은 독립운동가들이 있었습니다.

독립운동 무대도 한반도만이 아니었습니다. 1919년 3월 1일 연해주와 만주, 미주와 아시아 곳곳에서도 한목소리로 대한 독립의 함성이 울려 퍼졌습니다.

항일 독립운동의 이 모든 빛나는 장면이 지난겨울 전국 방방곡곡에서, 그리고 우리 동포들이 있는 세계 곳곳에서 촛불로 살아났습니다. 우리 국민이 높이 든 촛불은 독립운동 정신의 계승입니다. 위대한 독립운동 정신은 민주화와 경제 발전으로 되살아나 오늘의 대한민국을 만들었습니다. 그 과정에서 희생하고 땀 흘린 한 분 한 분 모두가 오늘 이 나라를 세운 공헌자입니다.

오늘 저는 독립유공자와 유가족 여러분, 그리고 저마다의 항일로 암흑의 시대를 이겨 낸 모든 분, 촛불로 새 시대를 열어 주신 국민께 다시금 깊은 존경과 감사의 말씀을 드립니다. 아울러 저는 오늘 우리가 기념하는 이날이 민족과 나라 앞에 닥친 어려움과 위기에 맞서는 용기와 지혜를 되새기는 날이 되기를 희망합니다.

존경하는 독립유공자와 유가족 여러분!

경북 안동에 임청각臨淸閣이라는 유서 깊은 집이 있습니다. 임청각은 일제강점기 전 가산家産을 처분하고 만주로 망명하여 신흥무관학교를 세우고 무장 독립운동의 토대를 만든 석주 이상룡 선생의 본가입니다. 무려 아홉 분의 독립투사를 배출한 독립운동의 산실이고, 대한민국 노블레스 오블리주Noblesse Oblige를 상징하는 공간입니다. 그에 대한 보복으로 일제는 그 집을 관통하도록 철도를 놓았습니다. 아흔아홉 칸 저택이었던 임청각은 지금도 반 토막이 난 모습 그대로입니다. 이상룡 선생의 손자·손녀는 해방 후 대한민국에서 고아원 생활을 하기도 했습니다. 임청각의 모습이 바로 우리가 되돌아봐야 할 대한민국의 현실입니다. 일제와 친일의 잔재를 제대로 청산하지 못했고 민족정기를 바로 세우지 못했습니다.

역사를 잃으면 뿌리를 잃는 것입니다. 독립운동가들을 더 이상 잊힌 영웅으로 남겨 두지 말아야 합니다. 명예뿐인 보훈에 머물지도 말아야 합니다. '독립운동을 하면 3대가 망한다'는 말이 사라져야 합니다. 친일 부역자와 독립운동가의 처지가 해방 후에도 달라지지 않더라는 경험이 불의와의 타협을 정당화하는 왜곡된 가치관을 만들었습니다.

독립운동가들을 모시는 국가의 자세를 완전히 새롭게 하겠습니다. 최고의 존경과 예의로 보답하겠습니다. 독립운동가의 3대까지 예우하고 자녀와 손자녀 전원의 생활 안정을 지원해서, 국가에 헌신하면 3대까지 대접받는다는 인식을 심겠습니다. 독립운동 공적을 후손들이 기억하기 위해 임시정부기념관을 건립하겠습니다. 임청각처럼 독립운동을 기억할 수 있는 유적지는 모두 찾아내겠습니다. 잊힌 독립운동가를 끝까지 발굴하고 해외 독립운동 유적지를 보전하겠습니다.

이번 기회에 정부는 대한민국 보훈의 기틀을 완전히 새롭게 세우고자 합니다. 대한민국은 나라의 이름을 지키고, 나라를 되찾고, 나라의 부름에 기꺼이 응답한 분들의 희생과 헌신 위에 서 있습니다. 그 희생과 헌신에 제대로 보답하는 나라를 만들겠습니다.

젊음을 나라에 바치고 이제 고령이 되신 독립유공자와 참전유공자에 대한 예우를 강화하겠습니다. 살아 계시는 동안 독립유공자와 참전유공자 치료를 국가가 책임지겠습니다. 참전명예수당도 인상하겠습니다. 유공자 어르신 마지막 한 분까지 대한민국의 품이 따뜻하고 영광스러웠다고 느끼시게 하겠습니다. 순직 군인과 경찰, 소방공무원, 유가족에 대한 지원도 확대할 것입니다.

그것이 우리 모두의 자긍심이 될 것이라 믿습니다. 보훈으로 대한민국 정체성을 분명히 확립하겠습니다. 애국의 출발점이 보훈이 되도록 하겠습니다.

지난 역사에서 국가가 국민을 지켜 주지 못해 국민이 감수해야 했던 고통과도 마주해야 합니다. 광복 70년이 지나도록 일제강점기 강제 동원 고통이 지속되고 있습니다. 그동안 강제 동원 실상이 부분적으로 밝혀졌지만 아직 피해 규모가 다 드러나지 않았습니다. 밝혀진 사실은 그것대로 풀어 나가고 미흡한 부분은 정부와 민간이 협력해 마저 해결해야 합니다.

앞으로 남북 관계가 풀리면 남북이 공동으로 강제 동원 피해 실태 조사를 하는 것도 검토할 것입니다. 해방 후에도 돌아오지 못한 동포들이 많습니다. 재일 동포의 경우 국적을 불문하고 인도주의적 차원에서 고향 방문을 정상화할 것입니다. 지금도 시베리아와 사할린 등 곳곳에 강제 이주와 동원이 남긴 상처가 남아 있습니다. 그분들과도 동포의 정을 함께 나누겠습니다.

오늘 광복절을 맞아 한반도를 둘러싸고 계속되는 군사적 긴장 고조가 우리 마음을 무겁게 합니다. 분단은 냉전의 틈바구니 속에서 우리 힘으로 우리 운명을 결정할 수 없었던 식민지 시대가 남긴 불행한 유산입니다. 그러나 이제 우리는 스스로 우리 운명을 결정할 수 있을 만큼 국력이 커졌습니다. 한반도 평화도, 분단 극복도 우리가 우리 힘으로 만들어 가야 합니다.

오늘날 한반도의 시대적 소명은 두말할 것 없이 평화입니다. 한반도 평화 정착을 통한 분단 극복이야말로 광복을 진정으로 완성하는 길입니다. 평화는 또한 당면한 우리의 생존 전략입니다. 안보도, 경제도, 성장도, 번영도 평화 없이는 미래를 담보하지 못합니다.

평화는 우리만의 문제가 아닙니다. 한반도에 평화가 없으면 동북아에 평화가 없고, 동북아에 평화가 없으면 세계의 평화가 깨집니다. 지금 세계는 두려움 속에서 분명한 진실을 목도하고 있습니다. 이제 우리가 가야 할 길은 명확합니다. 전 세계와 함께 한반도와 동북아의 항구적 평화 체제 구축의 대장정을 시작하는 것입니다.

지금 당면한 가장 큰 도전은 북한의 핵과 미사일입니다. 정부는 현재의 안보 상황을 매우 엄중하게 인식하고 있습니다. 정부는 굳건한 한미동맹을 기반으로 미국과 긴밀히 협력하면서 안보 위기를 타개할 것입니다. 그러나 우리의 안보를 동맹국에게만 의존할 수는 없습니다. 한반도 문제는 우리가 주도적으로 해결해야 합니다. 정부 원칙은 확고합니다. 대한민국 국익이 최우선이고 정의입니다. 한반도에서 또다시 전쟁은 안 됩니다. 한반도에서의 군사 행동은 대한민국만이 결정할 수 있고, 누구도 대한민국의 동의 없이 군사 행동을 결정할 수 없습니다.

정부는 모든 것을 걸고 전쟁만은 막을 것입니다. 어떤 우여곡절을 겪더라도 북핵 문제는 반드시 평화적으로 해결해야 합니다. 이 점에서 우리와 미국 정부의 입장이 다르지 않습니다. 정부는 국제사회에서 평화 해결 원칙이 흔들리지 않도록 외교 노력을 한층 강화할 것입니다. 국방력이 뒷받침되는 굳건한 평화를 위해 우리 군을 더 강하게, 더 믿음직스럽게 혁신하여 강한 방위력을 구축할 것입니다.

한편으로 남북 간 군사적 긴장이 상황을 더 악화시키지 않도록 군사적 대화의 문도 열어 놓을 것입니다. 북한에 대한 제재와 대화는

1부 기억하고 기리겠습니다

선후의 문제가 아닙니다. 북핵 문제의 역사는 제재와 대화가 함께 갈 때 문제 해결의 단초가 열렸음을 보여 주었습니다. 북한이 미사일 발사 시험을 유예하거나 핵실험 중단을 천명했던 시기는 예외 없이 남북 관계가 좋은 시기였다는 것을 기억해야 합니다. 그럴 때 북미, 북일 간 대화도 촉진되었고 동북아 다자 외교도 활발했습니다. 제가 기회 있을 때마다 한반도 문제의 주인은 우리라고 한 이유도 바로 여기에 있습니다. 북핵 문제 해결은 핵 동결로부터 시작되어야 합니다. 적어도 북한이 추가적인 핵과 미사일 도발을 중단해야 대화 여건이 갖춰질 수 있습니다. 북한에 대한 강도 높은 제재와 압박 목적도 북한을 대화로 이끌어 내기 위한 것이지 군사적 긴장을 높이기 위한 것이 아닙니다. 이 점에서도 우리와 미국 입장이 다르지 않습니다.

북한 당국에 촉구합니다. 국제적 협력과 상생 없이 경제 발전을 이루는 것은 불가능합니다. 이대로 간다면 북한에게는 국제적 고립과 어두운 미래가 있을 뿐입니다. 수많은 주민의 생존과 한반도 전체를 어려움에 빠뜨리게 됩니다. 우리 역시 원하지 않더라도 북한에 대한 제재와 압박을 더욱 높여 나가지 않을 수 없습니다. 즉각 도발을 중단하고 대화의 장으로 나와 핵 없이도 북한 안보를 걱정하지 않을 수 있는 상황을 만들어야 합니다.

우리가 돕고 만들어 가겠습니다. 미국과 주변 국가도 도울 것입니다. 다시 한번 천명합니다. 우리는 북한 붕괴를 원하지 않습니다. 흡수통일을 추진하지도 않을 것이고 인위적 통일을 추구하지도 않을 것입니다. 통일은 민족 공동체의 모든 구성원들이 합의하는 평화적·민주적 방식으로 이루어져야 합니다.

북한이 기존 남북 합의 상호 이행을 약속한다면 우리는 정부가 바뀌어도 대북 정책이 달라지지 않도록 국회 의결을 거쳐 그 합의를 제도화할 것입니다. 저는 오래전부터 한반도 신경제지도 구상을 밝힌 바 있습니다. 남북 간 경제협력과 동북아 경제협력은 남북 공동의 번영을 가져오고 군사 대립을 완화시킬 것입니다. 경제협력 과정에서 북한은 핵무기를 갖지 않아도 자신들의 안보가 보장된다는 사실을 자연스럽게 깨닫게 될 것입니다. 쉬운 일부터 시작할 것을 다시 한번 북한에 제안합니다. 이산가족 문제와 같은 인도적 협력을 하루빨리 재개해야 합니다. 이분들의 한을 풀어 드릴 시간이 얼마 남지 않았습니다. 이산가족 상봉과 고향 방문, 성묘에 대한 조속한 호응을 촉구합니다.

해마다 광복절이 되면 우리는 한일 관계를 되돌아보지 않을 수 없습니다. 한일 관계도 이제 양자 관계를 넘어 동북아 평화와 번영을 위해 함께 협력하는 관계로 발전해 나가야 할 것입니다. 과거사와 역사 문제가 한일 관계의 미래지향적 발전을 지속적으로 발목 잡는 것은 바람직하지 않습니다. 정부는 새로운 한일 관계 발전을 위해 셔틀 외교를 포함한 다양한 교류를 확대해 갈 것입니다. 당면한 북한 핵과 미사일 위협에 대한 공동 대응을 위해 양국 간 협력을 강화하지 않을 수 없습니다.

그러나 우리가 한일 관계의 미래를 중시한다고 해서 역사 문제를 덮고 넘어갈 수는 없습니다. 오히려 역사 문제를 제대로 매듭지을 때 양국 간 신뢰가 더욱 깊어질 것입니다. 그동안 일본의 많은 정치인과 지식인들이 양국 간의 과거와 일본의 책임을 직시하려는 노력을 해 왔습니다. 그 노력들이 한일 관계의 미래지향적 발전에 기여해 왔습니다. 이러한 역사 인식이 일본의 국내 정치 상황에 따라 바뀌지 않도록 해야 합니다. 한일 관계의 걸림돌은 과거사 그 자체가 아니라 역사 문제를 대하는 일본 정부의 인식 부침에 있기 때문입니다. 일본군 위안부와 강제 징용 등 한일 간 역사 문제 해결에는 인류의 보편적 가치와 국민적 합의에 의한 피해자 명예 회복과 보상, 진실 규명과 재발 방지 약속이라는 국제사회의 원칙이 있습니다. 우리 정부는 이 원칙을 반드시 지킬 것입니다. 일본 지도자들의 용기 있는 자세가 필요합니다.

존경하는 국민 여러분, 독립유공자와 유가족 여러분, 해외동포 여러분! 2년 후 2019년은 대한민국 건국과 임시정부 수립 100주년을 맞는 해입니다. 내년 8·15는 정부수립 70주년이기도 합니다. 우리에게 진정한 광복은 외세에 의해 분단된 민족이 하나가 되는 길로 나아가는 것입니다. 우리에게 진정한 보훈은 선열들이 건국이념으로 삼은 국민주권을 실현하여 국민이 주인인 나라다운 나라를 만드는 것입니다.

지금부터 준비합시다. 그 과정에서 치유와 화해, 통합을 향해 지난 한 세기의 역사를 결산하는 일도 가능할 것입니다. 국민주권의 거대한 흐름 앞에서 보수·진보의 구분이 무의미했듯이, 우리 근현대사에서 산업화와 민주화를 세력으로 나누는 것도 이제 뛰어넘어야 합니다. 우리는 누구나 역사의 유산 속에서 살고 있습니다. 모든 역사에는 빛과 그림자가 있기 마련이며, 그 점에서 개인의 삶 속으로 들어온 시대를 산업화와 민주화로 나누는 것은 가능하지도 않고 의미 없는 일입니다. 대한민국 19대 대통령 문재인 역시 김대중, 노무현만이 아니라 이승만, 박정희로 이어지는 대한민국 모든 대통령의 역사 속에 있습니다. 저는 우리 사회의 치유와 화해, 통합을 바라는 마음으로 지난 현충일 추념사에서 애국의 가치를 말씀드린 바 있습니다. 이제 지난 100년의 역사를 결산하고, 새로운 100년을 위해 공동체 가치를 다시 정립하는 일을 시작해야 합니다.

정부의 새로운 정책 기조도 여기에 맞춰져 있습니다. 보수나 진보 또는 정파의 시각을 넘어 새로운 100년의 준비에 다 함께 동참해 주실 것을 바라 마지않습니다.

오늘 우리 다 함께 선언합시다. 우리 앞에 수많은 도전이 밀려오고 있지만, 새로운 변화에 적응하고 헤쳐 나가 우리 대한민국 국민이 세계에서 최고라고 당당히 외칩시다. 담대하게, 자신 있게 새로운 도전을 맞이합시다. 언제나 그랬듯이 대한민국의 이름으로 하나가 되어 이겨 나갑시다. 국민의 나라, 정의로운 대한민국을 완성합시다. 다시 한번 우리의 저력을 확인합시다. 나라를 위해 자신의 모든 것을 바친 애국선열과 독립유공자들께 깊은 존경의 마음을 드립니다. 오래오래 건강하시기 바랍니다. 감사합니다.

이후 추진 내용
- 22만 원(2017)이던 참전명예수당을 35만 원(2022)으로 59퍼센트 인상했습니다.

- 연도별 참전명예수당 현황

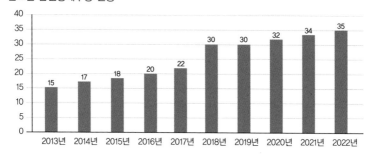

- 참전유공자 진료비 감면율을 2005년 60퍼센트에서 2018년 90퍼센트로 13년 만에 30퍼센트 인상했습니다.

- 참전유공자 진료비 감면 혜택 현황

- 대한민국 헌법 정신의 뿌리인 대한민국임시정부의 정통성이 오늘날 대한민국 정부로 계승되었음을 기억하기 위해 국립대한민국임시정부기념관을 2002년 3월 1일 개관했습니다.

지난겨울
우리는 100년의 시간을 뛰어넘었습니다

제99주년 3·1절 기념식
2018년 3월 1일

"3·1운동이라는 이 거대한 뿌리는 결코 시들지 않습니다. 공정하고 정의로운 나라는 이미 국민 마음 구석구석에서 99년 전부터 자라나고 있었습니다. 이 거대한 뿌리가 한반도에서 평화와 번영의 나무를 튼튼하게 키워 낼 것입니다. 대한민국은 세계에서 가장 위대하고 아름다운 나라가 될 것입니다."

존경하는 국민 여러분, 해외동포 여러분!

3·1운동 아흔아홉 돌입니다. 3·1운동은 지금 이 순간 우리의 삶에 생생하게 살아 있습니다. 서대문형무소의 벽돌 하나하나에는 고난과 죽음에 맞선 숭고한 이야기들이 새겨져 있습니다. '대한 독립 만세'의 외침이 들려오는 것 같습니다.

오늘 우리는 박제화된 기념식이 아니라 독립운동의 현장에서 역사와 함께 살아 숨 쉬는 기념식을 하고자 이 자리에 모였습니다. 일제강점기 동안 해마다 2600여 명이 서대문형무소에 투옥되었습니다. 1945년 8월 15일 해방의 그날까지 10만여 명 가까이 이곳에 수감되었습니다. 열 명 중 아홉 명이 사상범이라고 불린 독립운동가였습니다. 십 대 청소년부터 어르신까지, 남쪽의 제주도에서 북쪽의 함경도까지 나이와 지역을 막론하고 조국의 독립을 위해 실천했던 분들이었습니다. 어머니와 아들, 아버지와 딸, 형제자매가 함께 투옥되기도 했습니다. 수많은 어머니와 아내들이 이곳 형무소 앞 골목에서 삯바느질과 막일을 해 가며 자식과 남편의 옥바라지를 했습니다. 수감자뿐 아니라 그 가족들도 모두 독립운동가였습니다.

국민 여러분!

99년 전 오늘 마을과 장터에 격문이 붙었습니다. 독립선언서가 손에서 손으로 전달되었습니다. 서울과 평양, 진남포, 안주, 의주, 정주, 선천, 원산 등 전국 각지에서 동시에 독립선언서가 낭독되고 만세 시위가 시작되었습니다. 만세 운동은 순식간에 지방 도시와

읍·면까지 확대되었습니다. 멀리 중국의 간도間島와 러시아의 연해주沿海州, 미국 필라델피아와 하와이 호놀룰루의 하늘에도 독립 만세의 함성이 울려 퍼졌습니다. 그해 3월 1일부터 5월 말까지 국내에서만 무려 1542회의 만세 시위가 일어났고, 당시 인구의 10분의 1을 넘는 202만여 명이 이에 참가했습니다.

3·1운동의 경험과 기억은 일제강점기 내내 치열했던 항일 독립 투쟁의 정신적 토대가 됐습니다. 3·1운동 이후 수백 수천 명의 독립군이 매일같이 압록강과 두만강을 건넜습니다. 대한국민회, 북로 군정서, 대한독립군, 군무도독부, 서로군정서, 대한독립단, 광복군 총영을 구성하여 일제 군경과 피어린 전투를 벌였습니다. 한 사람이 쓰러지면 열 사람이 일어섰습니다. 안중근 의사의 뒤를 이어 강우규, 박재혁, 최수봉, 김익상, 김상옥, 나석주, 이봉창……. 이루 다 열거할 수 없는 의사들이 의열 투쟁을 이어 갔습니다. 1932년 4월 29일 윤봉길 의사의 상해 의거가 그 정점이었습니다. 1937년 한 해 동안에만 국내에서 무려 3600건의 크고 작은 무장 독립 투쟁이 있었습니다. 1940년에는 대한민국임시정부가 대한민국 최초의 정규 군대인 광복군을 창설했습니다. 모두 대한민국 건국의 아버지들입니다.

천안 아우내장터에서 만세 시위를 주도한 열여덟 살 유관순 열사는 지하 독방에서 고문과 영양실조로 순국했습니다. 열일곱 꽃다운 나이의 동풍신 열사는 함경북도 명천 만세 시위에 참가했고 이곳 서대문형무소에서 순국했습니다. 밤을 지새우며 태극기를 그린 부산 일신여학교 학생들, 최초 여성 의병장 윤희순 의사, 백범 김구 선생의 강직한 어머니 곽낙원 여사, 3·1운동 직후인 3월 9일 46세의 나이에 압록강을 건너 서로군정서에 가입한 독립군의 어머니 남자현 여사, 근우회 사건을 주도한 후 중국으로 망명하여 의열단 활동을 한 박차정 열사, 대한민국임시정부의 독립 자금을 마련하기 위해 국경을 여섯 차례나 넘나든 정정화 의사……. 우리에게는 3·1운동의 정신으로 대한민국을 세운 건국의 어머니들도 있었습니다.

우리 선조들의 독립 투쟁은 세계 어느 나라보다 치열했습니다. 광복은 결코 밖에서 주어진 것이 아닙니다. 선조들이 최후의 일각까지 죽음을 무릅쓰고 함께 싸워 이뤄 낸 결과입니다.

국민 여러분!

3·1운동의 가장 큰 성과는 독립선언서에 따른 대한민국임시정부의 수립이었습니다. 3·1운동으로 수립된 대한민국임시정부의 헌법은 대한민국이 민주공화제이며 나라의 주권이 국민에게 있다고 명백하게 새겨 넣었습니다. 그것이 지금 대한민국 헌법 제1조가 되었습니다. 왕정과 식민지를 뛰어넘어 우리 선조들이 민주공화국으로 나아갈 수 있었던 힘이 바로 3·1운동이었습니다.

3·1운동의 힘이 약해질 때 주권자인 국민이 다시 일어났습니다. 독립운동은 애국지사들만의 몫이 아니었습니다. 상인들은 철시撤市

운동을 벌였습니다. 나무꾼·기생·맹인·광부들, 이름도 없이 살던 우리의 아버지·어머니·누이들까지 앞장섰습니다. 국민주권과 자유와 평등, 평화를 향한 열망이 한 사람 한 사람의 삶 속으로 들어왔습니다. 계층·지역·성별·종교의 장벽을 뛰어넘어 한 사람 한 사람 당당한 국민이 되었습니다. 이렇게 대한민국을 국민이 주인인 민주 공화국으로 만든 것이 바로 3·1운동입니다.

대한민국임시정부는 우리에게 헌법 제1조뿐 아니라 대한민국이라는 국호와 태극기와 애국가라는 국가 상징을 물려주었습니다. 대한민국이 임시정부의 법통을 계승했다고 우리 헌법이 천명하고 있는 이유입니다.

지난겨울 우리는 100년의 시간을 뛰어넘었습니다. 3·1운동으로 시작된 국민주권의 역사를 되살려 냈습니다. 1700만 개의 촛불이 가장 평화롭고 아름다운 방식으로 이 역사를 펼쳐 보였습니다. 어둠을 밝혔던 하나하나의 빛은 국민 한 명 한 명이 대한민국의 주권자임을 또다시 선언했습니다. 새로운 국민주권의 역사가 대한민국 건국 100주년을 향해 다시 써지기 시작했습니다. 저와 우리 정부는 촛불이 다시 밝혀 준 국민주권의 나라를 확고하게 지켜 나갈 것입니다.

3·1운동의 정신과 독립운동가들의 삶을 대한민국 역사의 주류로 세울 것입니다. 2020년 문을 열게 될 대한민국임시정부기념관에는 대한민국을 세운 수많은 선조들의 이야기가 담길 것입니다. 3·1운

1부 기억하고 기리겠습니다

동에 참가한 나무꾼도, 광부도, 기생들도 자랑스러운 독립운동가의 이름으로 새겨질 것입니다. 국내외 곳곳 아직 찾지 못한 독립운동의 유적들과 독립운동가들의 흔적도 계속 발굴할 것입니다. 충칭重慶의 광복군 총사령부도 임시정부 수립 100주년에 맞춰 복원될 것입니다.

국민 여러분!

우리에겐 3·1운동이라는 거대한 뿌리가 있습니다. 해방과 국민주권을 가져온 민족의 뿌리입니다. 우리에겐 독립운동과 함께 민주공화국을 세운 위대한 선조가 있고, 절대 빈곤에서 벗어나 경제발전과 민주화를 이룬 건국 2세대와 3세대가 있습니다. 또한 이 시대에 함께 걸어갈 길을 밝혀 준 수많은 촛불이 있습니다. 우리는 더 이상 우리를 낮출 필요가 없습니다. 우리 힘으로 광복을 만들어 낸 자긍심 넘치는 역사가 있습니다. 우리는 우리 스스로 평화를 만들어 낼 역량이 있습니다. 저는 이러한 국민의 역량과 자신감으로 3·1운동과 대한민국 건국 100주년을 항구적 평화 체제 구축과 평화에 기반한 번영의 새로운 출발선으로 만들어 나가겠습니다.

그러기 위해서 우리는 잘못된 역사를 우리의 힘으로 바로 세워야 합니다. 독도는 일본의 한반도 침탈 과정에서 가장 먼저 강점당한 우리 땅입니다. 우리 고유의 영토입니다. 지금 일본이 그 사실을 부정하는 것은 제국주의 침략에 대한 반성을 거부하는 것이나 다를 바 없습니다.

위안부 문제 해결에 있어서도 가해자인 일본정부가 '끝났다'고 말해서는 안 됩니다. 전쟁 시기에 있었던 반反인류적 인권 범죄 행위는 끝났다는 말로 덮어지지 않습니다. 불행한 역사일수록 그 역사를 기억하고 그 역사로부터 배우는 것만이 진정한 해결입니다. 일본은 인류 보편의 양심으로 역사의 진실과 정의를 마주할 수 있어야 합니다.

저는 일본이 고통을 가한 이웃 나라들과 진정으로 화해하고 평화 공존과 번영의 길을 함께 걸어가기를 바랍니다. 저는 일본에게 특별한 대우를 요구하지 않습니다. 그저 가장 가까운 이웃 나라답게 진실한 반성과 화해 위에서 함께 미래로 나아가길 바랄 뿐입니다.

존경하는 국민 여러분, 해외동포 여러분!

우리는 오늘 3·1운동을 생생한 기억으로 살림으로써 한반도의 평화가 국민의 힘으로 가능하다는 것을 확인하고 있습니다. 우리는 앞으로 광복 100년으로 가는 동안 한반도 평화 공동체, 경제 공동체를 완성해야 합니다. 분단이 더 이상 우리의 평화와 번영에 장애가 되지 않게 해야 합니다. 저는 오늘 국민께 이 목표를 함께 이뤄갈 것을 제안합니다. 빈부·성별·학벌·지역의 격차와 차별에서 완전히 해방된 나라를 만들어 냅시다. 김구 선생이 꿈꾼 세계 평화를 주도하는 문화 강국으로 나아갑시다.

3·1운동이라는 이 거대한 뿌리는 결코 시들지 않습니다. 공정하고 정의로운 나라는 이미 국민 마음 구석구석에서 99년 전부터 자

라나고 있었습니다. 이 거대한 뿌리가 한반도에서 평화와 번영의 나무를 튼튼하게 키워 낼 것입니다. 대한민국은 세계에서 가장 위대하고 아름다운 나라가 될 것입니다.

감사합니다.

이후 추진 내용

• 2019년 3월 한국광복군 총사령부를 복원 완료하여, 국무총리 주관으로 기념식을 거행했습니다.

국민의 마음을 모으고
강한 국가를 만드는 주춧돌

국가유공자 및 보훈 가족 초청 오찬
2018년 6월 5일

"애국과 보훈의 가치를 더욱 높여 나가겠습니다. 예산 부족이나 법령 미비라는 핑계를 대지 않겠습니다. 국가가 나서서 한 분이라도 더 찾아내 마땅히 갖춰야 할 예우를 다하겠습니다. 여러분도 자부심을 가져 주시기 바랍니다."

존경하는 국가유공자와 보훈 가족 여러분!

멀리서 오신 분도 계시고 연로하신 분도 많으신데 이렇게 함께해 주셔서 감사드립니다. 항상 깊은 존경과 감사의 마음을 갖고 있습니다. 2017년 이맘때 이 자리에서 보훈으로 나라의 기틀을 바로 세우겠다고 약속드렸습니다. 노력한다고 했습니다만 좀 나아졌다고 느끼실지 모르겠습니다. 보훈은 국민의 마음을 하나로 모으고 강한 국가를 만드는 주춧돌입니다. 나라다운 나라는 국가유공자와 보훈 가족들이 자부심을 가질 수 있을 때 완성된다는 것이 대통령으로서 저의 확고한 소신입니다.

국가유공자와 보훈 가족 여러분!

그동안 보훈처를 장관급으로 격상하고 보훈 예산도 대폭 늘렸습니다. 보훈보상금부터 2조 원 규모로 마련했습니다. 참전 용사의 무공수당, 참전수당을 역대 최고 수준으로 인상하여 올 1월부터 23만 명의 참전 용사에게 지급하고 있습니다. 한 분이라도 더 살아 계실 때 정성을 다한 보상과 예우가 이루어지도록 노력하겠습니다.

국가가 국가유공자와 보훈 가족 여러분의 곁을 지키는 따뜻한 보훈을 시작했습니다. 특히 홀로 지내시거나 생활이 어려운 고령 보훈 가족을 직접 챙기고 있습니다. 가사를 돕고 건강도 챙기는 보훈 섬김이가 댁으로 찾아가 여러분의 딸, 아들이 되어 드리고 있습니다. 고령 보훈 가족에게는 무엇보다 의료와 요양이 중요합니다. 1월 부터 참전유공자 진료비 감면율을 60퍼센트에서 90퍼센트로 대폭 확대했습니다. 8월이면 인천보훈병원과 보훈의학연구소가 문을 열게 됩니다. 참으로 반가운 소식입니다. 곳곳에 요양과 재활시설을 늘려 조금이라도 가까운 곳에서 도움을 받으실 수 있도록 하겠습니다. 보훈복지 사각지대를 해소하고 보훈 대상자 한 분 한 분에게 필요한 맞춤형 복지를 제공하도록 하겠습니다. 마지막 가시는 길까지 명예를 지킬 수 있도록 경제적으로 어렵거나 연고가 없는 국가유공자까지 품격 있는 장례를 하도록 지원하겠습니다.

국가유공자와 보훈 가족 여러분!

오늘 국가와 국민을 위한 희생이 얼마나 숭고한지 그 가치를 일깨워 주신 분들의 유족들을 특별히 모셨습니다. 2002년 제2연평해전의 황도현 중사는 마지막까지 방아쇠를 놓지 않고 서해바다를 지켰습니다. 국가는 연평해전 영웅들에게 명예를 드리기 위해 특별법을 제정했습니다. 안보의 최전선을 목숨 바쳐 지킨 용사들에게 국가가 마땅히 해야 할 의무입니다.

세월호의 아이들을 구하다 돌아가신 고창석 선생님과 전수영 선생님은 순직 공무원보다 더 예우받는 순직 군경이 됐습니다. 해경의 해난구조, 인명구조와 같은 희생을 했기 때문입니다. 교육자의 참다운 모습을 보여 주신 분들께 국가가 마땅히 해야 할 예우입니다.

올해 3월 문새미 교육생은 소방공무원으로 임용되기 전 연수 기간에 구조 활동을 하다가 사고를 당했습니다. 종전에는 공무원으로 임용되지 않았기 때문에 순직 처리가 되지 않았습니다. 이에 정부는 〈소방공무원임용령〉을 개정하여 문새미 교육생 같은 분을 소급하여 소방관으로 임명할 수 있게 했습니다.

수십 년 동안 군 의문사라는 이중의 고통을 겪다가 최근에서야 순직을 인정받은 유가족들도 이 자리에 계십니다. 오랜 기간 국가로부터 외면받은 고통을 생각하면 너무나 죄송스럽습니다. 국가와 국민을 위한 희생 하나하나를 귀하게 예우하고 존경하는 나라를 만들겠습니다. 신분상의 이유나 법령 미비로 억울한 일을 겪지 않도록 하겠습니다.

존경하는 국가유공자와 보훈 가족 여러분!

애국과 보훈의 가치를 더욱 높여 나가겠습니다. 예산 부족이나 법령 미비라는 핑계를 대지 않겠습니다. 국가가 나서서 한 분이라도 더 찾아내 마땅히 갖춰야 할 예우를 다하겠습니다. 국민의 눈높이에 맞는 보훈심사가 되도록 하겠습니다. 국가와 국민을 위해 희생한 분들과 가족들이 억울함과 서러움에 눈물 흘리는 일이 없도록 하겠습니다. 여러분도 자부심을 가져 주시기 바랍니다.

여러분은 애국과 국민에 대한 헌신으로 대한민국을 지켰습니다. 여러분이 계셨기에 대한민국은 살 만한 곳이 됐습니다. 정의가 보상받는 나라, 국민 모두가 자랑스러워하는 대한민국을 여러분과 함께 만들어 가겠습니다.

감사합니다.

결코 국민을 외롭게 두지 않겠습니다

제63회 현충일 추념식
2018년 6월 6일

—

"보훈은 국가를 위한 헌신에 대한 존경입니다. 보훈은 이웃을 위한 희생이 가치 있는 삶이라는 것을 우리 모두의 가슴에 깊이 새기는 일입니다. 그래서 보훈은 나라를 나라답게 만드는 기본입니다. 우리 정부는 모든 애국을 공경하는 마음으로 보훈을 더 잘하려고 노력하고 있습니다."

존경하는 국민 여러분, 국가유공자와 유가족 여러분!

얼마나 많은 그리움을 안고 이곳에 오셨습니까? 보고 싶은 사람을 가슴 깊숙이 품고 계신 분들을 오는 길 곳곳에서 마주쳤습니다.

저는 오늘 예순세 번째 현충일을 맞아, 우리를 지키고 나라를 위해 희생한 영령들이 모두 우리의 이웃이었고 가족이었다는 사실을 새삼 깨닫습니다. 국민과 국가를 위해 헌신한 국가유공자 여러분께 깊은 존경의 마음을 표하며 유가족께 애틋한 애도의 말씀을 드립니다.

대한민국의 역사는 우리의 이웃과 가족들이 평범한 하루를 살며 만들어 온 역사입니다. 아침마다 대문 앞에서 밝은 얼굴로 손 흔들며 출근한 우리의 딸, 아들들이 자신의 책임을 다하며 일궈 온 역사입니다. 일제강점기 앞장서 독립 만세를 외친 것도, 나라를 지키기 위해 전쟁터에 나간 것도, 누구보다 성실히 일하며 경제 발전에 이바지한 것도, 민주주의가 위기에 처했을 때 두 주먹 불끈 쥐고 거리에 나선 것도 모두 평범한 우리의 이웃, 보통의 국민이었습니다. 그 과정에서 희생한 대부분의 사람들도 우리의 이웃들이었습니다.

이곳 대전현충원은 바로 그분들을 모신 곳입니다. 독립유공자와 참전 용사가 이곳에 계십니다. 독도의용수비대, 연평해전과 연평도 포격 사건 전사자, 천안함의 호국 영령을 모셨습니다. 소방공무원과 경찰관, 순직 공무원 묘역이 조성되었고, 의사상자義死傷者 묘역도 따로 만들어 숭고한 뜻을 기리고 있습니다.

2006년 카센터 사장을 꿈꾸던 채종민 정비사는 9세 아이를 구한 뒤 바다에서 숨을 거뒀습니다. 2009년 김제시 농업기술센터 황지영 행정 인턴과 어린이집 금나래 교사는 교통사고당한 사람을 돕다가 뒤따르던 차량에 목숨을 잃었습니다. 2016년 성우를 꿈꾸던 대학생 안치범 군은 화재가 난 건물에 들어가 이웃들을 모두 대피시켰지만 자신은 돌아오지 못했습니다. 유가족들에게는 영원한 그리움이자 슬픔일 것입니다. 그러나 우리 안에 다른 사람을 도울 수 있는 용기가 깃들어 있다는 것을 그들이 우리에게 알려 주었습니다. 이웃을 위한 따뜻한 마음이 의로운 삶이 됐습니다. 가족을 위해 최선을 다해 살아온 하루가 비범한 용기의 원천이 됐습니다. 그것이 대한민국을 지탱하는 힘이 됐습니다. 이러한 분들이 있었기에 우리는 우리 자신처럼 평범한 국민이 나라의 주인이라는 사실을 자각할 수 있었습니다.

존경하는 국민 여러분!

우리에게 가족이 소중한 이유는 어려움이 닥쳤을 때 곁에서 지켜 줄 것이라는 믿음 때문입니다. 국가도 마찬가지입니다. 언제든 국가로부터 도움받을 수 있다는 확고한 믿음이 있을 때 우리도 모든 것을 국가에 바칠 수 있습니다. 그것이 진정한 애국입니다.

저는 오늘 무연고 묘역을 돌아보았습니다. 한국전쟁에서 전사한 김기억 중사의 묘소를 참배하며 국가가 국민에게 드릴 수 있는 믿음을 생각했습니다. 그는 스물둘 청춘을 나라에 바쳤지만 세월이 흐르는 동안 연고 없는 무덤이 되고 말았습니다. 대한민국은 결코 그분들을 외롭게 두지 않을 것입니다. 끝까지 기억하고 끝까지 돌볼 것입니다. 모든 무연고 묘소를 대한민국의 이름으로 기억해야 합니다. 그것이 국가에 헌신했던 믿음에 답하고 국민이 국가에 믿음을 갖게 하는 국가의 역할과 책무일 것입니다.

존경하는 국민 여러분, 국가유공자와 유가족 여러분!

보훈은 국가를 위한 헌신에 대한 존경입니다. 보훈은 이웃을 위한 희생이 가치 있는 삶이라는 것을 우리 모두의 가슴에 깊이 새기는 일입니다. 그래서 보훈은 나라를 나라답게 만드는 기본입니다. 우리 정부는 모든 애국을 공경하는 마음으로 보훈을 더 잘하려고 노력하고 있습니다.

우리는 그동안 독립운동가 후손들을 잘 모시지 못했습니다. 이제 독립유공자의 자녀와 손자녀까지 생활지원금을 드릴 수 있게 되어 무척 다행스럽습니다. 지난 1월, 이동녕 선생의 손녀 82세 이애희 여사를 국가보훈처장이 직접 찾아뵙고 생활지원금을 전달했습니다. 이동녕 선생은 대한민국임시정부에서 주석, 국무령, 국무총리 등을 역임하며 20여 년간 임시정부를 이끌었던 분입니다. 이제 비로소 사람 노릇을 할 수 있게 되었다는 여사님의 말씀이 우리를 부끄럽게 합니다.

우리 정부는 국가보훈처를 장관급으로 격상시켰고, 보훈 예산 규모도 사상 최초로 5조 원을 넘어섰습니다. 올해 1월부터는 국립호국원에 의전단을 신설하여 독립유공자의 안장식을 국가의 예우 속에서 품격 있게 진행할 수 있게 했습니다. 생존해 계신 애국지사의 특별예우금도 50퍼센트 올려 드리게 되었고, 참전 용사들의 무공수당과 참전수당도 월 8만 원씩 더 지급해 드리고 있습니다. 대통령 근조기를 증정하는 훈령도 제정했습니다.

6월 1일 첫 시행하는 날, 국가유공자 김기윤 선생의 빈소에 대통령 근조기 1호를 인편으로 정중하게 전달했습니다. 8월에는 인천보훈병원이 개원합니다. 국가유공자들이 가까운 곳에서 의료와 요양을 받을 수 있도록 강원권과 전북권에도 보훈요양병원을 신설하고 부산, 대구, 광주, 대전에 전문재활센터를 건립할 예정입니다. 대한민국임시정부가 중국 충칭시에 설치한 한국광복군 총사령부의 복원은 중국 정부의 협력으로 임시정부 수립 100주년이 되는 2019년 4월까지 완료할 계획입니다. 한국전쟁에서 전사한 군인과 경찰의 유해 발굴도 마지막 한 분까지 계속해 나갈 것입니다. 남북 관계가 개선되면 비무장지대의 유해 발굴을 우선적으로 추진하겠습니다. 미군 등 해외 참전 용사들의 유해도 발굴할 수 있을 것입니다. 국민을 위한 모든 희생과 헌신에 보답하기 위해 법령도 정비했습니다.

국가유공자에 대한 진정한 예우는 국가유공자와 유족들이 자부심을 가질 수 있을 때 비로소 완성됩니다. 그분들의 삶이 젊은 세대의 마음속에 진심으로 전해져야 합니다. 우리 후손이 선대의 나라를 위한 헌신을 기억하고 애국자와 의인의 삶에 존경심을 가질 수 있도록 우리 국민 모두가 관심을 가져야 합니다. 애국과 보훈에 보수와 진보가 따로일 수 없습니다. 나라를 나라답게 만드는 일에 국민께서 함께 마음을 모아 주시기 바랍니다. 그것이 대한민국의 힘이 되고 미래가 될 것입니다. 지방자치단체별로 국가유공자의 집을 알리는 명패 달아 드리기 사업을 하고 있습니다. 그러다 보니 지역별로 모양도 각각이고 품격이 떨어지는 곳도 있습니다. 정부가 중심 역할을 해서 국가유공자를 존경하는 마음을 이웃과 함께 나누겠습니다.

저는 오늘 평범한 일상 속에서 서로 아끼는 마음을 일궈 낸 대한민국 모든 이웃과 가족에게 큰 긍지를 느낍니다. 우리가 서로를 아끼고 지키고자 할 때 우리 모두는 의인이고 애국자입니다. 대한민국의 이름으로 애국 영령과 의인, 민주 열사의 뜻을 기리고 이어가겠습니다. 가족들의 슬픔과 그리움을 조금이나마 보듬을 수 있도록 국가가 역할과 책임을 다하겠습니다. 감사합니다.

이후 추진 내용

- 2017년 9월부터 영구용 태극기를 직접 지급하는 한편, 2018년 6월부터는 그동안 국가보훈처장 명의로 증정하던 근조기를 대통령 명의로 격상함으로써, 유가족의 불편을 해소하고 품격 있는 장례가 될 수 있도록 하는 등 약 4만 5305명에게 영구용 태극기와 근조기를 제공(2021년 11월 말 기준)하고 있습니다.
- 통일된 디자인이 적용된 국가유공자 명패를 2018년 11월 확정하고 국무총리가 노동훈 애국지사 자택에 명패를 달아 드린 것을 시작으로 2021년 말까지 국가유공자 및 유족 총 46만여 명에게 명패를 증정했습니다. 2022년에도 10만여 명에게 명패를 달아 드림으로써 사업을 마무리하는 한편 향후 신규 등록자 등을 중심으로 명패 증정을 지속해 나갈 계획입니다.

새로운 100년의 역사를 향해

3·1운동 및 대한민국임시정부 수립 100주년 기념사업추진위원회 출범식
2018년 7월 3일

"100년 전 우리 선조들은 일제의 불의와 폭력에 맞섰고 성별과 빈부의 차별, 소수의 특권과 기득권, 불공정과 불평등을 청산하고자 했습니다. 모두 자유롭고 평등한 민주공화국을 외쳤습니다. 임시정부가 '대한민국'이라는 국호와 함께 민주공화국을 국체로 선언한 것은 시기를 생각하면 참으로 놀라운 일입니다. 왕정과 식민지를 뛰어넘어 민주공화국을 탄생시킨 선조들의 고귀한 정신은 100년 동안 잠들지 않았습니다."

위원 여러분, 7대 종단 대표 여러분!

뜻깊은 자리에서 뵙게 되어서 참으로 반갑습니다. 위원 한 분한 분의 삶에서 대한민국 100년의 역사를 봅니다. 독립운동가 후손, 민주열사 유가족, 청계피복 노조 여성 노동운동가와 파독 간호사, 노조와 기업인 대표를 비롯한 예순여덟 분이 함께해 주셨습니다. 100년을 넘어 다시 희망의 100년을 위해 위원직을 기꺼이 수락해 주신 모든 분께 깊은 존경과 감사의 말씀을 드립니다. 현재 여성 민간위원의 비율이 과반을 넘고 있습니다. 정부위원회 최초입니다. 다른 위원회 구성에도 모범이 될 수 있도록 구성을 완료할 때까지 조금만 더 수고해 주시기 바랍니다.

위원 여러분!

1919년 한반도와 세계 각지의 하늘에 '대한 독립 만세'의 외침이 울려 퍼졌습니다. 3·1운동은 민족의 자주독립과 평화, 민주와 인권 가치를 외친 선언이자 실천이었습니다. 3·1운동으로 분출한 민족의 역량은 대한민국임시정부 수립으로 이어졌습니다.

100년 전 우리 선조들은 일제의 불의와 폭력에 맞섰고 성별과 빈부의 차별, 소수의 특권과 기득권, 불공정과 불평등을 청산하고자 했습니다. 모두 자유롭고 평등한 민주공화국을 외쳤습니다. 임시정부가 '대한민국'이라는 국호와 함께 민주공화국을 국체로 선언한 것은 시기를 생각하면 참으로 놀라운 일입니다. 왕정과 식민지를 뛰어넘어 민주공화국을 탄생시킨 선조들의 고귀한 정신은 100년 동안 잠들지 않았습니다.

촛불혁명은 3·1운동 정신을 이은 명예로운 시민혁명이었습니다. 남북 정상회담을 성공시킨 주인공도 국민입니다. 한반도의 평화와 공동 번영을 염원하는 국민의 힘이 대담한 상상력의 바탕이 되었고, 한반도에 새로운 100년의 역사를 열고 있습니다.

위원 여러분!

우리에게는 민주공화국 100년의 자랑스러운 역사가 있습니다. 동시에 선조들의 위대한 유산을 더욱 풍요롭게 만들어 미래세대에게 물려줄 책무도 부여받았습니다. 누구보다 청년들이 역사에서 길을 발견하고 공동체의 삶에 자긍심을 가져야 새로운 100년을 열 수 있습니다. 3·1운동과 임시정부 수립 100주년을 기념하는 일이 정의롭고 공정한 나라의 토대가 되어야 할 것입니다.

지난 1월 정부는 대한민국임시정부기념관 건립추진위원회를 출범시켰습니다. 기념관에는 독립을 위해 희생하고 헌신한 분들의 삶과 정신을 하나하나 충실히 담아낼 것입니다. 중국 충칭의 광복군 총사령부 복원도 임시정부 수립 100주년이 되는 내년 4월을 목표로 중국 정부와 긴밀하게 협력하고 있습니다. 일제가 훼손한 이상룡 선생의 본가 안동의 임청각도 올해 말까지 종합정비계획을 수립해 본격적인 복원에 착수할 것입니다.

연해주 독립운동의 대부 최재형 선생을 기리는 기념관이 러시아 우수리스크에서 올해 안에 개관할 예정입니다. 여성 독립운동가와 의병도 적극 발굴하고 있습니다. 정부는 옥고 여부와 상관없이 독립운동 사실이 확인되면 포상을 추진할 수 있도록 독립유공자 심사 기준을 전면 개선했습니다. 모든 애국지사와 독립유공자의 후손들께 국가의 도리를 다해 나갈 것입니다.

70년을 이어 온 남북 분단과 적대는 독립운동의 역사도 갈라놓았습니다. 지난 4월 27일 저와 김정은 위원장은 3·1운동 100주년 남북공동기념사업 추진을 논의했고 판문점선언에 그 취지를 담았습니다. 남과 북이 독립운동의 역사를 함께 공유하게 된다면 서로의 마음도 더 가까워질 수 있을 것이라고 생각합니다. 위원회에서 남북이 공동으로 할 수 있는 사업까지 구상해 주실 것을 당부드립니다. 100주년 기념사업 하나하나가 우리의 역사적 자긍심의 근거가 될 것입니다. 청년들은 대한민국을 더 사랑하게 될 것입니다.

존경하는 위원 여러분!

1919년 3월 5일 서울역 광장에서는 유관순 열사와 이화학당 친구들이 1만여 명의 청년 학생들과 함께 만세 시위를 벌였습니다. 나흘 뒤 독립군의 어머니 남자현 여사가 이곳에서 기차를 타고 압록강을 건넜습니다. 1907년 4월 22일 고종의 특명을 받은 이준 선생은 이곳 서울역에서 출발해 부산, 블라디보스토크를 거쳐 시베리아 횡단 열차로 헤이그에 이르렀습니다. 1936년 6월 4일 스물 넷의 마라톤 선수 손기정이 베를린으로 가기 위해 기차에 오른 곳도 바로 여기 서울역이었습니다. 최초의 여성 서양화가 나혜석도

1927년 서른한 살의 나이에 같은 열차로 파리를 향했습니다. 서울역은 우리 역사의 주요 무대였고 대륙으로 우리의 삶을 확장하는 출발지였습니다. 오늘 3·1운동 및 대한민국임시정부 100주년 기념사업추진위원회는 서울역에 남겨진 우리 역사의 발걸음을 되새기면서 우리가 가야 할 미래를 바라보고 있습니다.

이곳에서 열리는 출범식이 새로운 100년을 알리는 기적 소리와 함께 지난 100년을 기념하는 힘찬 출발의 자리가 되기를 기원합니다.

감사합니다.

이후 추진 내용

• 2018년 6월 독립운동 공적이 있음에도 불구하고 그동안 제대로 평가받고 포상받지 못했던 여성, 학생, 의병 독립운동가들이 제대로 평가받을 수 있도록 심사기준을 개선했습니다. 여성의 경우 당시 사회특성상 관련 기록이 많지 않음을 감안하여 일기, 회고록 등 직·간접적 자료에서 독립운동 활동 내역이 인정되면 포상하고, 학생 신분일 경우 수형 사실이 없더라도 독립운동 참여로 인해 퇴학을 당한 경우 포상하도록 했습니다. 아울러 의병의 경우 독립운동 사실이 확인된 경우에는 수형·옥고 기간이 3개월을 넘지 않더라도 포상하고 있습니다.

• 연도별 독립운동가 발굴 포상 현황

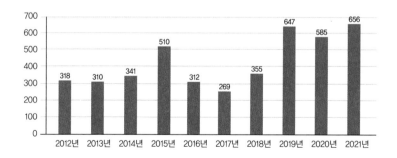

1부 기억하고 기리겠습니다

모든 희생을 끝까지 찾아내겠습니다

독립유공자 및 유족 초청 오찬
2018년 8월 14일

"제대로 된 보훈은 나라를 위한 모든 희생을 끝까지 찾아내 기억하고 보답하는 것으로 완성됩니다. 이번 광복절부터 독립운동가 포상 기준을 세심히 살핀 결과 여성 독립운동가 202분을 새로 발굴했습니다. 앞으로도 여성은 물론 학생, 의병까지 후세에 널리 기억되고 합당한 예우를 받을 수 있도록 적극 발굴해 나가겠습니다."

존경하는 독립유공자와 후손 여러분!

독립운동은 오늘의 대한민국을 있게 한 힘이자 정신입니다. 선열들의 독립운동은 민족자존을 세우는 일이었고 모든 사람이 평등하다는 외침이었습니다. 민족의 독립과 애국이라는 대의 앞에 신분과 지위, 성별의 구분은 없었습니다. 1904년 한일의정서가 체결되자 전국에 배일통문排日通文을 돌린 것은 당시 평리원 서리재판장이었던 왕산 허위 선생이었습니다. 평리원 서리재판장은 요즘으로 치면 대법원장에 해당되는 직책입니다. 그 후 13도 연합 의병부대를 이끈 허위 의병장은 결국 서대문형무소에서 첫 번째 순국자가 되셨습니다. 우즈베키스탄에 거주하던 허위 의병장의 현 손녀 키가이 소피아 님이 이 자리에 함께하고 계십니다. 큰 박수로 환영해 주시기 바랍니다.

이번에 정부는 여성 독립운동가 202분을 새로 발굴하고 그 가운데 스물여섯 분께 서훈과 포상을 결정했습니다. 그중 1919년 평안남도 순천에서 대한국민회부인향촌회를 조직해 조국 독립에 크게 기여한 최복길, 김경신, 김화자, 옥순영, 이관옥 선생께는 건국훈장이 추서되었고 광복절 포상자 중 주요 인물로 선정됐습니다.

3·1운동 1주년을 기리며 기숙사 뒷산과 교정에서 일제히 독립만세를 외쳤던 당시 배화여고 학생 6명에게도 대통령 표창을 드리게 됐습니다. 1926년 6·10 만세 운동을 주도한 중앙고보 이선호 선생은 그해 11월 경성지방법원 공판에서 "자유를 절규하면 자유가 생

긴다는 결심으로 거사에 임하였다"고 거침없이 진술했습니다. 그로부터 3년 뒤 광주에서 시작한 항일학생투쟁은 목포, 나주, 서울을 비롯해 전국으로 확대되었고 항일민족운동의 불씨를 다시 지폈습니다.

이 자리에 안중근 의사의 후손 두 분도 함께하고 계십니다. 108년 전 사형을 앞둔 안중근 의사는 빌렘Nicolas Joseph Marie Wilhelm 신부와 마지막 면회에서 한국의 독립운동이 억압에서 벗어나 자유를 되찾으려는 전 인류적 활동임을 밝혔습니다. 여순감옥에서 저술한 《동양평화론》에서 동양평화를 위한 일본의 역할을 강조했고, 한·중·일이 공동으로 은행과 군대를 창설하자는 시대를 앞선 비전을 제시하기도 했습니다. 자유와 평화를 향한 안중근 의사의 위대한 정신과 발자취는 오늘날까지 이어지고 있습니다. 일본 미야기현宮城縣에는 여순감옥의 간수 고故 지바 도시치가 모신 안중근 의사 영정이 있습니다. 《동양평화론》을 연구하는 일본학자들도 있습니다. 중국 하얼빈哈爾濱에도 안중근 의사의 기념관과 동상이 있습니다. 그러나 우리는 여태까지 안중근 의사의 유해조차 찾지 못했습니다. 김구 선생이 효창공원에 마련한 가묘는 여전히 비어 있습니다. "해방이 되거든 고국으로 반장返葬해 달라"는 안 의사의 유언을 우리는 지키지 못하고 있습니다. 내년 3·1운동과 대한민국임시정부 수립 100주년을 맞아 정부는 북한과 공동사업으로 안중근 의사의 유해 발굴 사업을 추진할 것입니다.

존경하는 독립유공자와 후손 여러분!

저는 보훈이야말로 강한 국가를 만드는 뿌리라는 신념을 가지고 있습니다. 나라를 위한 헌신에 예우를 다하는 것은 국가의 마땅한 도리이자 미래를 위한 최고의 투자라고 생각합니다. 독립운동가 가문의 현재 삶의 모습이야말로 다음 세대에게 애국의 지표가 되기 때문입니다. 경제적 지원을 확대하는 것은 제대로 된 보훈의 시작입니다. 약속드린 대로 올해부터 애국지사에게 드리는 특별예우금을 50퍼센트 인상했습니다. 독립운동가의 3대까지 안정적으로 생활하실 수 있도록 1만 7000여 명에게 지원금을 드리고 있습니다.

독립유공자 후손의 곁을 지키고 보살피는 따뜻한 보훈도 시작됐습니다. 올해부터 독립유공자 자녀와 손자녀의 자택을 방문하는 '찾아가는 보훈복지서비스'를 실시하고 있습니다. 해외에 살다 국내로 영주 귀국한 모든 독립유공자 후손에게는 주택을 지원하고 있습니다. 여러분의 몸과 마음의 건강도 중요하게 챙길 것입니다. 이번 달에 인천보훈병원과 보훈의학연구소가 개원할 예정입니다.

제대로 된 보훈은 나라를 위한 모든 희생을 끝까지 찾아내 기억하고 보답하는 것으로 완성됩니다. 앞에서 말씀드렸듯이 이번 광복절부터 독립운동가 포상 기준을 세심히 살핀 결과 여성 독립운동가 202분을 새로 발굴했습니다. 늦었지만 정말 반가운 소식입니다. 앞으로도 여성은 물론 학생, 의병까지 후세에 널리 기억되고 합당한 예우를 받을 수 있도록 적극 발굴해 나가겠습니다.

1부 기억하고 기리겠습니다

존경하는 독립유공자와 후손 여러분!

오늘은 일본군 '위안부' 피해자 기림의 날이기도 합니다. 저도 오찬을 마친 뒤 추모의 자리에 함께할 것입니다. 다시는 이러한 고통과 아픔이 되풀이되어서는 안 됩니다. 정의와 진실로 역사를 바로 세우고 평화로 나라를 튼튼히 지키겠다는 다짐의 말씀을 드립니다.

독립운동으로 나라를 찾고 임시정부로 대한민국의 법통을 세운 자랑스러운 조국의 역사는 이 자리에 계신 여러분이 만든 것입니다. 보훈으로 국민의 마음을 하나로 모아 현재와 미래의 대한민국을 더욱 강하게 만들겠습니다. 다음에 뵐 때까지 꼭 건강하십시오.

감사합니다.

이후 추진 내용

• 독립유공자 공적 심사 기준을 개선하여, 수형(옥고) 기준을 완화하고 여성 특수성 등을 인정했습니다. 그 결과, 2021년에 총 656명의 독립유공자를 발굴하여 포상했습니다.

여성 독립운동가 202분을 찾아
광복의 역사에 이름을 올립니다

제73주년 광복절 및 정부수립 70주년 경축식
2018년 8월 15일

"친일의 역사는 결코 우리 역사의 주류가 아니었습니다. 우리 국민의 독립투쟁은 세계 어느 나라보다 치열했습니다. 광복은 결코 밖에서 주어진 것이 아닙니다. 선열들이 죽음을 무릅쓰고 함께 싸워 이겨 낸 결과였습니다. 우리는 그 사실에 높은 자긍심을 가져도 좋을 것입니다.

정부는 지난 광복절 이후 1년간 여성 독립운동가 202분을 찾아 광복의 역사에 당당하게 이름을 올렸습니다. 그중 스물여섯 분에게 이번 광복절에 서훈과 유공자 포상을 하게 됐습니다."

존경하는 국민 여러분, 독립유공자와 유가족 여러분, 해외동포 여러분!

오늘은 광복 73주년이자 대한민국 정부수립 70주년을 맞는 매우 뜻깊고 기쁜 날입니다. 독립 선열들의 희생과 헌신으로 우리는 오늘을 맞이할 수 있었습니다. 마음 깊이 경의를 표합니다. 독립유공자와 유가족께도 존경의 말씀을 드립니다.

구한말 의병운동으로부터 시작한 독립운동은 3·1운동을 거치며 국민주권을 찾는 치열한 항전이 됐습니다. 대한민국임시정부를 중심으로 우리나라를 우리 힘으로 건설하자는 불굴의 투쟁을 벌였습니다. 친일의 역사는 결코 우리 역사의 주류가 아니었습니다. 우리 국민의 독립투쟁은 세계 어느 나라보다 치열했습니다. 광복은 결코 밖에서 주어진 것이 아닙니다. 선열들이 죽음을 무릅쓰고 함께 싸워 이겨 낸 결과였습니다. 모든 국민이 평등하게 힘을 모아 이룬 광복이었습니다. 광복의 그날 우리는 모두 어울려 목이 터져라 만세를 불렀습니다. 우리는 그 사실에 높은 자긍심을 가져도 좋을 것입니다.

존경하는 국민 여러분!

용산이 오래도록 우리 곁으로 돌아오지 못했던 것처럼, 발굴하지 못하고 찾아내지 못한 독립운동의 역사가 우리를 기다리고 있습니다. 특히 여성의 독립운동은 더 깊숙이 묻혀 왔습니다. 여성들은 가부장제와 사회적·경제적 불평등으로 이중 삼중의 차별을 당하면서도 불굴의 의지로 독립운동에 뛰어들었습니다.

평양 평원고무공장 여성 노동자였던 강주룡은 1931년 일제의 일방적인 임금 삭감에 반대해 높이 12미터의 을밀대 지붕에 올라 농성하며 여성해방·노동해방을 외쳤습니다. 당시 조선의 남성 노동자 임금은 일본 노동자의 절반에도 못 미쳤고, 조선 여성 노동자는 그의 절반도 되지 않았습니다. 죽음을 각오한 저항으로 지사는 출감 두 달 만에 숨을 거두고 말았지만 2007년 건국훈장 애국장을 받았습니다.

1932년 제주 구좌읍에서는 일제 착취에 맞서 고차동, 김계석, 김옥련, 부덕량, 부춘화 다섯 분의 해녀로 시작된 해녀 항일운동이 제주 각지 800명으로 확산되었고, 3개월 동안 연인원 1만 7000명이 238회에 달하는 집회 시위에 참여했습니다. 지금 구좌에는 제주해녀항일운동기념탑이 세워져 있습니다.

정부는 지난 광복절 이후 1년간 여성 독립운동가 202분을 찾아 광복의 역사에 당당하게 이름을 올렸습니다. 그중 스물여섯 분에게 이번 광복절에 서훈과 유공자 포상을 하게 됐습니다.

나머지 분들도 계속 포상할 예정입니다. 광복을 위한 모든 노력에 반드시 정당한 평가와 합당한 예우를 받게 하겠습니다. 정부는 여성과 남성, 역할을 떠나 어떤 차별도 없이 독립운동의 역사를 발굴해낼 것입니다. 묻혀진 독립운동사와 독립운동가의 완전한 발굴이야말로 또 하나의 광복의 완성이라고 믿습니다.

1부 기억하고 기리겠습니다

존경하는 국민 여러분!

대한민국은 국민 모두가 각자의 자리에서 힘을 보태 함께 만든 나라입니다. 정부수립 70주년을 맞는 오늘, 대한민국은 세계적으로 자랑스러운 나라가 됐습니다. 제2차 세계대전 이후 식민지에서 해방된 국가들 가운데 우리나라처럼 경제 성장과 민주주의 발전에 함께 성공한 나라는 없습니다. 세계 10위권 경제 강국에 촛불혁명으로 민주주의를 되살려 전 세계를 경탄시킨 나라, 그것이 대한민국의 모습입니다.

분단과 참혹한 전쟁, 첨예한 남북대치 상황, 절대 빈곤, 군부독재 등 온갖 역경을 헤치고 이룬 위대한 성과입니다. 아직 부족한 부분이 많지만 전 세계에서 우리만큼 역동적인 발전을 이룬 나라가 많지 않다는 사실만큼은 누구도 부인할 수 없을 것입니다. 선대뿐만 아니라 이 시대를 살고 있는 모든 세대가 함께 이뤄 냈습니다. 우리는 우리의 위상과 역량을 스스로 과소평가하는 경향이 있습니다. 그러나 외국에 나가 보면 누구나 느끼듯이 한국은 많은 나라들이 부러워하는 성공한 나라이고 배우고자 하는 나라입니다. 그 사실에 스스로 자부심을 가졌으면 합니다. 그 자부심으로 우리는 새로운 70년의 발전을 만들어 가야 할 것입니다.

존경하는 국민 여러분!

지금 우리는 우리의 운명을 스스로 책임지며 한반도의 평화와 번영을 향해 가고 있습니다. 분단을 극복하기 위한 길입니다. 분단은 전쟁 이후에 국민의 삶 속에서 전쟁의 공포를 일상화했습니다. 많은 젊은이의 목숨을 앗아 갔고 막대한 경제적 비용과 역량 소모를 가져왔습니다. 경기도와 강원도 북부 지역은 개발이 제한되었고 서해 5도 주민은 풍요의 바다를 눈앞에 두고도 조업할 수 없었습니다. 분단은 대한민국을 대륙으로부터 단절된 섬으로 만들었습니다. 분단은 우리의 사고까지 분단시켰습니다. 많은 금기들이 자유로운 사고를 막았습니다. 분단은 안보를 내세운 군부독재의 명분이 되었고, 국민을 편 가르는 이념 갈등과 색깔론 정치, 지역주의 정치의 빌미가 되었으며, 특권과 부정부패의 온상이 됐습니다. 우리의 생존과 번영을 위해 반드시 분단을 극복해야 합니다. 정치적 통일은 멀더라도 남북 간 평화를 정착시키고 자유롭게 오가며 하나의 경제 공동체를 이루는 그것이 우리에게 진정한 광복입니다.

저는 국민과 함께 그 길을 담대하게 걸어가고 있습니다. 전적으로 국민의 힘 덕분입니다. 제가 취임 후 방문한 11개 나라, 17개 도시의 세계인은 촛불혁명으로 민주주의와 정의를 되살리고 나라다운 나라를 만들어 가는 우리 국민에게 깊은 경의의 마음을 보냈습니다. 그것이 국제적 지지를 얻는 강력한 힘이 됐습니다.

가장 먼저 트럼프 대통령과 만나 한미동맹을 위대한 동맹으로 발전시킬 것을 합의했습니다. 평화적 방식으로 북핵 문제를 해결하기로 뜻을 모았습니다. 독일 메르켈Angela Merkel 총리를 비롯해 G20 정상들도 우리 정부의 노력에 전폭적 지지를 표명했습니다. 아세안 국가들과도 더불어 잘사는 평화 공동체를 함께 만들어 가기로 했습니다. 시진핑習近平 주석과는 전략적 동반자 관계를 더욱 발전시키기로 했고, 지금 중국은 한반도 평화에 큰 역할을 해 주고 있습니다. 푸틴Vladimir Putin 대통령과는 남·북·러 3각 협력을 준비하기로 했습니다. 아베安倍晋三 총리와도 한일 관계를 미래지향적으로 발전시켜 나가고 한반도와 동북아 평화 번영을 위해 긴밀하게 협력하기로 했습니다. 협력은 결국 북일 관계 정상화로 이끌어 갈 것입니다.

판문점선언은 그와 같은 국제적 지지 속에서 남북 공동의 노력으로 이루어진 것입니다. 남과 북은 우리가 사는 땅, 하늘, 바다 어디에서도 일체 적대 행위를 중단하기로 했습니다. 지금 남북은 군사 당국 간 상시 연락 채널을 복원해 일일 단위로 연락하고 있습니다. 분쟁의 바다 서해는 군사적 위협이 사라진 평화의 바다로 바뀌고 있고 공동 번영의 바다로 나아가고 있습니다. 판문점 공동경비구역의 비무장화, 비무장지대의 시범적 감시초소 철수도 원칙적으로 합의를 이뤘습니다. 남북 공동 유해 발굴도 이루어질 것입니다. 이산가족 상봉도 재개됐습니다. 앞으로 상호대표부로 발전하게 될 남북 공동연락사무소도 사상 최초로 설치하게 됐습니다. 대단히 뜻깊은 일입니다.

며칠 후면 남북이 24시간 365일 소통하는 시대가 열리게 될 것입니다. 북미 정상회담 또한 함께 평화와 번영으로 가겠다는 북미 양국의 의지로 성사됐습니다. 한반도 평화와 번영은 양 정상이 세계와 나눈 약속입니다. 북한의 완전한 비핵화 이행과 이에 상응하는 미국의 포괄적 조치가 신속하게 추진되기를 바랍니다.

존경하는 국민 여러분!

이틀 전 남북고위급회담을 통해 판문점회담에서 약속한 가을 정상회담이 합의됐습니다. 다음 달 저는 국민의 마음을 모아 평양을 방문하게 될 것입니다. 판문점선언의 이행을 정상 간 확인하고 한반도의 완전한 비핵화와 함께 종전 선언과 평화 협정으로 가기 위한 담대한 발걸음을 내디딜 것입니다.

남북과 북미 간 뿌리 깊은 불신이 걷힐 때 서로의 합의가 진정성 있게 이행될 수 있습니다. 남북 간 더 깊은 신뢰 관계를 구축하겠습니다. 북미 간 비핵화 대화를 촉진하는 주도적인 노력도 함께해 나가겠습니다.

저는 한반도 문제는 우리가 주인이라는 인식이 매우 중요하다고 생각합니다.

남북 관계 발전은 북미 관계 진전의 부수적 효과가 아닙니다. 오히려 남북 관계의 발전이야말로 한반도 비핵화를 촉진시키는 동력입니다. 과거 남북 관계가 좋았던 시기에 북핵 위협이 줄어들고 비핵화 합의에까지 이를 수 있었던 역사적 경험이 그 사실을 뒷받침합니다. 완전한 비핵화와 함께 한반도에 평화가 정착되어야 본격적인 경제협력이 이뤄질 수 있습니다. 평화경제, 경제 공동체의 꿈을 실현시킬 때 우리 경제는 새롭게 도약할 수 있습니다.

우리 민족 모두 함께 잘사는 날도 앞당겨질 것입니다. 국책기관 연구에 따르면 향후 30년간 남북 경협에 따른 경제적 효과는 최소한 170조 원에 이를 것으로 전망합니다. 개성공단과 금강산관광 재개에 철도 연결과 일부 지하자원 개발 사업을 더한 효과입니다. 남북 간 전면적인 경제협력이 이루어질 때 그 효과는 비교할 수 없이 커질 것입니다. 이미 금강산관광으로 8900여 명의 일자리를 만들고 강원도 고성의 경제를 비약시켰던 경험이 있습니다. 개성공단은 협력업체를 포함해 10만 명에 이르는 일자리의 보고였습니다. 지금 경기도 파주 일대의 상전벽해 같은 눈부신 발전도 남북이 평화로웠을 때 이루어졌습니다. 평화가 경제입니다. 군사적 긴장이 완화되고 평화가 정착되면 경기도와 강원도 접경지역에 통일경제특구를 설치할 것입니다. 많은 일자리와 함께 지역과 중소기업이 획기적으로 발전하는 기회가 될 것입니다.

판문점선언에서 합의한 철도, 도로 연결은 올해 안에 착공식을 갖는 것이 목표입니다. 철도와 도로의 연결은 한반도 공동 번영의 시작입니다. 1951년 전쟁 방지, 평화 구축, 경제 재건이라는 목표 아래 유럽 6개 나라가 '유럽석탄철강공동체'를 창설했습니다. 이 공동체가 이후 유럽연합의 모체가 됐습니다. 경의선과 경원선의 출발지였던 용산에서 저는 동북아 6개국과 미국이 함께하는 '동아시아철도공동체'를 제안합니다. 이 공동체는 우리의 경제 지평을 북방 대륙까지 넓히고 동북아 상생 번영의 대동맥이 되어 동아시아

에너지 공동체와 경제 공동체로 이어질 것입니다. 그리고 이는 동북아 다자평화안보체제로 가는 출발점이 될 것입니다.

존경하는 국민 여러분, 독립유공자와 유가족 여러분, 해외동포 여러분!

식민지로부터 광복, 전쟁을 이겨 내고 민주화와 경제 발전을 이뤄 내기까지 우리 국민은 매 순간 최선을 다해 왔습니다. 국민이 기적을 만들었고 대한민국은 공정하고 정의로운 나라로 가고 있습니다. 독립의 선열들과 국민은 반드시 광복이 올 것이라는 희망 속에서 서로를 격려하며 고난을 이겨 냈습니다. 한반도 비핵화와 경제 살리기라는 순탄하지 않은 과정이 우리를 기다리고 있지만 지금까지처럼 서로의 손을 꽉 잡으면 두려울 것이 없습니다.

한반도 평화와 번영은 우리가 어떻게 하느냐에 달려 있습니다. 낙관의 힘을 저는 믿습니다. 광복을 만든 용기와 의지가 우리에게 분단을 넘어 평화와 번영이라는 진정한 광복을 가져다줄 것입니다.

감사합니다.

이후 추진 내용

• 2018년 여성 독립운동가에 대한 심사기준을 마련하고, 적극적인 발굴·포상을 시작했습니다. 그 결과 총 245명의 여성 독립운동가들을 새롭게 포상했습니다.

• 여성 독립운동가 포상 현황

1990년 이전	1991~2000년	2001~2010년	2010~2017년	2018~2021년
96명	67명	57명	79명	245명

과거를 성찰할 때
미래를 향해 갈 수 있습니다

제100주년 3·1절 기념식
2019년 3월 1일

"100년 전 오늘 우리는 하나였습니다. 담배를 끊어 저축하고 금은 비녀와 가락지를 내놓고 심지어 머리카락을 잘라 팔며 국채보상운동에 참여했던 노동자와 농민, 부녀자, 군인, 인력거꾼, 기생, 백정, 머슴, 영세 상인, 학생, 승려 등 장삼이사들이 3·1독립운동의 주역이었습니다.

친일 잔재 청산도, 외교도 미래지향적으로 이뤄져야 합니다. 친일 잔재 청산은 친일은 반성해야 할 일이고, 독립운동은 예우받아야 할 일이라는 가장 단순한 가치를 바로 세우는 일입니다. 이 단순한 진실이 정의이고 정의가 바로 서는 것이 공정한 나라의 시작입니다."

존경하는 국민 여러분, 해외동포 여러분!

100년 전 오늘 우리는 하나였습니다. 3월 1일 정오 학생들은 독립선언서를 배포했습니다. 오후 2시 민족대표들이 태화관에서 독립선언식을 가졌고 탑골공원에서는 5000여 명이 함께 독립선언서를 낭독했습니다. 담배를 끊어 저축하고 금은 비녀와 가락지를 내놓고 심지어 머리카락을 잘라 팔며 국채보상운동에 참여했던 노동자와 농민, 부녀자, 군인, 인력거꾼, 기생, 백정, 머슴, 영세 상인, 학생, 승려 등 장삼이사들이 3·1독립운동의 주역이었습니다.

그날 우리는 왕조와 식민지 백성에서 공화국의 국민으로 태어났습니다. 독립과 해방을 넘어 민주공화국을 위한 위대한 여정을 시작했습니다.

100년 전 오늘은 남과 북도 없었습니다. 서울과 평양, 진남포와 안주, 선천과 의주, 원산까지 같은 날 만세의 함성이 터져 나왔고 전국 곳곳으로 들불처럼 퍼져 나갔습니다. 3월 1일부터 두 달 동안 남북한 지역을 가리지 않고 전국 220개 시군 중 211개 시군에서 만세시위가 일어났습니다. 만세의 함성은 5월까지 계속됐습니다. 당시 한반도 전체 인구의 10퍼센트나 되는 202만여 명이 만세 시위에 참여했습니다. 7500여 명의 조선인이 살해됐고 1만 6000여 명이 부상당했습니다. 체포·구금된 수는 무려 4만 6000여 명에 달했습니다. 최대 참극은 평안남도 맹산에서 벌어졌습니다. 3월 10일 체포·구금된 교사의 석방을 요구하러 간 주민 54명을 일제는 헌병

분견소 안에서 학살했습니다. 경기도 화성 제암리에서도 교회에 주민들을 가두고 불을 질러 어린아이까지 포함해 29명을 학살하는 등 만행이 이어졌습니다. 그러나 그와는 달리 조선인 공격으로 사망한 일본 민간인은 단 한 명도 없었습니다.

북간도 용정龍井과 연해주 블라디보스토크에서, 하와이와 필라델피아에서도 우리는 하나였습니다. 민족의 일원으로서 누구든 시위를 조직하고 참여했습니다. 우리는 함께 독립을 열망했고 국민주권을 꿈꿨습니다. 3·1독립운동의 함성을 가슴에 간직한 사람들은 자신과 같은 평범한 사람들이 독립운동의 주체이며 나라의 주인이라는 사실을 깨닫기 시작했습니다. 그것이 더 많은 사람의 참여를 불러일으켰고 매일같이 만세를 부를 수 있는 힘이 됐습니다. 그 첫 열매가 민주공화국의 뿌리인 대한민국임시정부입니다. 대한민국임시정부는 임시정부헌장 1조에 3·1독립운동의 뜻을 담아 민주공화제를 새겼습니다. 세계 역사상 헌법에 민주공화국을 명시한 첫 사례였습니다.

존경하는 국민 여러분!

친일 잔재 청산은 너무나 오래 미뤄 둔 숙제입니다. 잘못된 과거를 성찰할 때 우리는 함께 미래를 향해 갈 수 있습니다. 역사를 바로 세우는 일이야말로 후손들이 떳떳할 수 있는 길입니다.

민족정기 확립은 국가의 책임이자 의무입니다. 이제 와서 과거 상처를 헤집어 분열을 일으키거나 이웃 나라와의 외교에서 갈등 요인을 만들자는 것이 아닙니다. 모두 바람직하지 않은 일입니다. 친일 잔재 청산도, 외교도 미래지향적으로 이뤄져야 합니다. 친일 잔재 청산은 친일은 반성해야 할 일이고, 독립운동은 예우받아야 할 일이라는 가장 단순한 가치를 바로 세우는 일입니다. 이 단순한 진실이 정의이고 정의가 바로 서는 것이 공정한 나라의 시작입니다.

일제는 독립군을 비적匪賊으로, 독립운동가를 사상범으로 몰아 탄압했습니다. 여기서 '빨갱이'라는 말도 생겨났습니다. 사상범과 빨갱이는 진짜 공산주의자에게만 적용되지 않았습니다. 민족주의자에서 아나키스트까지 모든 독립운동가를 낙인찍는 말이었습니다. 좌우의 적대, 이념의 낙인은 일제가 민족 사이를 갈라놓기 위해 사용한 수단이었습니다.

해방 후에도 친일 청산을 가로막는 도구가 됐습니다. 양민 학살과 간첩 조작, 학생들의 민주화 운동에도 국민을 적으로 모는 낙인으로 사용됐습니다. 해방된 조국에서 일제 경찰 출신이 독립운동가를 빨갱이로 몰아 고문하기도 했습니다. 많은 사람이 빨갱이로 규정되어 희생됐고, 가족과 유족들은 사회적 낙인 속에서 불행한 삶을 살아야 했습니다. 지금도 우리 사회에서 정치적 경쟁 세력을 비방하고 공격하는 도구로 빨갱이란 말이 사용되고, 변형된 색깔론이 기승을 부리고 있습니다. 우리가 하루빨리 청산해야 할 대표적인 친일 잔재입니다.

우리 마음에 그어진 '38선'은 우리 안을 갈라놓은 이념의 적대를 지울 때 함께 사라질 것입니다. 서로에 대한 혐오와 증오를 버릴 때 우리 내면의 광복은 완성될 것입니다. 새로운 100년은 그때서야 비로소 진정으로 시작될 것입니다.

지난 100년 우리는 공정하고 정의로운 나라, 인류 모두의 평화와 자유를 꿈꾸는 나라를 향해 걸어왔습니다. 식민지와 전쟁, 가난과 독재를 극복하고 기적 같은 경제 성장을 이뤄 냈습니다. 4·19혁명과 부마민주항쟁, 5·18민주화운동, 6·10민주항쟁, 그리고 촛불혁명을 통해 평범한 사람이 각자 힘과 방법으로 우리 모두의 민주공화국을 만들어 왔습니다. 3·1독립운동 정신이 민주주의 위기마다 되살아났습니다. 새로운 100년은 진정한 국민의 국가를 완성하는 100년입니다. 과거 이념에 끌려다니지 않고 새로운 생각과 마음으로 통합하는 100년입니다.

우리는 평화의 한반도라는 용기 있는 도전을 시작했습니다. 변화를 두려워하지 않고 새로운 길에 들어섰습니다. 새로운 100년은 이 도전을 성공으로 이끄는 100년입니다. 2017년 7월, 베를린에서 한반도 평화 구상을 발표할 때 평화는 너무 멀리 있어 잡을 수 없을 것 같았습니다. 그러나 우리는 기회가 왔을 때 뛰어나가 평화를 붙잡았습니다. 드디어 평창의 추위 속에서 평화의 봄은 찾아왔습니다. 지난해 김정은 위원장과 판문점에서 처음 만나 8000만 겨레의 마음을 모아 한반도에 평화의 시대가 열렸음을 세계 앞에 천명했습니다. 9월에는 능라도 5월1일경기장에서 15만 평양 시민 앞에 섰습니다. 대한민국 대통령으로서 평양 시민에게 한반도의 완전한 비핵화와 평화, 번영을 약속했습니다.

한반도의 하늘과 땅, 바다에서 총성이 사라졌습니다. 비무장지대에서 13구의 유해와 함께 화해의 마음도 발굴했습니다. 남북 철도와 도로, 민족의 혈맥이 이어지고 있습니다. 서해 5도 어장이 넓어져 어민들에게 만선의 꿈이 커졌습니다. 무지개처럼 여겼던 구상들이 우리 눈앞에서 하나하나 실현되고 있습니다.

이제 곧 비무장지대는 국민의 것이 될 것입니다. 세계에서 가장 잘 보존된 자연이 우리에게 큰 축복이 될 것입니다. 우리는 그곳에서 평화 공원을 만들든, 국제평화기구를 유치하든, 생태 평화 관광을 하고 순례길을 걷든, 자연을 보전하면서 남북한 국민의 행복을 위해 공동 사용할 수 있을 것입니다. 그것은 우리 국민의 자유롭고 안전한 북한 여행으로 이어질 것입니다. 이산가족과 실향민들이 단순한 상봉을 넘어 고향을 방문하고 가족·친지들을 만날 수 있도록 추진하겠습니다.

한반도의 항구적 평화는 많은 고비를 넘어야 확고해질 것입니다. 베트남 하노이에서 열린 제2차 북미 정상회담은 장시간 대화를 나누고 상호이해와 신뢰를 높인 것만으로도 의미 있는 진전이었습니다. 특히 두 정상 사이에 연락사무소 설치까지 논의가 이뤄진 것은 양국 관계 정상화를 위한 중요한 성과였습니다. 트럼프 대통령이 보여 준 지속적인 대화 의지와 낙관적인 전망을 높이 평가합니다.

1부 기억하고 기리겠습니다

더 높은 합의로 가는 과정이라고 생각합니다.

이제 우리 역할이 더욱 중요해졌습니다. 정부는 미국, 북한과 긴밀히 소통하고 협력해 양국 간 대화의 완전한 타결을 반드시 성사시켜 낼 것입니다. 우리가 갖게 된 한반도 평화의 봄은 남이 만들어 준 것이 아닙니다. 우리 스스로, 국민의 힘으로 만들어 낸 결과입니다. 통일도 먼 곳에 있지 않습니다. 차이를 인정하며 마음을 통합하고 호혜적 관계를 만들면 그것이 바로 통일입니다.

이제 새로운 100년은 과거와 질적으로 다른 100년이 될 것입니다. 신新한반도 체제로 담대하게 전환해 통일을 준비해 나가겠습니다. 신한반도 체제는 우리가 주도하는 100년의 질서입니다. 국민과 함께, 남북이 함께 새로운 평화 협력의 질서를 만들어 낼 것입니다. 신한반도 체제는 대립과 갈등을 끝낸 새로운 평화 협력 공동체입니다. 우리의 한결같은 의지와 긴밀한 한미공조, 북미대화의 타결과 국제사회 지지를 바탕으로 항구적인 평화 체제 구축을 반드시 이루겠습니다.

신한반도 체제는 이념과 진영의 시대를 끝낸 새로운 경제협력 공동체입니다. 한반도에서 평화경제 시대를 열어 나가겠습니다. 금강산관광과 개성공단 재개 방안도 미국과 협의하겠습니다. 남북은 지난해 군사적 적대 행위의 종식을 선언하고 군사공동위원회 운영에 합의했습니다. 비핵화가 진전되면 남북 간에 경제공동위원회를 구성해 남북 모두가 혜택을 누리는 경제적 성과를 만들어 낼 수 있을 것입니다. 남북 관계 발전이 북미 관계 정상화와 북일 관계 정상화로 연결되고, 동북아 지역 새로운 평화·안보 질서로 확장될 것입니다. 3·1독립운동 정신과 국민 통합을 바탕으로 신한반도 체제를 일구어 나가겠습니다. 국민 모두의 힘을 모아 주시기 바랍니다. 한반도의 평화는 남과 북을 넘어 동북아와 아세안, 유라시아를 포괄하는 새로운 경제 성장의 동력이 될 것입니다.

100년 전 식민지가 됐거나 식민지로 전락할 위기에 처했던 아시아의 민족과 나라들은 우리 3·1독립운동을 적극 지지해 주었습니다. 당시 베이징대학 교수로서 신문화운동을 이끈 천두슈陳獨秀는 "조선의 독립운동은 위대하고 비장한 동시에 명료하고, 민의를 사용하되 무력을 사용하지 않음으로써 세계 혁명사에 신기원을 열었다"고 말했습니다. 아시아는 세계에서 가장 일찍 문명이 번성한 곳이고 다양한 문명이 공존하는 곳입니다. 한반도 평화로 아시아 번영에 기여하겠습니다.

상생을 도모하는 아시아의 가치와 손잡고 세계 평화와 번영의 질서를 만드는 데 함께하겠습니다. 한반도 종단철도가 완성되면 지난해 광복절에 제안한 동아시아 철도 공동체의 실현을 앞당기게 될 것입니다. 그것은 에너지 공동체와 경제 공동체로 발전하고, 미국을 포함한 다자 평화·안보 체제를 굳건히 하게 될 것입니다. 아세안 국가들과는 2019년 한-아세안 특별정상회의와 제1차 한-메콩 정상회의 개최를 통해 사람 중심의 평화와 번영 공동체를 함께 만들어 가겠습니다.

한반도 평화를 위해 일본과의 협력도 강화할 것입니다. 기미독립선언서는 3·1독립운동이 배타적 감정이 아니라 전 인류의 공존 공생을 위한 것이며 동양 평화와 세계 평화로 가는 길임을 분명하게 선언했습니다. 과감하게 오랜 잘못을 바로잡고 진정한 이해와 공감을 바탕으로 사이좋은 새 세상을 여는 것이 서로 재앙을 피하고 행복해지는 지름길임을 밝혔습니다. 오늘날에도 유효한 우리의 정신입니다.

과거는 바꿀 수 없지만 미래는 바꿀 수 있습니다. 역사를 거울삼아 한국과 일본이 굳건히 손잡을 때 평화의 시대가 성큼 우리 곁으로 다가올 것입니다. 힘을 모아 피해자들의 고통을 실질적으로 치유할 때 한국과 일본은 마음이 통하는 진정한 친구가 될 것입니다.

존경하는 국민 여러분, 해외동포 여러분!

지난 100년 우리가 함께 대한민국을 일궈 왔듯 새로운 100년, 우리는 함께 잘살아야 합니다. 모든 국민이 평등하고 공정하게 기회를 가질 수 있어야 하며 차별받지 않고 일 속에서 행복을 찾을 수 있어야 합니다. 함께 잘살기 위해 우리는 혁신적 포용국가라는 또하나의 도전을 시작했습니다. 오늘 우리가 걷고 있는 혁신적 포용국가의 길은 100년 전 오늘 선조들이 꿈꾸었던 나라이기도 합니다.

세계는 지금 양극화와 경제 불평등, 차별과 배제, 나라 간 격차와 기후 변화라는 전 지구적 문제 해결을 위해 새로운 길을 모색하고 있습니다. 혁신적 포용국가라는 우리의 도전을 지켜보고 있습니다. 우리는 변화를 두려워하지 않고 오히려 능동적으로 이용하는 국민입니다. 우리는 가장 평화롭고 문화적인 방법으로 세계 민주주의 역사에 아름다운 꽃을 피웠습니다. 1997년 아시아 외환위기와 2008년 글로벌 금융 위기를 극복한 힘도 모두 국민에게 나왔습니다. 우리의 새로운 100년은 평화가 포용의 힘으로 이어지고 포용이 함께 잘사는 나라를 만들어 내는 100년이 될 것입니다. 포용국가로의 변화를 우리가 선도할 수 있고, 우리가 이뤄 낸 포용국가가 세계 포용국가의 모델이 될 수 있다고 자신합니다.

3·1독립운동은 여전히 우리를 미래를 향해 밀어주고 있습니다. 우리가 오늘 유관순 열사의 공적 심사를 다시 하고 독립유공자의 훈격을 높여 새롭게 포상하는 것도 3·1독립운동이 현재진행형이기 때문입니다. 유관순 열사는 아우내장터 만세 시위를 주도했습니다. 서대문형무소 안에 갇혀서도 죽음을 두려워하지 않고 3·1독립운동 1주년 만세 운동을 벌였습니다. 그렇지만 무엇보다 큰 공적은 유관순이라는 이름만으로 3·1독립운동을 잊지 않게 한 것입니다.

지난 100년의 역사는 우리가 마주하는 현실이 아무리 어렵더라도 희망을 포기하지 않는다면 변화와 혁신을 이뤄 낼 수 있다는 것을 증명합니다. 앞으로의 100년은 국민의 성장이 곧 국가의 성장이 될 것입니다. 안으로는 이념 대립을 넘어 통합을 이루고, 밖으로는 평화와 번영을 이룰 때 독립은 진정으로 완성될 것입니다.

감사합니다.

비극의 5월을 희망의 5월로

제39주년 5·18민주화운동 기념식
2019년 5월 18일

"이제 내년이면 5·18민주화운동 40주년입니다. 그래서 대통령
이 그때 그 기념식에 참석하는 것이 좋겠다는 의견들이 많았습
니다. 하지만 저는 올해 기념식에 꼭 참석하고 싶었습니다. 광주
시민께 너무나 미안하고, 부끄러웠고, 국민께 호소하고 싶었기
때문입니다."

존경하는 국민 여러분, 광주 시민과 전남 도민 여러분!

어김없이 5월이 왔습니다. 떠난 분들이 못내 그리운 5월이 왔습니다. 살아 있는 5월이 왔습니다. 슬픔이 용기로 피어나는 5월이 왔습니다. 결코 잊을 수 없는 5월 민주 영령들을 기리며 모진 세월을 살아오신 부상자와 유가족께 위로의 말씀을 드립니다. 진정한 애국이 무엇인지 삶으로 증명하고 계신 광주 시민과 전남 도민께 각별한 존경의 마음을 전합니다.

이제 내년이면 5·18민주화운동 40주년입니다. 그래서 대통령이 그때 그 기념식에 참석하는 것이 좋겠다는 의견들이 많았습니다. 하지만 저는 올해 기념식에 꼭 참석하고 싶었습니다. 광주 시민께 너무나 미안하고, 부끄러웠고, 국민께 호소하고 싶었기 때문입니다.

특히 광주 시민 여러분과 전남 도민께 다시 한번 말씀드리고 싶습니다. 1980년 5월 광주가 피 흘리고 죽어갈 때 광주와 함께하지 못했던 것이 그 시대를 살았던 시민의 한 사람으로서 정말 미안합니다. 그때 공권력이 광주에서 자행한 야만적인 폭력과 학살에 대하여 대통령으로서 국민을 대표하여 다시 한번 깊이 사과드립니다.

아직도 5·18민주화운동을 부정하고 모욕하는 망언들이 거리낌 없이 큰 목소리로 외쳐지고 있는 현실이 국민의 한 사람으로서 너무나 부끄럽습니다. 개인적으로는 헌법 전문에 5·18정신을 담겠다고 한 약속을 지금까지 지키지 못하고 있는 것이 송구스럽습니다.

국민 여러분!

1부 기억하고 기리겠습니다

1980년 5월, 우리는 광주를 보았습니다. 민주주의를 외치는 광주를 보았고, 철저히 고립된 광주를 보았고, 외롭게 죽어 가는 광주를 보았습니다. 전남도청을 사수하던 시민군의 마지막 비명 소리와 함께 광주의 5월은 우리에게 깊은 부채 의식을 남겼습니다. 5월의 광주와 함께하지 못했다는 것, 학살당하는 광주를 방치했다는 사실이 같은 시대를 살던 우리에게 지워지지 않는 아픔을 남겼습니다.

그렇게 우리는 광주를 함께 겪었습니다. 그때 우리가 어디에 있었든, 5월의 광주를 일찍 알았든 늦게 알았든 상관없이 광주의 아픔을 함께 겪었습니다. 그 부채 의식과 아픔이 1980년대 민주화 운동의 뿌리가 됐고, 광주 시민의 외침이 마침내 1987년 6월 민주항쟁으로 이어졌습니다. 6월 민주항쟁은 5·18민주화운동의 전국적 확산이었습니다.

대한민국 민주주의는 광주에 너무나 큰 빚을 졌습니다. 대한민국 국민으로서 같은 시대 같은 아픔을 겪었다면, 그리고 민주화의 열망을 함께 품고 살아왔다면 그 누구도 그 사실을 부정할 수 없을 것입니다. 5·18민주화운동의 진실은 보수·진보로 나뉠 수가 없습니다. 광주가 지키고자 했던 가치가 바로 자유이고 민주주의였기 때문입니다. 독재자의 후예가 아니라면 5·18민주화운동을 다르게 볼 수가 없습니다.

'광주사태'로 불렸던 5·18민주화운동이 광주민주화운동으로 공식적으로 규정된 것은 1988년 노태우 정부 때였습니다. 김영삼 정부는 1995년 특별법에 의해 5·18민주화운동을 광주민주화운동으로 규정했고, 드디어 1997년 5·18을 국가기념일로 제정했습니다. 대법원 역시 신군부의 12·12군사쿠데타부터 5·18민주화운동에 대한 진압 과정을 군사 반란과 내란죄로 판결했고, 광주 학살의 주범들을 사법적으로 단죄했습니다.

국민 여러분!

이렇게 우리는 이미 20년도 더 전에 5·18민주화운동의 역사적 의미와 성격에 대해 국민적 합의를 이뤘고 법률적인 정리까지 마쳤습니다. 이제 이 문제에 대한 더 이상의 논란은 필요하지 않습니다. 의미 없는 소모일 뿐입니다. 우리가 해야 할 일은 민주주의 발전에 기여한 5·18민주화운동에 감사하면서 우리의 민주주의를 더 좋은 민주주의로 발전시켜 나가는 것입니다. 그럴 때만이 우리는 더 나은 대한민국을 향해 서로 경쟁하면서도 통합하는 사회로 나아갈 수 있을 것입니다. 우리의 역사가 한 페이지씩 매듭을 지어가며 미래로 나아갈 수 있도록 국민 여러분께서 마음을 모아 주시기 바랍니다.

하지만 학살의 책임자, 암매장과 성폭력 문제, 헬기 사격 등 밝혀내야 할 진실들이 여전히 많습니다. 아직까지 규명되지 못한 진실을 밝혀내는 것이 지금 우리가 해야 할 일입니다. 광주가 짊어진 무거운 역사의 짐을 내려놓는 일이며, 비극의 5월을 희망의 5월로 바꿔 내는 일입니다.

1부 기억하고 기리겠습니다

당연히 정치권도 동참해야 할 일입니다. 우리가 모두 함께 광주의 명예를 지키고 남겨진 진실을 밝혀내야 합니다. 우리는 지금 새로운 대한민국으로 가고 있습니다. 5·18민주화운동 이전 유신 시대와 5공 시대에 머무는 지체된 정치의식으로는 단 한 발자국도 새로운 시대로 갈 수 없습니다. 우리는 5월이 지켜 낸 민주주의의 토대 위에서 함께 나아가야 합니다. 광주로부터 빚진 마음을 대한민국의 발전으로 갚아야 합니다.

존경하는 국민 여러분, 광주 시민과 전남 도민 여러분!

지난해 3월 〈5·18민주화운동 진상규명을 위한 특별법〉이 제정됐습니다. 핵심은 진상조사규명위원회를 설치하여 남겨진 진실을 낱낱이 밝히는 것입니다. 그러나 아직도 위원회가 출범조차 못 하고 있습니다. 국회와 정치권이 더 큰 책임감을 가지고 노력해 주실 것을 촉구합니다.

우리 정부는 국방부 자체 5·18민주화운동특별조사위원회 활동을 통해 계엄군 헬기 사격, 성폭행과 추행, 성고문 등 여성 인권 침해 행위를 확인했고, 국방부 장관이 공식 사과했습니다. 정부는 특별법에 의한 진상조사규명위원회가 출범하면 제 역할을 할 수 있도록 모든 자료를 제공하고 적극 지원할 것을 약속드립니다.

광주 시민과 전남 도민 여러분!

5·18민주화운동 39년이 된 오늘, 광주는 평범한 삶과 평범한 행복을 꿈꿉니다. 그해에 태어나 서른아홉 번의 5월을 보낸 광주의

아들딸들은 중년의 어른이 됐습니다. 결혼도 하고, 부모가 되기도 했을 것입니다. 진실이 상식이 된 세상에서 광주의 아들딸들이 함께 잘 살아가게 되기를 저는 진심으로 바랍니다.

광주는 국민 안전에도 모범이 되고 있습니다. 감염병 대응, 국가 안전대진단, 재해 예방 등을 포함한 재난 관리 평가에서 광주는 올해 17개 광역자치단체 중 재난 관리 최우수기관으로 선정됐습니다. 교통사고 사망자 수 감소율 전국 1위를 달성하는 성과도 이뤘습니다. 광주 시민과 공직자 모두가 전국에서 가장 안전한 광주 만들기에 노력한 결과입니다. 아픔을 겪은 광주가 안전한 대한민국을 만드는 데 앞장서 주셔서 고맙습니다.

정부는 광주가 자신의 꿈을 이룰 수 있도록 항상 함께할 것입니다. 국민께서도 응원해 주시리라 믿습니다.

존경하는 국민 여러분, 광주 시민과 전남 도민 여러분!

오늘부터 228번 시내버스가 5월의 주요 사적지인 주남마을과 전남대병원, 옛 도청과 5·18민주화운동기록관을 운행합니다. 228번은 대구 2·28민주운동을 상징하는 번호입니다. 대구에서도 518번 시내버스가 운행되고 있습니다. 대구 달구벌과 광주 빛고을은 '달빛동맹'을 맺었고 정의와 민주주의로 결속했습니다. 광주에 대한 부정과 모욕이 이어지는 상황에서 권영진 대구시장님은 광주 시민께 사과의 글을 올렸습니다. 두 도시는 역사 왜곡과 분열의 정치를 반대하고 연대와 상생협력을 실천하고 있습니다. 이것이 우리가 가

1부 기억하고 기리겠습니다

야 할 용서와 화해의 길입니다.

5월은 더 이상 분노와 슬픔의 5월이 되어서는 안 됩니다. 우리의 5월은 희망의 시작, 통합의 바탕이 되어야 합니다. 진실 앞에서 우리의 마음을 열어 놓을 때 용서와 포용의 자리는 커질 것입니다. 진실을 통한 화해만이 진정한 국민 통합의 길임을 오늘의 광주가 우리에게 가르쳐 주고 있습니다.

광주에는 용기와 부끄러움, 의로움과 수치스러움, 분노와 용서가 함께 있습니다. 광주가 짊어진 역사의 짐이 너무 무겁습니다. 그해 5월, 광주를 보고 겪은 온 국민이 함께 짊어져야 할 짐입니다. 광주의 자부심은 역사의 것이고 대한민국의 것이며 국민 모두의 것입니다.

광주로부터 뿌려진 민주주의의 씨앗을 함께 가꾸고 키워 내는 일은 행복한 일이 될 것입니다. 우리의 5월이 해마다 빛나고 모든 국민에게 미래로 가는 힘이 되기를 바랍니다.

감사합니다.

애국 앞에 보수와 진보는 없습니다

제64회 현충일 추념식
2019년 6월 6일

"저는 보수든 진보든 모든 애국을 존경합니다. 이제 사회를 보수와 진보, 이분법으로 나눌 수 있는 시대는 지났습니다. 애국 앞에 보수와 진보가 없습니다. 오늘의 대한민국에는 보수와 진보의 역사가 모두 함께 어울려 있습니다. 지금 우리가 누리는 독립과 민주주의와 경제 발전에는 보수와 진보의 노력이 함께 녹아 있습니다."

존경하는 국민 여러분, 국가유공자와 유가족 여러분!

나라를 지켜 낸 아버지의 용기와 가족을 지켜 낸 어머니의 고단함을 우리는 기억합니다. 돌아오지 못한 아버지와 남겨진 가족의 삶을 우리는 기억합니다. 우리의 애국은 바로 이 소중한 기억에서 출발합니다.

나라를 위한 일에 헛된 죽음은 없습니다. 나라를 위한 희생은 공동체가 함께 책임져야 할 명예로운 일입니다. 오늘의 우리는 수많은 희생 위에 존재하기 때문입니다. 우리의 보훈은 바로 이 소중한 책임감에서 출발합니다.

우리 모두는 우리 곁을 떠난 이들이 아무 일도 없었던 것처럼 다시 문을 열고 들어오길 바랍니다. 그러나 우리의 현대사는 돌아오지 않은 많은 이들과 큰 아픔을 남겼습니다. 우리의 보훈은 아픈 역사를 다시는 되풀이하지 않겠다는 다짐이기도 합니다.

올해는 3·1독립운동과 대한민국임시정부 수립 100년을 맞는 해입니다. 지난 100년, 많은 순국선열과 국가유공자들께서 우리의 버팀목이 되어 주셨습니다. 선열들의 고귀한 희생과 헌신에 경의를 표하며, 유가족들께 깊은 위로의 말씀을 드립니다.

국민 여러분!

이곳 국립서울현충원에는 1956년 1월 16일 무명용사 1위를 최초로 안장한 이후 지금까지 모두 18만 1000여 위가 안장되어 있습니다. 국가원수부터 무명용사까지 우리 곁을 떠난 독립유공자와 국가유공자, 참전 용사, 경찰관과 소방관, 의사자와 국가 사회 공헌자들이 함께 잠들어 있습니다. 현충원은 살아 있는 애국의 현장입니다. 여기 묻힌 한 분 한 분은 그 자체로 역사이며, 애국이란 계급이나 직업, 이념을 초월하는 것이라는 사실을 보여 주고 있습니다.

국립서울현충원 제2묘역은 사병들의 묘역입니다. 여덟 평 장군 묘역 대신 이곳 한 평 묘역에 잠든 장군이 있습니다. "내가 장군이 된 것은 전쟁터에서 조국을 위해 목숨을 버린 사병들이 있었기 때문이다. 전우들인 사병 묘역에 묻어 달라"고 유언한 채명신 장군입니다. 장군은 죽음에 이르러서까지 참다운 군인정신을 남겼습니다. 애국의 마음을 살아 있는 이야기로 지금도 들려주고 있습니다.

석주 이상룡 선생과 우당 이회영 선생도 여기에 잠들어 계십니다. 두 분은 노블레스 오블리주를 넘어 스스로 평범한 국민이 되었습니다. 노비문서를 불태우고 모든 재산을 바쳐 독립운동에 뛰어들었습니다. 뿌리 깊은 양반 가문의 정통 유학자였지만 혁신 유림의 정신으로 기득권을 버리고 민주공화국 대한민국의 건국에 이바지했습니다.

애국 앞에 보수와 진보가 없습니다. 기득권이나 사익이 아니라 국가 공동체의 운명을 자신의 운명으로 여기는 마음이 바로 애국입니다. 기득권에 매달린다면 보수든 진보든 진짜가 아닙니다. 우리에게는 사람이나 생각을 보수와 진보로 나누며 대립하던 이념의 시대가 있었습니다. 하지만 오늘의 대한민국에는 보수와 진보의 역사

1부 기억하고 기리겠습니다

가 모두 함께 어울려 있습니다. 지금 우리가 누리는 독립과 민주주의와 경제 발전에는 보수와 진보의 노력이 함께 녹아 있습니다. 저는 보수든 진보든 모든 애국을 존경합니다. 이제 사회를 보수와 진보, 이분법으로 나눌 수 있는 시대는 지났습니다. 우리는 누구나 보수적이기도 하고 진보적이기도 합니다. 어떤 때는 안정을 추구하고, 어떤 때는 변화를 추구합니다. 어떤 분야는 안정을 선택하고, 어떤 분야는 변화를 선택하기도 합니다. 스스로 보수라고 생각하든 진보라고 생각하든 극단에 치우치지 않고 상식의 선 안에서 애국을 생각한다면 우리는 통합된 사회로 발전해 갈 수 있을 것입니다. 그것이야말로 이 시대의 진정한 보훈이라고 믿습니다.

1945년 일본이 항복하기까지 마지막 5년, 임시정부는 중국 충칭에서 좌우합작을 이뤘고 광복군을 창설했습니다. 지난 3월 충칭에서 우리는 한국광복군 총사령부 청사복원 기념식을 가졌습니다. 임시정부는 1941년 12월 10일 광복군을 앞세워 일제와의 전면전을 선포했습니다. 광복군에는 무정부주의 세력인 한국청년전지공작대에 이어 약산 김원봉 선생이 이끌던 조선의용대가 편입되어 마침내 민족의 독립운동 역량을 집결했습니다. 그 힘으로 1943년 영국군과 함께 인도-버마 전선에서 일본군과 맞서 싸웠고, 1945년에는 미국 전략정보국과 함께 국내 진공進攻작전을 준비하던 중 광복을 맞았습니다. 김구 선생은 광복군의 국내 진공작전이 이뤄지기 전에 일제가 항복한 것을 두고두고 아쉬워했습니다. 그러나 통합된 광복군 대원들의 불굴의 항쟁 의지, 연합군과 함께 기른 군사적 역량은 광복 후 대한민국 국군 창설의 뿌리가 되었고, 나아가 한미동맹의 토대가 되었습니다.

지난 4월 11일 대한민국임시정부 수립 100년을 맞은 뜻깊은 날, 미국 의회에서는 임시정부를 대한민국 건국의 시초로 공식 인정하는 초당적 결의안을 제출했습니다. 대한민국임시정부 수립이 한국 민주주의 성공과 번영의 토대가 되었으며 외교·경제·안보에서 한미동맹이 더욱 강화되어야 한다고 강조했습니다.

내년은 6·25전쟁 70주년이 되는 해입니다. 유엔의 깃발 아래 22개국 195만 명이 참전했고, 그 가운데 4만여 명이 소중한 목숨을 잃었습니다. 이 땅의 자유와 평화를 위해 가장 큰 희생을 감내한 나라는 미국이었습니다. 미국의 참전 용사 3만 3000여 명이 전사했고 9만 2000여 명이 부상을 입었습니다. 정부는 2022년까지 워싱턴 한국전쟁참전 용사기념공원 안에 추모의 벽을 건립할 것입니다. 미군 전몰장병 한 분 한 분의 고귀한 희생을 기리고 한미동맹의 숭고함을 양국 국민의 가슴에 새길 것입니다.

어떤 일이 있어도 조국은 나를 기억하고 헌신에 보답할 것이라는 확고한 믿음에 답하는 것이 국가의 의무입니다. 오늘 국립서울현충원에서 저는 다시 애국을 되새기며 국가를 위해 희생하신 분들과 유족들께 국가의 의무를 다할 것을 약속드립니다.

국가유공자와 유가족 여러분!

지난해 〈공무원 재해보상법〉을 제정했습니다. 공무 수행 중 사망한 계약직·비정규직 근로자도 정규직 공무원들과 동일하게 보훈 예우를 받을 수 있게 되었습니다. 순직경찰과 소방공무원들의 순직연금도 대폭 인상했습니다. 올해는 순직군인들을 위한 〈군인재해보상법〉 제정을 추진하고 있습니다. 군 복무로 인한 질병이나 부상을 끝까지 의료 지원받을 수 있도록 〈병역법〉 개정도 추진하겠습니다.

해외에 계신 독립유공자의 유해도 조국의 품으로 모셔 왔습니다. 중국의 김태연 지사, 미국의 강영각 지사와 이재수 지사, 카자흐스탄의 계봉우·황운정 두 지사와 부인의 유해를 각각 국립서울현충원과 국립대전현충원에 안장했습니다. 홍범도 장군의 유해 봉환도 계속 추진할 것입니다.

오늘 이재수 지사의 유지를 되새겨 봅니다. "언젠가는 내 조국으로 가서 새롭고 진정한 민주주의의 나라를 건설하는 봉사자가 되겠다." 그 유언에 당당히 응답하는 대한민국이 되겠습니다. 국가유공자와 유가족들이 자부심을 가질 수 있을 때 비로소 나라다운 나라라고 믿습니다.

지난 1월부터 국가유공자의 집을 알리는 명패 달아 드리기 사업을 시행하고 있습니다. 독립유공자와 유족, 참전 용사와 상이군경, 민주화 운동 유공자와 특수 임무 부상자 등 올해와 내년 모두 40여만 명의 집에 명패를 달아 드릴 것입니다. 가족은 물론 지역사회가 함께 명예롭게 여겨주면 좋겠습니다. 지방자치단체 등의 행사 때

지역의 국가유공자들이 앞자리에 초청받는 문화가 정착되기를 바랍니다.

정부는 국가유공자와 가족의 예우와 복지를 실질화하고 보훈 의료 인프라를 확충하는 노력을 계속해 나가겠습니다. 또한 국가유공자들을 편하게 모시기 위해 올 10월 국립괴산호국원을 개원하고 제주국립묘지를 2021년 개원할 예정입니다. 그동안 국가의 관리가 미흡했던 수유리 애국선열 묘역, 효창공원 독립유공자 묘역 등 독립유공자 합동 묘역을 국가가 체계적으로 관리하고 무연고 국가유공자 묘소를 국가가 책임지고 돌보겠습니다.

유족이 없는 복무 중 사망자를 국가가 책임지고 직권 등록하는 방안도 마련하겠습니다. 국가유공자가 생전에 안장 자격 여부를 확인할 수 있는 사전 안장심의 제도를 올해 도입하고 현장 전문가와 일반 시민이 함께하는 보훈심사 시민참여제도도 법제화하겠습니다.

우리는 지난 5월 24일 또 한 명의 장병을 떠나보냈습니다. 청해부대 최영함에 탑승하여 이역만리 소말리아 아덴만에서 파병 임무를 마치고 복귀하는 마지막 순간이었습니다. 국가는 끝내 가족의 품으로 돌아가지 못한 고故 최종근 하사를 국립대전현충원에 모셨습니다. 오늘 부모님과 동생 그리고 동료들이 이 자리에 함께하고 계십니다. 여러분, 최종근 하사의 유족들께 따뜻한 위로의 박수 부탁드립니다.

정부는 9·19군사합의 이후 비무장지대 지뢰 제거를 시작으로 유해 67구와 3만여 점의 유품을 발굴했습니다. 이 자리에는 유해 발굴을 통해 신원이 확인된 고故 김원갑 이등중사, 고故 박재권 이등중사, 고故 한병구 일병의 유가족들이 함께하고 계십니다. 오늘 그 유족들께 국가유공자 증서를 수여했습니다. 여러분, 이분들께도 따뜻한 위로의 박수를 부탁드립니다.

국가를 위해 헌신한 마지막 한 분까지 찾는 것이 국가의 마땅한 책무입니다. 하지만 어렵게 조국의 품으로 돌아온 많은 영웅이 이름도 가족도 찾지 못한 무명용사로 남겨져 있습니다. 유전자 대조 자료가 없어 신원 확인을 못했기 때문입니다. 유가족들께서 더욱 적극적으로 유전자 확보에 협력해 주신다면 정부가 최선을 다해 가족을 찾아 드릴 것을 약속드립니다.

존경하는 국민 여러분, 국가유공자와 유가족 여러분!

지난 100년, 우리는 식민지를 이겨 냈고 전쟁의 비통함을 딛고 일어났으며 서로 도와 가며 민주주의와 경제 성장을 이뤄 냈습니다. 그 길은 결코 쉽지 않은 길이었습니다. 독립운동의 길은 자신의 모든 것을 포기하고 나선 장엄한 길이었습니다.

되찾은 나라를 지키고자 우리는 숭고한 애국심으로 전쟁을 치렀지만 숱한 고지에 전우를 묻었습니다. 경제 성장의 과정에서도 짙은 그늘이 남았습니다. 우리는 미래로 나아가면서도 과거를 잊지 않게 부단히 각성하고 기억해야 합니다. 우리 자신의 뿌리가 어디에서 왔는지 되새기며, 어디로 나아가고 있는지 통찰력을 가지고 바라봐야 합니다.

우리의 가슴에는 수많은 노래가 담겨 있습니다. 조국에 대한 노래, 어머니에 대한 노래, 전우에 대한 노래. 이 노래는 멈추지 않고 불릴 것입니다. 우리의 하늘에는 전몰장병들과 순직자의 별들이 영원히 빛날 것입니다. 우리에게 선열들의 정신이 살아 있는 한 대한민국은 미래를 향한 전진을 결코 멈추지 않을 것입니다.

모든 국가유공자들께 다시 한번 깊은 경의를 표합니다.

감사합니다.

이후 추진 내용

- 2019년 7월 국립묘지 사전 안장심의제도를 도입하여 2021년까지 총 1864건을 심의했습니다.
- 2020년 9월 국립묘지법 및 시행령을 개정하여 서울 수유 등 7개소의 독립유공자 합동 묘역을 국가관리 묘역으로 지정하고, 무연고 국가유공자 묘소의 국가 책임을 강화했습니다.
- 문재인 대통령은 2021년 5월 21일(현지시간) 미국 워싱턴 D.C. 추모의 벽 착공식에 참여했습니다. 추모의 벽은 2022년 5월 완공될 예정입니다.

전쟁 없는 평화로운 한반도

국군 및 유엔군 참전유공자 초청 오찬
2019년 6월 24일

"참전 용사와 가족들을 청와대로 모신 것이 오늘이 처음이라고
합니다. 그동안 참전 용사와 가족분들을 외부 행사장에서 뵙고
헤어지는 것이 아쉬웠는데, 이렇게 청와대에 모시게 되어 매우
뜻깊게 생각합니다.
정부는 4월 1일부터 화살머리고지 유해 발굴을 시작해 지금까
지 유해 72구, 유품 3만 3000여 점을 발굴했습니다. 마지막 한
분까지 가족의 품으로 돌아가실 수 있도록 최고의 예우를 갖춰
유해 발굴을 계속해 갈 것입니다."

존경하는 6·25 참전 용사와 가족 여러분, 내외 귀빈 여러분!

더운 날씨에 소중한 걸음을 해 주셔서 감사드립니다. 오는 길이 힘드시지는 않을까 걱정했는데, 이렇게 건강한 모습을 뵙게 되니 마음이 놓입니다. 전쟁의 참화에 맞서 이긴 여러분이 계셨기에 오늘의 대한민국이 있습니다. 참전 용사와 가족들을 청와대로 모신 것이 오늘이 처음이라고 합니다. 그동안 참전 용사와 가족분들을 외부 행사장에서 뵙고 헤어지는 것이 아쉬웠는데, 이렇게 청와대에 모시게 되어 매우 뜻깊게 생각합니다. 국경과 세대를 넘어 참전 용사들의 희생과 헌신을 함께 이야기하고, 애국의 가치와 역사를 되새기는 자리가 되길 바랍니다.

참전 용사 여러분!

6·25는 비통한 역사지만 북한의 침략을 이겨 냄으로써 대한민국의 정체성을 지켰고, 전쟁의 참화를 이겨 내려는 노력이 오늘의 대한민국 발전을 이루었습니다. 누군가의 소중한 아들딸, 자랑스러운 부모였던 사람들이 정든 고향, 사랑하는 이들을 떠나 전선으로 향했습니다. 그 속에는 학도의용군으로 참전한 박동하 님도 계셨습니다. 박동하 님과 전우들은 화살머리고지 전투에서 목숨을 걸고 나라를 지켰습니다. 67년이 흐른 지금도 화살머리고지에는 박동하 님의 전우들, 수많은 용사가 잠들어 계십니다. 돌아오지 못한 전우들에게 보내는 감동적인 편지를 낭독해 주신 박동하 유공자님께 감사드립니다.

정부는 4월 1일부터 화살머리고지 유해 발굴을 시작해 지금까지 유해 72구, 유품 3만 3000여 점을 발굴했습니다. 마지막 한 분까지 가족의 품으로 돌아가실 수 있도록 최고의 예우를 갖춰 유해 발굴을 계속해 갈 것입니다.

고등학생이던 유병추 님은 군번도 계급도 없는 학도병이 되어 전선을 향했습니다. 육군 제1독립 유격대대 소속으로 장사상륙작전에 참전해 인천상륙작전 성공에 공헌하셨습니다. 박운욱 님을 비롯해 일본에서 살고 있던 642명의 청년은 참전 의무가 없는데도 조국을 수호하는 전장에 뛰어들었습니다. 많은 분이 돌아가지 못했습니다.

우리는 그분들을 재일학도의용군이라 부릅니다. 조금 전 캠벨 에이시아Campbell Asia 양이 인터뷰를 통해 소개한 고故 김영옥 대령은 미국 최고의 전쟁 영웅 16인 중의 한 분입니다. 제2차 세계대전에서 혁혁한 무공을 세운 뒤 전역하셨지만 6·25가 발발하자 다시 입대해 조국으로 달려왔습니다. 휴전선 중·동부를 60킬로미터나 북상시키는 데 큰 공을 세웠습니다. 전역 후에는 미국 한인사회 발전을 위해 크게 헌신하셨습니다. 다시 한번 김영옥 대령의 조카 다이앤 맥매스Dyanne Mary Mcmath 님과 캠벨 에이시아 양에게 따뜻한 박수를 부탁드립니다.

경찰도 전쟁의 참화에 맞서 나라를 지켰습니다. 고故 임진하 경사는 경찰 화랑부대 소속으로 미 해병 1사단과 함께 장진호전투에 참전했습니다. 수류탄 파편 7개가 몸에 박히는 중상을 입고도 전장으로 복귀할 만큼 투철한 애국심으로 조국을 지켜 냈습니다. 이 자리에 배우자이신 정태희 여사께서 함께해 주고 계십니다. 따뜻한 환영의 박수를 부탁드립니다.

참전 용사는 대한민국의 자부심입니다. 참전 용사의 헌신에 보답하고 명예를 높이는 일은 국가의 책무이며 후손들의 의무입니다. 정부는 계속해서 참전유공자와 가족들의 삶이 더 편안하고 명예로울 수 있도록 노력하겠습니다. 오늘 함께하고 있는 미래세대가 참전 용사들의 희생과 헌신을 소중한 역사로 기억하면서 평화의 미래를 열어나갈 수 있도록 선양과 보훈에 최선을 다할 것입니다.

참전유공자 여러분!

6·25는 자유와 평화를 사랑하는 세계인이 함께 전쟁의 폭력에 맞선 정의로운 인류의 역사입니다. 저는 지난 북유럽 순방에서 대한민국의 자유와 평화에 담긴 숭고한 인류애를 되새겼습니다. 노르웨이와 스웨덴은 의료지원단을 파견했고 많은 소중한 생명을 구했습니다. 전쟁 후에도 남아 민간인을 치료하고 국립중앙의료원 설립을 도왔습니다. 노르웨이에서는 한국전 참전비에 참배했고, 스웨덴에서는 한국전참전기념비 제막식이 있었습니다. 참전 용사의 헌신에 감사드리고 양국의 우의를 다졌습니다.

69년 전 세계 22개국 195만 명의 젊은이들이 전쟁이 발발한 대한민국으로 달려왔습니다. 그 중심에 미국이 있었습니다. 가장 많은 장병이 참전했고, 가장 많은 희생을 치렀습니다. 정부는 그 숭고한 희생을 기려 워싱턴 한국전쟁참전 용사 기념공원에 추모의 벽을 건립할 예정입니다. 한미 양국은 동맹의 위대함을 기억하며 누구도가 보지 못한 항구적 평화의 길을 함께 열어 갈 것입니다.

이제 대한민국은 전쟁의 잿더미에서 수출 세계 6위, 국민소득 3만 달러가 넘는 경제 강국으로 발전했습니다. 원조를 받던 나라에서 전쟁과 질병, 저개발과 가난의 고통에 시달리는 사람들을 돕는 원조공여국이 되었습니다.

대한민국은 유엔의 깃발 아래 함께했던 195만 영웅들의 헌신을 변함없이 기억할 것입니다. 자유를 위해 목숨을 바친 세계인에게 평화와 번영을 선사하는 나라가 될 것입니다.

이 자리에 해외에서 오신 유엔군 참전 용사 여러분이 계십니다. 여러분, 이분들께 특별히 감사의 큰 박수를 보내 주시기 바랍니다.

참전 용사와 가족 여러분, 내외 귀빈 여러분!

내년은 6·25전쟁 70주년이 되는 해입니다. 1953년 7월 27일 전쟁의 포연은 가셨지만 아직 완전한 종전은 이뤄지지 않았습니다. 두 번 다시 전쟁 걱정 없는 평화로운 한반도를 만드는 것이 국내외 참전 용사 여러분의 희생과 헌신에 보답하는 길이라 믿습니다. 참전 용사들이야말로 누구보다 평화의 소중함을 절실히 느끼고 계실 것입니다. 늘 건강하게 평화의 길을 응원해 주시고, 국민 곁에 오래오래 함께해 주시기 바랍니다. 대한민국의 자유와 평화를 지켜 주시고 애국의 참된 가치를 일깨워 주신 모든 참전 용사께 깊은 존경의 마음을 전합니다.

감사합니다.

이후 추진 내용

- 유해 발굴 및 발굴 유해의 신원 확인에 많은 공을 들여 문재인 정부 이전 14년간 채취한 3만 6000여 건을 상회하는 시료 3만 9000여 건을 5년 만에 확보하여 전사자 65명의 신원을 추가로 확인했습니다.

- 유해 발굴 현황

구분	계	2000~2016년	2017년	2018년	2019년	2020년	2021년
발굴 유해(구)	12,962	10,727	436	357	558	514	370

- 발굴 전사자 중 신원이 확인된 유해에 대해서는 신원확인통지서 및 '호국의 얼' 함(호국영웅 귀환패, 유품) 등을 유가족에게 전달하는 호국의 영웅 귀환행사와 전·후반기 통합안장식(연 2회)을, 신원이 확인되지 않은 유해에 대해서는 매년 12월 국무총리 주관으로 정부 합동봉안식을 시행하고 있습니다.

1부 기억하고 기리겠습니다

아무도 흔들 수 없는 나라

제74주년 광복절 경축식
2019년 8월 15일

"우리는 '아무도 흔들 수 없는 나라'를 만들 수 있습니다. 오늘의 우리는 과거의 우리가 아닙니다. 오늘의 대한민국은 수많은 도전과 시련을 극복하며 더 강해지고 성숙해진 대한민국입니다. 저는 오늘 '아무도 흔들 수 없는 나라', 우리가 만들고 싶은 새로운 한반도를 위해 세 가지 목표를 제시합니다."

존경하는 국민 여러분, 독립유공자와 유가족 여러분, 재외·해외 동포 여러분!

3·1독립운동과 임시정부 수립 100년이 되는 올해 광복 74주년 기념식을 특별히 독립기념관에서 갖게 되어 매우 뜻깊게 생각합니다.

오늘의 대한민국은 어떤 고난 앞에서도 꺾이지 않았고, 포기하지 않았던 독립 선열들의 강인한 정신이 만들어 낸 것입니다. "삼각산이 일어나 더덩실 춤이라도 추고, 한강 물이 뒤집혀 용솟음칠" 그날을 갈망하며 모든 것을 바쳤던 선열들의 뜨거운 정신은 이 순간에도 국민의 가슴에 살아 숨 쉬고 있습니다. 저는 오늘 독립선열들과 유공자·유가족께 깊은 경의를 표하며 광복의 그날 벅찬 마음으로 건설하고자 했던 나라, 그리고 오늘 우리가 그 뜻을 이어 만들고자 하는 나라를 국민과 함께 그려 보고자 합니다.

우리가 원하는 나라는 함께 잘사는 나라, 누구나 공정한 기회를 가지고, 실패해도 다시 일어날 수 있는 나라입니다. 우리가 원하는 나라는 완도 섬마을의 소녀가 울산에서 수소 산업을 공부하여 남포에서 창업하고, 몽골과 시베리아로 친환경 차를 수출하는 나라입니다. 회령에서 자란 소년이 부산에서 해양학교를 졸업하고 아세안과 인도양, 남미의 칠레까지 컨테이너를 실은 배의 항해사가 되는 나라입니다. 농업을 전공한 청년이 아무르강 가에서 남과 북, 러시아의 농부들과 대규모 콩 농사를 짓고 청년의 동생이 서산에서 형의 콩으로 소를 키우는 나라입니다. 두만강을 건너 대륙으로, 태평양

1부 기억하고 기리겠습니다

을 넘어 아세안과 인도로 우리의 삶과 상상력이 확장되는 나라입니다. 우리의 경제 활동 영역이 한반도 남쪽을 벗어나 이웃 국가들과 협력하며 함께 번영하는 나라입니다.

"용광로에 불을 켜라. 새 나라의 심장에 철선을 뽑고 철근을 늘리고 철판을 펴자. 시멘트와 철과 희망 위에 아무도 흔들 수 없는 새 나라 세워 가자."

해방 직후 한 시인은 광복을 맞은 새 나라의 꿈을 이렇게 노래했습니다.

'아무도 흔들 수 없는 새 나라', 외세의 침략과 지배에서 벗어난 신생 독립국가가 가져야 할 당연한 꿈이었습니다. 그리고 74년이 흐른 지금 우리는 세계 6대 제조 강국, 세계 6대 수출 강국의 당당한 경제력을 갖추게 되었습니다. 국민소득 3만 달러 시대를 열었고, 김구 선생이 소원했던 문화국가의 꿈도 이뤄 가고 있습니다.

그러나 '아무도 흔들 수 없는 나라'는 아직 이루지 못했습니다. 아직도 우리가 충분히 강하지 않기 때문이며, 아직도 우리가 분단되어 있기 때문입니다. 저는 오늘 어떤 위기에도 의연하게 대처해 온 국민을 떠올리며 우리가 만들고 싶은 나라, '아무도 흔들 수 없는 나라'를 다시 다짐합니다.

존경하는 국민 여러분!

우리는 자유무역 질서를 기반으로 반도체, IT, 바이오 등 우리가 잘할 수 있는 산업에 집중할 수 있었습니다. 국제분업 체계 속에서 어느 나라나 자신의 강점을 앞세워 성공을 꿈꿀 수 있었습니다. 근대화의 과정에서 뒤처졌던 동아시아는 분업과 협업으로 다시 경제 발전을 이뤘습니다. 세계는 동아시아의 기적이라고 불렀습니다. 침략과 분쟁의 시간이 없지 않았지만, 동아시아에는 이보다 훨씬 더 긴 교류와 교역의 역사가 있습니다. 청동기문화부터 현대문명에 이르기까지 동아시아는 서로 전파하고 공유했습니다. 인류 역사에서 가장 오랜 교류와 협력이 이루어졌고, 함께 문명의 발전을 이루었습니다.

광복은 우리에게만 기쁜 날이 아니었습니다. 청일전쟁과 러일전쟁, 만주사변과 중일전쟁, 태평양전쟁까지 60여 년간의 기나긴 전쟁이 끝난 날이며, 동아시아 광복의 날이었습니다. 일본 국민 역시 군국주의의 억압에서 벗어나 침략 전쟁에서 해방되었습니다.

우리는 과거에 머물지 않고 일본과 안보·경제협력을 지속해 왔습니다. 일본과 함께 일제강점기 피해자들의 고통을 실질적으로 치유하고자 했고, 역사를 거울삼아 굳건히 손잡자는 입장을 견지해 왔습니다. 과거를 성찰하는 것은 과거에 매달리는 것이 아니라 과거를 딛고 미래로 가는 것입니다. 일본이 이웃 나라에게 불행을 주었던 과거를 성찰하는 가운데 동아시아의 평화와 번영을 함께 이끌어 가길 우리는 바랍니다.

협력해야 함께 발전하고, 발전이 지속 가능합니다. 세계는 고도의 분업 체계를 통해 공동 번영을 이뤄 왔습니다. 일본 경제도 자유무역질서 속에서 분업을 이루며 발전해 왔습니다. 국제분업 체계 속에서 어느 나라든 자국이 우위에 있는 부문을 무기화한다면 평화로운 자유무역 질서가 깨질 수밖에 없습니다. 먼저 성장한 나라가 뒤따라 성장하는 나라의 사다리를 걷어차서는 안 됩니다. 지금이라도 일본이 대화와 협력의 길로 나온다면 우리는 기꺼이 손을 잡을 것입니다. 공정하게 교역하고 협력하는 동아시아를 함께 만들어 갈 것입니다.

존경하는 국민 여러분!

오늘의 우리는 과거의 우리가 아닙니다. 오늘의 대한민국은 수많은 도전과 시련을 극복하며 더 강해지고 성숙해진 대한민국입니다. 저는 오늘 '아무도 흔들 수 없는 나라', 우리가 만들고 싶은 새로운 한반도를 위해 세 가지 목표를 제시합니다.

첫째, 책임 있는 경제 강국으로 자유무역 질서를 지키고 동아시아의 평등한 협력을 이끌어 내고자 합니다. 우리 국민께서 기적처럼 이룬 경제 발전의 성과와 저력은 나눠 줄 수는 있어도 빼앗길 수는 없습니다. 경제에서 주권이 확고할 때 우리는 우리 운명의 주인으로, 흔들리지 않습니다.

통합된 국민의 힘은 위기를 기회로 바꿨고, 도전은 우리를 더 강하고 크게 만들었습니다. 우리는 중동의 열사도, 태평양의 파도도 두려워하지 않으며 경제를 성장시켰습니다. 경공업, 중화학공업, 정보통신산업을 차례로 육성했고 세계적인 IT 강국이 되었습니다. 이제는 5G 등 세계 기술 표준을 선도하는 국가가 되었습니다. 지금까지 우리는 선진국을 추격해 왔지만, 이제는 앞서서 도전하며 선도하는 경제로 거듭나고 있습니다. 일본의 부당한 수출 규제에 맞서 우리는 책임 있는 경제 강국을 향한 길을 뚜벅뚜벅 걸어갈 것입니다.

우리 경제구조를 포용과 상생의 생태계로 변화시키겠습니다. 대·중소기업과 노사의 상생협력으로 소재·부품·장비 산업 경쟁력 강화에 힘을 쏟겠습니다. 과학자와 기술자의 도전을 응원하고 실패를 존중하며 누구도 흔들 수 없는 경제를 만들겠습니다. 우리의 부족함을 성찰하면서도 스스로 비하하지 않고 함께 격려할 때, 우리는 해낼 수 있을 것이라 믿습니다. 우리는 경제력에 걸맞은 책임감을 가지고 더 크게 협력하고 더 넓게 개방해 이웃 나라와 함께 성장할 것입니다.

둘째, 대륙과 해양을 아우르며 평화와 번영을 선도하는 교량 국가가 되고자 합니다. 지정학적으로 4대 강국에 둘러싸인 나라는 세계에서 우리밖에 없습니다. 우리가 초라하고 힘이 없으면, 한반도는 대륙에서도 해양에서도 변방이었고, 때로는 강대국들의 각축장이 되었습니다. 그것이 우리가 겪었던 지난 역사였습니다. 그러나 우리가 힘을 가지면 대륙과 해양을 잇는 나라, 동북아 평화와 번영의 질서를 선도하는 나라가 될 수 있습니다.

우리는 지정학적 위치를 우리의 강점으로 바꿔야 합니다. 더 이상 남에게 휘둘리지 않고 주도해 나간다는 뚜렷한 목표를 가져야 합니다. 일찍이 임시정부의 조소앙 선생은 사람과 사람, 민족과 민족, 국가와 국가 사이의 균등을 주창했습니다. 평화와 번영을 향한 우리의 기본 정신입니다. 우리 국민께서 일본의 경제보복에 성숙하게 대응하는 것 역시 우리 경제를 지켜 내고자 의지를 모으면서도 두 나라 국민 사이의 우호가 훼손되지 않기를 바라는 수준 높은 국민 의식이 있기 때문입니다.

우리 정부가 추진하는 '사람 중심 상생 번영의 평화 공동체'는 우리부터 시작해 한반도 전체와 동아시아, 나아가 세계의 평화와 번영으로 확장하자는 것입니다.

신북방 정책은 대륙을 향해 달려가는 우리의 포부입니다. 중국과 러시아뿐 아니라 중앙아시아와 유럽으로 협력의 기반을 넓히고 동북아시아 철도 공동체로 다자협력·다자안보의 초석을 놓을 것입니다. 신남방 정책은 해양을 향해 달려가는 우리의 포부입니다. 아세안 및 인도와의 관계를 주변 주요국들 수준으로 격상시키고, 공동 번영의 협력 관계로 발전시켜 나갈 것입니다. 올해 11월에는 한 – 아세안 특별정상회의와 한 – 메콩 정상회의가 부산에서 열립니다. 아세안 및 메콩 국가들과 획기적인 관계 발전의 이정표가 될 것입니다.

남과 북 사이 끊긴 철도와 도로를 잇는 일은 동아시아의 평화와 번영을 선도하는 교량 국가로 가는 첫걸음입니다. 한반도의 땅과 하늘, 바다에 사람과 물류가 오가는 혈맥을 잇고 남과 북이 대륙과 해양을 자유롭게 넘나들게 된다면, 한반도는 유라시아와 태평양, 아세안, 인도양을 잇는 번영의 터전이 될 것입니다.

아시아 공동체는 어느 한 국가가 주도하는 공동체가 아니라 평등한 국가들의 다양한 협력이 꽃피는 공동체가 될 것입니다.

셋째, 평화로 번영을 이루는 평화경제를 구축하고 통일로 광복을 완성하고자 합니다. 분단 체제를 극복하여 겨레의 에너지를 미래 번영의 동력으로 승화시켜야 합니다. 평화경제는 한반도의 완전한 비핵화 위에 북한이 핵이 아닌 경제와 번영을 선택할 수 있도록 대화와 협력을 계속해 나가는 데서 시작합니다. 남과 북, 미국은 지난 1년 8개월간 대화 국면을 지속했습니다. 최근 북한의 몇 차례 우려스러운 행동에도 불구하고 대화 분위기가 흔들리지 않는 것이야말로 우리 정부가 추진해 온 한반도 평화 프로세스의 큰 성과입니다.

북한의 도발 한 번에 한반도가 요동치던 그 이전의 상황과 분명하게 달라졌습니다. 여전히 대결을 부추기는 세력이 국내외에 적지 않지만, 우리 국민의 평화에 대한 간절한 열망이 있었기에 여기까지 올 수 있었습니다.

지난 6월 말의 판문점 회동 이후 3차 북미 정상회담을 위한 북미 간의 실무협상이 모색되고 있습니다. 아마도 한반도 비핵화와 평화 구축을 위한 전체 과정에서 가장 중대한 고비가 될 것입니다. 남·북·미 모두 북미 간의 실무협상 조기 개최에 집중해야 할 때입니다.

불만스러운 점이 있다 하더라도, 대화의 판을 깨거나 장벽을 쳐 대화를 어렵게 하는 일은 결코 바람직하지 않습니다. 불만이 있다면 그 역시 대화의 장에서 문제를 제기하고 논의할 일입니다. 국민께서도 대화의 마지막 고비를 넘을 수 있도록 힘을 모아 주시기 바랍니다.

이 고비를 넘어서면 한반도 비핵화가 성큼 다가올 것이며 남북관계도 큰 진전을 이룰 것입니다. 경제협력이 속도를 내고 평화경제가 시작되면 언젠가 자연스럽게 통일이 우리 앞의 현실이 될 것입니다.

IMF는 한국이 4차 산업혁명을 선도하며, 2024년경 1인당 국민소득 4만 달러를 돌파할 것으로 추정하고 있습니다. 여기에 남과 북의 역량을 합친다면 각자의 체제를 유지하면서도 8000만 단일시장을 만들 수 있습니다. 한반도가 통일까지 된다면 세계경제 6위권이 될 것이라 전망하고 있습니다. 2050년경 국민소득 7만~8만 달러 시대가 가능하다는 국내외 연구 결과도 발표되고 있습니다. 평화와 통일로 인한 경제적 이익이 매우 클 것이라는 점은 분명합니다.

남과 북의 기업들에도 새로운 시장과 기회가 열립니다. 남과 북 모두 막대한 국방비뿐 아니라 '코리아 디스카운트Korea Discount'라는 무형의 분단 비용을 줄일 수 있습니다. 지금 우리가 겪고 있는 저성장, 저출산·고령화의 해답도 찾게 될 것입니다. 그러나 그 무엇보다 광복의 그날처럼 우리 민족의 마음에 싹틀 희망과 열정이 중요합니다. 희망과 열정보다 더 큰 경제 성장의 동력은 없을 것입니다.

부산에서 시작하여 울산과 포항, 동해와 강릉, 속초, 원산과 나진, 선봉으로 이어지는 환동해 경제는 블라디보스토크를 통한 대륙 경제, 북극 항로와 일본을 연결하는 해양 경제로 뻗어 나갈 것입니다. 여수와 목포에서 시작하여 군산, 인천, 해주와 남포, 신의주로 향한 환황해경제는 전남 블루 이코노미, 새만금의 재생에너지 신산업과 개성공단과 남포, 신의주로 이어지는 첨단 산업단지의 육성으로 중국, 아세안, 인도를 향한 웅대한 경제전략을 완성할 것입니다.

북한도 경제 건설 총노선으로 국가정책을 전환했고 시장경제의 도입이 이뤄지고 있습니다. 국제사회도 북한이 핵을 포기하면 경제 성장을 돕겠다 약속하고 있습니다. 북한을 일방적으로 돕자는 것이 아닙니다. 서로의 체제 안전을 보장하면서 남북 상호 간 이익이 되도록 하자는 것이며, 함께 잘살자는 것입니다. 세계경제 발전에 남북이 함께 이바지하자는 것입니다.

평화경제를 통해 우리 경제의 신성장 동력을 만들겠습니다. 우리의 역량을 더 이상 분단에 소모할 수 없습니다. 평화경제에 우리가 가진 모든 것을 쏟아부어 새로운 한반도의 문을 활짝 열겠습니다. 남과 북이 손잡고 한반도의 운명을 주도하려는 의지를 가진다면 가능한 일입니다. 분단을 극복해 낼 때 비로소 우리의 광복은 완성되고, '아무도 흔들 수 없는 나라'가 될 것입니다.

"북한이 미사일을 쏘는데 무슨 평화경제냐"고 말하는 사람들이 있습니다. 그러나 우리는 더욱 강력한 방위력을 보유하고 있습니다. 우리는 예의주시하며 한반도의 긴장이 높아지지 않도록 관리에 만전을 기하고 있지만, 그 역시 궁극의 목표는 대결이 아니라 대화에 있습니다. 미국이 북한과 동요 없이 대화를 계속하고, 일본 역시 북한과 대화를 추진하고 있는 현실을 직시하기 바랍니다. 이념에 사로잡힌 외톨이로 남지 않기 바랍니다. 우리 국민의 단합된 힘이 반드시 필요합니다. 국민께서 한마음으로 같이해 주시기 바랍니다.

존경하는 국민 여러분, 독립유공자와 유가족 여러분, 해외동포 여러분!

저는 오늘 광복절을 맞아 임기 내에 비핵화와 평화 체제를 확고히 하겠다고 다짐합니다. 그 토대 위에서 평화경제를 시작하고 통일을 향해 나아가겠습니다. 북한과 함께 평화의 봄에 뿌린 씨앗이 번영의 나무로 자랄 수 있도록 대화와 협력을 발전시켜 나갈 것입니다.

2032년 서울·평양 공동올림픽을 성공적으로 개최하고, 2045년 광복 100주년까지 평화와 통일로 하나 된 나라, 원 코리아One Korea 로 세계 속에 우뚝 설 수 있도록 그 기반을 단단히 다지겠다고 약속합니다.

임시정부가 대한민국이라는 국호와 함께 민주공화국을 선포한 지 100년이 되었습니다. 우리는 100년 동안 성찰했고 성숙해졌습니다. 이제 어떤 위기도 이겨 낼 수 있을 만큼 자신감을 갖게 되었고, 평화와 번영의 한반도를 이루기 위한 국민적 역량이 커졌습니다. 우리는 '아무도 흔들 수 없는 나라'를 만들 수 있습니다.

남강 이승훈 선생의 말을 되새겨 봅니다. "나는 씨앗이 땅속에 들어가 무거운 흙을 들치고 올라올 때 제힘으로 들치지 남의 힘으로 올라오는 것을 본 일이 없다."

우리 힘으로 분단을 이기고 평화와 통일로 가는 길이 책임 있는 경제 강국으로 가는 지름길입니다. 우리가 일본을 뛰어넘는 길이고, 일본을 동아시아 협력의 질서로 이끄는 길입니다. 한반도와 동아시아, 세계의 평화와 번영을 이끄는 새로운 한반도가 우리를 기다리고 있습니다. 우리는 할 수 있습니다!

튼튼하고 커다란 나무에는
온갖 생명이 깃듭니다

제5회 서해수호의 날 기념식
2020년 3월 27일

"애국심이야말로 가장 튼튼한 안보입니다. 아무도 흔들 수 없는 나라의 기반입니다. 서해수호 영웅들의 희생과 헌신은 바로 그 애국심의 상징입니다."

존경하는 국민 여러분, 참전 장병과 유가족 여러분!

그 어느 때보다 애국심이 필요한 때 서해수호의 날을 맞았습니다. 우리는 애국심으로 식민 지배와 전쟁을 이겨 냈고, 경제 성장과 민주주의를 이뤄 냈습니다. 연대와 협력으로 우리는 역경을 극복할 수 있었으며, 그 힘은 국토와 이웃과 우리 역사를 사랑하는 애국심으로부터 비롯되었습니다.

서해수호 영웅들의 희생과 헌신은 바로 그 애국심의 상징입니다. 총탄과 포탄이 날아드는 생사의 갈림길에서 영웅들은 불굴의 투지로 작전을 수행했고, 서로 전우애를 발휘하며 최후의 순간까지 군인의 임무를 완수했습니다. 영웅들이 실천한 애국심은 조국의 자유와 평화가 되었습니다. 우리는 아무도 넘볼 수 없는 강한 안보로 한반도 평화와 번영에 대한 국제사회의 신뢰와 협력을 이끌 수 있게 되었습니다.

국민은 이곳 국립대전현충원뿐만 아니라 전국 곳곳에서 용사들의 애국심을 기억합니다. 창원 진해해양공원과 서울 수도전기공업고등학교 교정에서 한주호 준위의 숭고한 헌신을 마주합니다. 광주 문성중학교에서, 군산 은파호수공원에서 서정우 하사와 문광욱 일병을 만나며 꺾이지 않는 용기를 가슴에 새깁니다. 국민의 긍지와 자부심이 되어 주신 서해수호 영웅들께 경의를 표하며, 유가족들께 깊은 위로의 말씀을 전합니다.

참전 장병 여러분, 유가족 여러분!

1부 기억하고 기리겠습니다

코로나19라는 초유의 위기 앞에서 우리 군과 가족들은 앞장서 애국을 실천하고 있습니다. 46용사유족회와 천안함재단은 대구·경북 지역에 마스크와 성금을 전달했습니다. 아픔을 디딘 연대와 협력의 손길이 국민의 희망이 되었습니다.

신임 간호장교들과 군의관들은 임관을 앞당겨 코로나19의 최전선 대구로 달려갔습니다. 예비역 간호장교들은 민간인 신분으로 의료 지원에 나섰고, 3만 5000여 장병들은 자발적으로 헌혈에 참여해 주었습니다. 국군대구병원에 투입된 공병단은 확진자들을 위한 병상을 만들었고, 1만 2000명의 병력과 6000대의 군 장비가 전국 각지에서 방역과 소독을 지원하고 있습니다. 공군 수송기는 20시간 연속 비행으로 미얀마에서 수술용 가운 8만 벌을 가져왔습니다.

서해수호 영웅들의 정신이 우리 장병들의 마음속에 깃들어 있습니다. 국민의 군대로서 위국헌신군인본분爲國獻身軍人本分의 정신을 실천하는 모습을 보며 영웅들도 자랑스러워할 것이라 믿습니다.

국민 여러분!

싸우면 반드시 이겨야 하고, 싸우지 않고 이길 수 있다면 우리는 그 길을 선택해야 합니다. 가장 강한 안보가 평화이며, 평화가 영웅들의 희생에 보답하는 길입니다. 정부는 강한 군대, 철통같은 국방력을 바탕으로 강한 안보와 평화를 만들어 가고 있습니다.

정부는 지난 3년간 국방예산을 대폭 확대해 올해 최초로 국방예산 50조 원 시대를 열었고, 세계 6위의 군사 강국으로 도약했습니다. 2018년에는 남북 간 9·19군사합의로 서해바다에서 적대적 군사 행동을 중지했습니다. 서해수호 영웅들이 지켜 낸 NLL에서는 한 건의 무력 충돌도 발생하지 않고 있으며, 천안함 46용사 추모비가 세워진 평택 2함대 사령부와 백령도 연화리 해안에서 후배들이 굳건히 우리 영토와 영해를 수호하고 있습니다. 어민들은 영웅들이 지켜 낸 평화의 어장에서 45년 만에 다시 불을 밝힌 연평도 등대를 바라보며 만선의 꿈을 키우고 있습니다.

정부는 강한 안보로 반드시 항구적 평화를 이뤄 낼 것입니다. 확고한 대비태세로 영웅들의 희생을 기억할 것입니다. 군을 신뢰하고 응원하는 국민과 함께 평화와 번영의 길을 열어갈 것입니다.

국가를 위해 희생하고 헌신한 분들을 위한 예우에도 최선을 다하겠습니다. 제2연평해전 전사자들은 한때 법적으로 전사가 아니라 순직으로 처리되었습니다. 참여정부에서 전사자 예우 규정을 만들었지만, 소급 적용이 되지 않았습니다. 2018년 7월 마침내 〈제2연평해전 전사자 보상에 관한 특별법 시행령〉을 국무회의에서 의결했습니다. 16년 만에 제2연평해전 용사들을 전사자로서 제대로 예우하고 명예를 높일 수 있게 되었습니다. 참으로 뜻깊은 일이 아닐 수 없습니다.

지난해 12월에는 순직유족연금 지급기준을 개선해 복무기간과 상관없이 지급률을 43퍼센트로 상향하여 일원화했습니다. 또한 유족 가산 제도를 신설하여 유가족의 생계 지원을 강화했습니다.

1부 기억하고 기리겠습니다

전투에서 상이傷痍를 입은 국가유공자들에 대한 추가 보상책도 마련하고 있습니다. 올해 163억 원 수준인 전상수당을 내년 632억 원 수준으로 다섯 배 인상하고, 점차로 참전 명예수당의 50퍼센트 수준까지 높여 갈 것입니다.

진정한 보훈은 국가유공자와 유가족들이 명예와 긍지를 느끼고, 그 모습에 국민께서 자부심을 가질 때 완성됩니다. 국가는 군의 충성과 헌신에 끝까지 책임져야 합니다. 진정한 보훈으로 애국의 가치가 국민의 일상에 단단히 뿌리내려 정치적 바람에 흔들리지 않도록 하겠습니다.

존경하는 국민 여러분, 참전 장병과 유가족 여러분!

애국심이야말로 가장 튼튼한 안보입니다. 아무도 흔들 수 없는 나라의 기반입니다. 군 장병들의 가슴에 서해수호 영웅들의 애국심이 이어지고 국민의 기억 속에 애국의 역사가 살아 숨 쉬는 한 우리는 어떠한 위기도 극복해 낼 수 있습니다.

우리는 오늘 코로나19에 맞서며 우리의 애국심이 연대와 협력으로 발휘되고 있음을 확인합니다. 국민 서로가 서로에게 힘이 되고, 그것이 국제사회의 협력으로 넓어지는 더 큰 애국심을 보고 있습니다. 튼튼하고 커다란 나무에는 온갖 생명이 깃듭니다. 우리의 애국심은 대한민국을 더욱 튼튼하고 큰 나라로 만들 것이며, 국제사회와 협력 속에서 평화와 번영의 새로운 역사를 기록할 것입니다.

오늘 서해수호의 날을 맞아 불굴의 영웅들을 기억하며, 코로나19

극복의 의지를 더욱 굳게 다집니다. 서해수호 영웅들의 이야기는 자랑스러운 애국의 역사가 되어 미래세대에게 영원히 전해질 것입니다.

감사합니다.

이후 추진 내용
• 2020년까지 2만 3000원이었던 전상수당을 2021년 9만 원으로 인상했습니다.

• 전상수당 현황

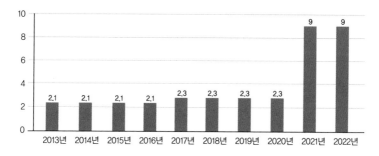

1부 기억하고 기리겠습니다

산에서 떨어지는 물방울이
바위를 뚫습니다

제101주년 대한민국임시정부 수립 기념식
2020년 4월 11일

"대한민국임시정부가 진정 위대한 것은 빼앗긴 나라를 되찾기 위한 항전 속에서 민족의 역사를 변화시키고 민주적 역량을 발전시킨 것입니다. 인내와 헌신, 연대와 협력으로 민주공화국 대한민국의 기틀을 단단히 다진 것입니다."

존경하는 국민 여러분, 임시정부 요인 후손과 광복회원 여러분!

대한민국임시정부는 오늘의 우리를 만든 뿌리입니다. 대한민국의 법통이며 정신입니다. 오늘 우리는 대한민국임시정부가 걸었던 위대한 독립의 길을 생생히 기리기 위해 모였습니다. 치열했던 역사의 장면들, 뜨거웠던 사람들의 삶을 임시정부 기념관에 영원히 새겨 넣고자 함께했습니다.

2017년 12월, 저는 대한민국 대통령으로서 최초로 충칭 대한민국임시정부 청사를 방문했고, 독립운동가들의 혼과 숨결이 서려 있는 그곳에서 임시정부 기념관을 짓겠다고 약속드렸습니다.

대한민국임시정부 수립 101주년을 맞은 오늘 그 기념과 함께 드디어 기공식을 하게 되어 매우 감격스럽습니다. 여러분의 노고에 깊이 감사드리며, 한 세기 동안 임시정부의 역사와 정신을 계승해온 임정 요인들의 후손과 광복회원들께 국민을 대표해 깊은 존경의 마음을 바칩니다.

1919년 4월 11일, 대한민국임시정부는 일제에 빼앗긴 우리 민족 반만년의 역사를 이어 '민주공화국 대한민국'을 수립했고, 우리가 독립국 민주정치의 자유민임을 선언했습니다. 이민족의 지배를 거부하는 것은 물론 군주주권의 역사를 국민주권의 역사로 바꾸었고, 전제군주제에서 민주공화제로 새 역사를 열었습니다.

이곳 서대문형무소에는 3·1독립운동의 순결한 남녀의 피가 배어 있습니다. 3·1독립운동으로 각성한 평범한 이들이 독립운동가가 되었고, 그들의 혼이 이곳에 서려 있습니다. 3·1독립운동이 낳은 대한민국임시정부는 세계사에서 전무후무한 27년간의 독립운동을 전개했고, 기어코 해방과 자유를 쟁취하여 오늘의 민주공화국 대한민국으로 이어졌습니다.

임시정부는 고난과 역경의 길을 걸었지만, 결코 혼자인 적이 없었습니다. 국내와 중국, 연해주의 동포는 물론 미국 하와이를 비롯한 캘리포니아주의 동포들, 멕시코의 사탕수수 농장과 쿠바 에네켄(용설란과의 식물) 농장의 동포들까지 피와 땀이 담긴 성금을 임시정부에 보냈습니다.

1932년 일본의 감시와 공격을 피해 상해에서 탈출한 임시정부는 항주, 진강, 장사, 광주, 유주, 기강 등의 도시를 거쳐 1940년 중경에 도착했습니다. 독립의 열망을 간직한 겨레가 있었기에 장장 6000킬로미터가 넘는 대장정을 버텨 낼 수 있었습니다. 임시정부는 1941년 일제와의 전면전을 선포했고, 독립운동 세력 내의 좌우합작으로 항일 무장투쟁 역량을 집결한 광복군을 창설해 미얀마와 인도에서 영국군과 함께 연합 작전을 수행했습니다. 임시정부의 치열한 독립투쟁과 줄기찬 외교적 노력으로 1943년 카이로선언에서 우리는 식민지 나라 중 유일하게 독립을 보장받을 수 있었습니다.

대한민국임시정부가 진정 위대한 것은 빼앗긴 나라를 되찾기 위한 항전 속에서 민족의 역사를 변화시키고 민주적 역량을 발전시킨 것입니다. 인내와 헌신, 연대와 협력으로 민주공화국 대한민국의 기틀을 단단히 다진 것입니다.

임시정부 최고의 어른인 석오 이동녕 선생은 "산에서 떨어지는 물방울이 바위를 뚫는다山溜穿石"는 좌우명을 남겼습니다. 역경에 굴하지 않았던 숭고한 애국심의 바탕에는 평범한 이들이 보여 준 용기에 대한 믿음과 사랑이 있었고, 불의에 당당히 맞서는 인간의 위대함이 있었습니다. 장구한 세월 나라의 독립을 위해 평생을 바친 임시정부의 선열들께 다시 한번 깊은 경의를 표합니다.

우리가 국립대한민국임시정부기념관을 건립하는 가장 중요한 이유는 임시정부의 정신을 오늘의 역사로 우리 곁에 두기 위해서입니다. 임시정부의 독립운동은 단지 반일反日에 머물지 않았습니다. 자주독립과 함께 인간의 존엄을 본질로 하는 자유평등, 성별·빈부·지역·계층·이념을 아우르는 화합과 통합, 인류의 문화와 평화에 공헌하는 인류애라는 위대한 정신을 유산으로 남겨 주었습니다.

국립대한민국임시정부기념관에는 나라의 주인으로 일어난 이 땅의 평범한 사람들, 대한민국을 세운 수많은 선조들의 이야기가 담길 것입니다. 교사와 학생, 종교인, 경찰과 관료, 의사와 간호사, 이름 없는 지게꾼과 장돌뱅이, 맹인, 광부, 소작인, 머슴, 기생들도 독립운동사의 자랑스러운 주인공으로 새겨질 것입니다.

또한 우리 군과 경찰의 뿌리도 함께 남겨질 것입니다. 신흥무관학교에서 시작해 광복군으로 결실을 본 육군, 미국 캘리포니아주에 설립한 '한인 비행사 양성소'에서 시작해 광복군 총사령부 '공군설

계위원회'가 기틀을 세운 공군, 독립운동가와 가족들, 민간 상선 사관들이 자발적으로 모여 만든 해군 등 우리는 임시정부기념관에서 '국민의 군대'의 뿌리 역시 독립운동과 임시정부에 있음을 자랑스럽게 여기게 될 것입니다.

임시정부 초대 경무국장 백범 김구 선생이 경찰의 임무로 강조한 '자주독립의 정신과 애국안민愛國安民의 척도'는 오늘까지 이어지는 경찰 정신의 원천입니다. 우리는 민주·인권·민생 경찰의 뿌리가 임시정부에서 시작되었음을 자긍심으로 삼게 될 것입니다. 광복이 우리의 힘으로 이뤄졌다는 것을 우리는 2021년 완공될 국립대한민국임시정부기념관에 영원히 새길 것입니다. 친일이 아니라 독립운동이 우리 역사의 주류였음을 확인하게 될 것입니다. 정부는 3·1독립운동의 유산과 임시정부의 정신이 오늘에 살아 있게 하고, 우리 미래세대들이 새로운 역사의 당당한 주역이 될 수 있도록 독립운동의 역사를 기리고 알리는 일을 잠시도 멈추지 않겠습니다.

존경하는 국민 여러분, 임시정부 요인 후손과 광복회원 여러분!

100년 전 선열들이 반드시 광복이 올 것이라는 희망 속에서 서로를 격려하며 고난을 이겨 냈듯이 오늘 우리는 연대와 협력으로 코로나19의 비상하고 엄중한 상황을 헤쳐 나가고 있습니다. 시민은 성숙한 자제력과 인내심으로 일상을 양보해 주셨고, 서로 나누고 격려하며 함께 어려움을 이겨 내고 있습니다. 어떤 고난 앞에서도 꺾이지 않았던 독립선열들의 강인한 정신이 국민의 가슴에 살아 숨 쉬고 있음을 느낍니다.

코로나19에 함께 맞서면서 우리는 '함께 사는 세상'에 대해 더 깊이 이해하게 되었습니다. 내 행동이 주변에 어떤 영향을 줄 수 있는지 성찰하며, 우리를 위한 실천에 함께하고 있습니다.

코로나19를 넘어 앞으로 우리가 맞이할 사회·경제적 위기는 더욱 클지도 모릅니다. 그러나 어떤 위기가 오든 우리는 국민의 통합된 힘으로 다시 위기를 극복할 것입니다. 독립선열들의 정신과 우리에게 주어진 책임의 무게를 깊이 새기며 코로나19를 극복하기 위해 우리끼리 연대하고 협력할 것이며, 나아가 세계와도 연대하고 협력할 것입니다.

대한민국임시정부는 고난과 역경에 맞설 때마다 우리에게 한결같은 용기의 원천이 되어 주었습니다. 국립대한민국임시정부기념관은 우리가 더 나은 민주주의를 향해 나아갈 때도, 분단과 적대를 넘어 평화와 통일을 꿈꿀 때도, 포용과 상생이라는 인류의 가치를 구현해 갈 때도, 언제나 가장 큰 힘이 되어 줄 것입니다.

감사합니다.

이후 추진 내용

• 광주 보훈병원 재활센터가 2021년 개원했고, 2022년에 부산, 대전 보훈병원 재활센터, 2023년 대구 보훈병원 재활센터가 개원 예정입니다. 2021년 12월까지 위탁병원 518개소를 지정했으며, 22년까지 총 640개소로 확대할 예정입니다. 2020년 12월 원주 보훈요양원을 개원한 데 이어 2022년 4월 전주 보훈요양원을 개원할 예정입니다.

1부 기억하고 기리겠습니다

무엇과도 바꿀 수 없는 조국

제65회 현충일 추념식
2020년 6월 6일

"누군가의 아들과 딸이었으며, 아버지였고 어머니였던 평범한
이웃들이 우리의 오늘을 만든 애국 영령들입니다. 독립·호국·
민주의 역사를 일궈 온 국민의 저력을 가슴 깊이 새기며, 애국
영령들께 다시 한번 깊은 존경을 표합니다."

존경하는 국민 여러분, 국가유공자와 유가족 여러분!

6·25전쟁 70주년인 올해 예순다섯 번째 현충일을 맞았습니다. 독립과 호국이 나라를 세우고 지켜 낸 애국의 뿌리임을 되새기는 날입니다.

오늘 우리가 누리고 있는 자유와 번영은 가장 빛나는 시기 자신의 모든 것을 조국에 바친 순국선열과 호국 영령의 헌신과 희생 위에 서 있습니다. 이곳에 잠들어 계신 한 분 한 분 모두가 대한민국의 오늘을 만들어 낸 분들입니다. 애국 영령과 국가유공자들께 존경을 표하며, 유가족께 깊은 위로와 감사의 인사를 드립니다.

국민 여러분!

국립대전현충원의 현판을 안중근 의사의 글씨체로 교체하게 되어 매우 뜻깊습니다. 안중근 의사가 마지막으로 남긴 글은 '위국헌신 군인본분爲國獻身 軍人本分'이었습니다. 광복군을 거쳐 지금의 우리 군까지 이어지고 있는 군인정신의 사표입니다.

올해 안중근 의사 순국 110주년을 맞아 대한의 자유독립과 동양 평화를 위해 당당히 죽음을 맞이하신 안중근 의사의 숭고한 뜻이 모든 애국 영령들과 함께할 것이라 믿습니다. 내일은 봉오동전투 전승 100주년 기념일입니다. 100년 전인 1920년 6월 7일 홍범도·최진동 장군이 이끈 독립군 연합부대가 봉오동에서 독립전쟁 첫 번째 대승리를 거뒀고, 10월에는 김좌진·홍범도 장군이 주축이 된 연합부대가 청산리대첩이라는 독립전쟁 사상 최고의 승리를 이뤘습니다.

1부 기억하고 기리겠습니다

1940년 대한민국임시정부가 창설한 광복군의 뿌리가 독립군이었고, 2018년 국방부는 독립군과 광복군을 국군의 기원으로 공식 확인했습니다.

해방 후 많은 독립군, 광복군이 국군이 되었습니다. 독립 정신을 호국 정신으로 계승하여 6·25전쟁에 참전했습니다. 광복군 참모장 김홍일 장군은 한강 방어선 전투를 지휘했습니다. 장병들과 함께 혼신의 힘을 다해 북한군의 남하를 막아 냈고, 반격의 새로운 전기를 마련했습니다.

광복군 유격대장 장철부 중령은 기병대 대장으로 활약했습니다. 많은 전투에서 전공을 세운 후 1950년 8월 4일 대대 지휘소가 점령되기 직전 포로로 잡히지 않기 위해 스스로 스물아홉의 생을 마감했고, 이곳 대전현충원에 잠들어 계십니다.

목숨을 바쳐 용맹하게 싸운 장병들뿐만 아니라 부상병을 헌신적으로 돌본 보이지 않는 영웅들도 있습니다. 독립운동가 이상설 선생의 외손녀 이현원 중위는 국군간호사관학교 1기생으로 1953년 3월 임관해 참전했고, 간호장교가 절대적으로 부족하던 시절 헌신적으로 장병들을 돌봤습니다. 이현원 님은 오랜 시간 자신의 공훈을 알리지 않았습니다. 2017년 9월 러시아 동포 간담회에서 뵙고, 오늘 국민의 마음을 담아 국가유공자 증서를 드리게 되어 매우 기쁩니다. 이 자리에 함께하신 이현원 님께 따뜻한 박수를 부탁드립니다.

독립군의 딸 고故 오금손 대위는 6·25전쟁 때 백골부대 간호장교로 복무했고, 전역 후 오지의 환자들과 가난한 독립운동가들을 돌봤습니다. 이곳에 잠들어 계신 고故 김필달 대령 역시 1950년 11월 간호장교로 임관해 6·25전쟁과 베트남전에 참전했고, 간호병과장을 역임했습니다.

'위국헌신 군인본분'을 실천한 간호장교들이 있어 가장 위태롭고 절박한 순간에도 병사들은 삶의 희망을 가질 수 있었으며, 이 역사는 70년이 지난 오늘 후배들에게 이어지고 있습니다.

올해 2020년 3월 3일 국군간호사관학교 60기 졸업생 일흔다섯 명이 임관과 동시에 코로나19와 힘겨운 싸움을 벌이던 대구로 향했습니다. 오늘 경례문을 낭독한 이혜민 소위는 그날 임관식에서 "6·25 참전 용사인 할아버지를 본받아 국민과 군을 위해 목숨 바칠 각오로 임무를 완수하겠다"고 말했습니다. 75명의 신임 간호장교들은 모두 맡은 임무를 당당히 완수하며 국민께 커다란 용기와 자부심을 주었습니다.

우리 군은 국민의 곁에서 헌신적으로 코로나19와 맞섰습니다. 20만 명이 넘는 장병들이 물자 운송 지원, 방역과 소독, 공항·항만 검역 등 국민의 안전과 건강을 지키기 위해 땀 흘렸습니다. 헌혈에 가장 먼저 팔을 걷어붙인 것도 군 장병들입니다. 철통같은 안보 태세 속에 방역에도 임무를 다한 우리 군을 애국선열들과 호국 영령들도 자랑스러워하실 것이라 믿습니다. 저 역시 국군통수권자로서 국민과 함께한 우리 장병들이 참으로 든든하고 자랑스럽습니다.

국민 여러분!

고故 임춘수 소령은 1951년 7월 강원도 양구 전투에서 전사했습니다. 마지막 순간까지 가슴 깊이 딸의 돌 사진과 미처 부치지 못한 편지를 품고 있었습니다. 오늘 따님 임욱자 님이 70년 만에 아버지께 보내는 답장을 낭독해 주셨습니다.

임춘수 소령의 편지 한 통은 가족에 대한 사랑이 조국을 지키는 힘이라는 것을 전해 주고, 따님의 답장은 호국 영웅이 가족을 많이 사랑한 평범한 아버지였음을 알려 주고 있습니다.

이 편지들은 6·25전쟁이 과거의 역사가 아니라 오늘 우리의 삶에 닿아 있는, 살아 있는 역사임을 증명합니다. 국가의 공식 기록 못지않은 무게로 애국과 호국의 역사가 한 개인과 한 가족의 역사임을 증언하고 있습니다.

이제 나와 내 가족, 내 이웃이 지켜 낸 대한민국은 무엇과도 바꿀 수 없는 내 조국, 우리 모두의 나라가 되었습니다. 평화는 국민이 마땅히 누려야 할 권리이며, 두 번 다시 전쟁이 없는 평화의 한반도를 만드는 것은 국민께서 부여한 국가의 책무입니다.

정부는 평화를 지키고 평화를 만들기 위해 더욱 강한 국방, 더욱 튼튼한 안보에 전력을 다할 것입니다. 대한민국의 오늘을 만든 분들을 영원히 기억하고 역사에 새길 것입니다.

저는 또한 오늘 현충일을 맞아 코로나19로부터 국민의 생명과 안전을 지키다 순직하신 신창섭 주무관과 피재호 사무관을 여러분과 함께 기억하고자 합니다. 고인들의 안식을 기원하며, 유가족들께 깊은 위로의 말씀을 드립니다.

정부는 지난해 7월 6·25무공훈장찾아주기조사단을 출범시켰습니다. 6·25전쟁 당시 훈장 수여가 결정됐지만 훈장과 증서를 받지 못한 5만 6000여 명의 유공자와 유가족을 찾아 무공훈장과 국가유공자 증서를 전해 드리는 사업을 펼치고 있습니다. 모두 5000여 명의 유공자를 찾았고, 생존 유공자들께 훈장을 전달해 드렸습니다. 당시 화랑무공훈장을 받았지만 증서를 받지 못한 예비역 병장 김종효 님께 오늘 국가유공자 증서를 수여하게 되어 매우 뜻깊습니다. 참전 용사 한 분이라도 더 생존해 계실 때 훈장과 증서를 전달해 드리도록 노력하겠습니다.

김영창 님은 미 극동사령부 비군인 특수부대 소속으로 참전하여 복무기록이 없었지만 공적을 찾아내어 오늘 국가유공자 증서를 드렸습니다. 이름도, 계급도 남기지 못한 3만 2000여 유격군들의 공적도 함께 발굴하고 기리겠습니다.

유해 발굴 사업도 계속해 나갈 것입니다. 지난해 비무장지대 화살머리고지에서 찾은 6·25전쟁 전사자 고故 박재권, 고故 남궁선, 고故 김기봉 이등중사를 이곳 국립대전현충원에 모셨고, 고故 정영진 하사의 아드님께 화랑무공훈장을 전달했습니다. 신혼에 헤어져 혼자 아들을 키워 온 이분애 님은 오랜 기다림 끝에 아흔 나이에

　　　　　　　　　　1부 기억하고 기리겠습니다

고故 김진구 하사의 유해와 상봉했습니다. 사흘 전 6월 3일 대구 앞산 충혼탑에서 귀환 행사가 열렸습니다.

가족들의 유전자 검사 협조가 있었기에 우리는 영웅들을 다시 만날 수 있었습니다. 고故 김진구 하사의 형님은 2006년 반드시 유해를 찾을 것이라는 믿음으로 유전자 검사를 해 주셨습니다.

정부는 올해에도 화살머리고지 일대에서 67구로 추정되는 유해를 추가 발굴했습니다. 발굴한 호국용사의 신원 확인에는 유가족들의 유전자가 반드시 필요합니다. 유가족 여러분의 적극적인 참여를 당부드립니다. 정부도 호국용사들을 가족의 품으로 모실 수 있도록 최선을 다하겠습니다.

존경하는 국민 여러분, 국가유공자와 유가족 여러분!

국가유공자와 유가족들에 대한 보훈은 정부의 가장 중요한 정책 과제 중 하나입니다. 보훈이야말로 국가의 가장 기본적인 책무일 뿐 아니라 국가를 위해 생명까지 바칠 수 있는 애국심의 원천이기 때문입니다.

독립과 호국이 오늘 우리가 누리는 대한민국의 뿌리입니다. 나라를 지켜 낸 긍지가 민주주의로 부활했고, 가족과 이웃을 위해 희생한 수많은 의인을 낳았습니다.

독립·호국·민주 영령들은 각자 시대가 요구하는 애국을 실천했고, 새로운 시대 정신과 역동적인 역사의 물결을 만들어냈습니다. 우리의 애국은 오늘 서로를 이해하고 존중하는 마음으로 더욱 강해지고 있습니다. 서로 양보하고 타협하며 상생 협력의 길을 넓히고 있습니다.

누군가의 아들과 딸이었으며, 아버지였고 어머니였던 평범한 이웃들이 우리의 오늘을 만든 애국 영령들입니다. 독립·호국·민주의 역사를 일궈 온 국민의 저력을 가슴 깊이 새기며, 애국 영령들께 다시 한번 깊은 존경을 표합니다.

감사합니다.

이후 추진 내용

• 2021년에 대전현충원 충혼당과 제주호국원을 개원했습니다. 앞으로 4·19민주묘지를 비롯하여 괴산, 이천, 영천, 임실호국원을 확충하고, 연천현충원을 개원하여 안장능력을 확충할 예정입니다.

우리는 이 오래된 전쟁을 끝내야 합니다

6·25 한국전쟁 제70주년 기념식
2020년 6월 25일

"이제 국민께서 지켜 낸 대한민국은 국민을 지켜 낼 만큼 강해졌습니다. 철저한 대비 태세를 갖추고 있으며 우리는 두 번 다시 단 한 뼘의 영토·영해·영공도 침탈당하지 않을 것입니다. 우리는 전쟁을 반대합니다. 남북 간 체제 경쟁은 이미 오래전에 끝났습니다. 우리의 체제를 북한에 강요할 생각도 없습니다. 우리는 평화를 추구하며 함께 잘살고자 합니다. 우리는 끊임없이 평화를 통해 남북 상생의 길을 찾아낼 것입니다. 통일을 말하기 이전에 먼저 사이좋은 이웃이 되기를 바랍니다."

존경하는 국민 여러분, 참전유공자와 유가족 여러분!

우리는 오늘 6·25전쟁 70주년을 맞아 147분 용사의 유해를 모셨습니다. 서울공항은 영웅들의 귀환을 환영하는 가장 엄숙한 자리가 되었습니다.

용사들은 이제야 대한민국 국군의 계급장을 되찾고, 70년 만에 우리 곁으로 돌아왔습니다. 슬프고도 자랑스러운 일입니다. 지체되었지만 조국은 단 한 순간도 당신들을 잊지 않았습니다. 예우를 다해 모실 수 있어 영광입니다.

오늘 우리가 모신 영웅들 중에는 이미 신원이 밝혀진 일곱 분이 계십니다. 모두 함경남도의 장진호전투에서 산화하신 분들입니다. 고故 김동성 일병, 고故 김정용 일병, 고故 박진실 일병, 고故 정재술 일병, 고故 최재익 일병, 고故 하진호 일병, 고故 오대영 이등중사의 이름을 역사에 새겨 넣겠습니다. 가족의 품에서 편히 쉬시길 기원합니다.

참전 용사 한 분 한 분의 헌신이 우리의 자유와 평화, 번영의 기반이 되었습니다. 그리움과 슬픔을 자긍심으로 견뎌 온 유가족께 깊은 존경과 위로의 말씀을 드리며, 전우를 애타게 기다려 온 생존 참전 용사들께 경의를 표합니다.

정부는 국민과 함께 호국의 영웅들을 영원히 기억할 것입니다. 아직 우리 곁으로 돌아오지 못한 12만 3000여 전사자들이 가족의 품으로 돌아오는 그날까지 포기하지 않고 찾아낼 것입니다.

1부 기억하고 기리겠습니다

오늘 영현단에는 우리가 찾아내어 미국으로 보내 드릴 미군 전사자 여섯 분의 유해도 함께하고 있습니다. 우리 국민은 미국을 비롯한 22개국 유엔 참전 용사들의 희생을 절대 잊지 않을 것입니다.

워싱턴 '추모의 벽'을 2022년까지 완공하여 위대한 동맹이 참전 용사들의 숭고한 희생 위에 뿌리내리고 있다는 사실을 영원히 기리겠습니다.

제가 해외 순방 중 만난 유엔 참전 용사들은 한결같이 한국을 제2의 고향으로 여기며, 우리의 발전에 자기 일처럼 큰 기쁨과 자부심을 지니고 있었습니다. 미국, 프랑스, 뉴질랜드, 노르웨이, 스웨덴 참전 용사들께 국민을 대표해 감사와 존경의 마음을 전했고, 태국 참전 용사들께는 '평화의 사도 메달'을 달아 드렸습니다.

보훈에는 국경이 없습니다. 유엔 참전국과 함께하는 다양한 보훈사업을 통해 용사들의 숭고한 희생을 기억하고 기리겠습니다. 6·25전쟁 70주년을 맞아 뜻깊은 영상 메시지를 보내 주신 유엔 참전국 정상들과 오늘 행사에 함께해 주신 각국 대사들께도 깊이 감사드립니다.

국민 여러분!

6·25전쟁은 오늘의 우리를 만든 전쟁입니다. 전쟁이 가져온 비극도, 전쟁을 이겨 낸 의지도, 전쟁을 딛고 이룩한 경제 성장의 자부심과 전쟁이 남긴 이념적 상처 모두 우리의 삶과 마음속에 고스란히 살아 있습니다. 70년이 흘렀지만 그대로 우리의 모습이 되었습니다.

우리는 전쟁의 참화에 함께 맞서고 이겨 내며 진정한 대한민국 국민으로 거듭났습니다. 국난 앞에서 단합했고 자유민주주의의 가치를 지킬 힘을 길렀습니다.

가장 평범한 사람을 가장 위대한 애국자로 만든 것도 6·25전쟁입니다. 농사를 짓다 말고, 학기를 다 마치지도 못하고, 가족을 집에 남겨두고 떠난 우리의 이웃들이 낙동강 전선을 지키고 서울을 수복한 영웅이 되었습니다. 국가의 존재가치를 체감하며 애국심이 고양되었고, 평화의 소중함을 자각하게 되었습니다.

어떤 난관도 극복할 수 있는 자신감의 원천도 6·25전쟁이었습니다. 참전 용사들의 전쟁을 이겨 낸 자부심과 군에서 익힌 기술이 전후 재건의 주축이 되었습니다. 전장에서 쓰러져 간 전우들의 몫까지 대한민국을 사랑했고, 이웃과 가족들의 긍지가 되었습니다.

그러나 아직 우리는 6·25전쟁을 진정으로 기념할 수 없습니다. 아직 전쟁이 끝나지 않았기 때문입니다. 지금 이 순간에도 전쟁의 위협은 계속되고, 우리는 눈에 보이는 위협뿐 아니라 우리 내부의 보이지 않는 반목과도 전쟁을 치르고 있습니다.

우리는 모두 참전 용사의 딸이고, 피란민의 아들입니다. 전쟁은 국토 곳곳에 상흔을 남기며, 아직도 한 개인의 삶과 한 가족의 역사에 고스란히 살아 있습니다. 그것은 투철한 반공정신으로, 우리도 '잘살아 보자'는 근면함으로, 국민주권과 민주주의 정신으로 다양하게 표출되었습니다.

그러나 모든 이들에게 공통된 하나의 마음은 이 땅에 두 번 다시 전쟁은 없어야 한다는 것입니다. 자신이 살아가는 시대와 함께 자신의 모든 것을 헌신한 사람들은 서로를 존중하며 손잡을 수 있습니다. 우리는 6·25전쟁을 세대와 이념을 통합하는 모두의 역사적 경험으로 만들기 위해 이 오래된 전쟁을 끝내야 합니다.

전쟁의 참혹함을 잊지 않는 것이 종전을 향한 첫걸음입니다. 70년 전 이 땅의 자유와 평화를 위해 목숨 바친 유엔 참전 용사들과 평화를 사랑하는 세계인 모두의 염원이기도 합니다.

1950년 6월 25일 유엔 안전보장이사회는 전쟁 발발 10시간 만에 결의문을 채택해 북한군의 침략 중지와 38선 이북으로의 철수를 촉구하고, 한반도의 평화와 안전의 회복을 위해 역사상 최초의 유엔 집단 안보를 발동했습니다. 세계가 함께 고귀한 희생을 치렀습니다.

지금 우리에게 필요한 것은 오늘의 자유와 평화, 번영의 뿌리가 된 수많은 희생에 대한 기억과 우리 자신에 대한 자부심입니다. 독립 선열의 정신이 호국 영령의 정신으로 이어져 다시 민주주의를 지켜 내는 거대한 정신이 되었듯, 6·25전쟁에서 실천한 애국과 가슴에 담은 자유민주주의를 평화와 번영의 동력으로 되살려 내야 합니다. 그것이 진정으로 전쟁을 기념하는 길입니다.

국민 여러분!

6·25전쟁으로 국군 13만 8000명이 전사했습니다. 45만 명이 부상당했고, 2만 5000명이 실종되었습니다. 100만 명에 달하는 민간

인이 사망, 학살, 부상으로 희생되었습니다. 10만 명의 아이들이 고아가 되었으며, 320만 명이 고향을 떠나고, 1000만 명의 국민이 이산의 고통을 겪어야 했습니다.

전쟁에서 자유로울 수 있는 사람은 단 한 명도 없었습니다. 민주주의가 후퇴했고, 경제적으로도 참혹한 피해를 안겼습니다. 산업시설의 80퍼센트가 파괴되었고, 당시 2년치 국민소득에 달하는 재산이 잿더미가 되었습니다. 사회·경제의 기반과 국민의 삶의 터전이 무너졌습니다.

전쟁이 끝난 후에도 남과 북은 긴 세월 냉전의 최전방에서 맞서며 국력을 소모해야만 했습니다. 우리 민족이 전쟁의 아픔을 겪는 동안 오히려 전쟁 특수를 누린 나라들도 있었습니다.

그러나 우리에게 전후 경제의 재건은 식민 지배에서 벗어나는 것만큼이나 험난한 길이었습니다. 처음에는 원조에 의존해 복구와 재건에 힘썼고, 경공업, 중화학공업, ICT산업을 차례로 육성하며 선진국을 따라잡기까지 꼬박 70년이 걸렸습니다.

6·25전쟁을 극복한 세대에 의해 우리는 한강의 기적을 이뤘습니다. 전쟁이 끝난 1953년 1인당 국민소득 67달러에 불과했던 대한민국이 폐허에서 일어나 국민소득 3만 달러가 넘는 세계 10위권 경제 강국으로 발전했습니다. 원조를 받던 나라에서 원조를 주는 나라가 되었고, 추격형 경제에서 선도형 경제로 탈바꿈하고 있습니다. 코로나19 극복 과정에서 세계가 주목하는 나라가 되었습니다.

이제 국민께서 지켜 낸 대한민국은 국민을 지켜 낼 만큼 강해졌습니다. 평화를 만들어 낼 만큼 강한 힘과 정신을 가졌습니다. 우리 군은 어떤 위협도 막아 낼 힘이 있습니다. 철저한 대비 태세를 갖추고 있으며 우리는 두 번 다시 단 한 뼘의 영토·영해·영공도 침탈당하지 않을 것입니다.

우리는 평화를 원합니다. 그러나 누구라도 우리 국민의 안전과 생명을 위협한다면 단호히 대응할 것입니다. 우리는 전방위적으로 어떤 도발도 용납하지 않을 강한 국방력을 보유하고 있습니다.

군건한 한미동맹 위에서 전시작전통제권 전환도 빈틈없이 준비하고 있습니다. 우리는 우리 자신의 힘을 바탕으로 반드시 평화를 지키고 만들어 갈 것입니다.

존경하는 국민 여러분, 참전유공자와 유가족 여러분!

우리는 전쟁을 반대합니다. 우리의 GDP는 북한의 50배가 넘고, 무역액은 북한의 400배가 넘습니다. 남북 간 체제경쟁은 이미 오래전에 끝났습니다. 우리의 체제를 북한에 강요할 생각도 없습니다. 우리는 평화를 추구하며 함께 잘살고자 합니다. 우리는 끊임없이 평화를 통해 남북 상생의 길을 찾아낼 것입니다. 통일을 말하기 이전에 먼저 사이좋은 이웃이 되기를 바랍니다.

우리는 전쟁을 치르면서도 초·중등 피란학교를 세웠고, 여러 지역에서 전시연합대학을 운영했습니다. 우리는 미래를 준비했고, 평화를 지키는 힘을 기르며 아무도 넘볼 수 없는 나라를 만들었습니다. 이제 우리의 아들과 딸들은 포스트 코로나 시대를 남보다 앞서 준비하며 세계를 선도하는 대한민국의 주인공이 되었습니다.

전쟁을 겪은 부모 세대와 새로운 70년을 열어 갈 후세들 모두에게 평화와 번영의 한반도는 반드시 이뤄야 할 책무입니다. 8000만 겨레 모두의 숙원입니다. 세계사에서 가장 슬픈 전쟁을 끝내기 위한 노력에 북한도 담대하게 나서 주기를 바랍니다.

남과 북, 온 겨레가 겪은 전쟁의 비극이 후세들에게 공동의 기억으로 전해져 평화를 열어 가는 힘이 되기를 기원합니다. 통일을 말하려면 먼저 평화를 이뤄야 하고, 평화가 오래 이어진 후에야 비로소 통일의 문을 볼 수 있을 것입니다.

남북의 화해와 평화가 전 세계에 희망으로 전해질 때 호국 영령들의 숭고한 희생에 진정으로 보답하게 될 것이라 믿습니다.

감사합니다.

단 한 사람의 국민도
포기하지 않을 것입니다

제75주년 광복절 경축식
2020년 8월 15일

"우리는 대한제국 시절 하와이, 멕시코로 노동 이민을 떠나 조국을 잃고 돌아오지 못한 동포들을 기억합니다. 그 눈물겨운 역사를 결코 잊어서는 안됩니다. 조국은 동포들을 지켜 주지 못했지만 그분들은 오히려 품삯을 모으고, 한 순갈씩 쌀을 모아 임시정부에 독립운동자금을 지원하며 해외 독립운동의 뿌리가 되어 주었습니다. 우리는 해방된 조국과 가족의 품으로 끝내 돌아오지 못한 동포들도 끝까지 기억해야 합니다. 나라가 국민께 해야 할 역할을 다했는지, 지금은 다하고 있는지 우리는 물어야 합니다."

존경하는 국민 여러분, 독립유공자와 유가족 여러분, 해외동포 여러분!

광복 75주년을 맞은 오늘 자신의 모든 것을 바쳐 나라의 독립을 이룬 선열들의 고귀한 희생과 정신을 되새깁니다.

오늘 경축식은 생존 애국지사님들을 맞이하는 것으로 시작했습니다. 임우철 지사님은 101세이시고, 다른 세 분도 백수白壽에 가까우신 분들입니다. 어떤 예우로도 한 분 한 분이 만들어온 대한민국의 자랑스러운 발전과 긍지에 미치지 못할 것입니다.

지금 우리 곁에 생존해 계신 애국지사님은 서른한 분에 불과합니다. 너무도 귀한 걸음을 해 주신 임우철, 김영관, 이영수, 장병하 애국지사님께 깊은 존경과 감사를 표하는 힘찬 박수를 부탁드립니다.

우리의 광복은 한 사람 한 사람이 민주공화국의 주인으로 함께 일어나 이룬 것입니다. 자기 삶의 주인공으로 크고 작은 성취를 이룬 모든 분이 오늘을 사는 우리의 뿌리가 되었습니다. 선열들은 함께하면 어떤 위기도 이겨 낼 수 있다는 신념을 거대한 역사의 뿌리로 우리에게 남겨 주었고, 우리는 코로나19를 극복하는 과정에서도 함께 위기를 이겨 내며 우리 자신의 역량을 다시 확인할 수 있었습니다.

지금 기후 이변으로 인한 거대한 자연 재난이 또 한 번 우리의 일상을 위협하고 있습니다. 그러나 우리는 이 역시 반드시 이겨 낼 것입니다. 소중한 생명을 잃은 분들을 비롯하여 재난에 피해를 입은

1부 기억하고 기리겠습니다

모든 분께 깊은 위로의 말씀을 드리며, 국민의 생명과 재산을 지키기 위해 끝까지 재난에 맞서고 복구에 최선을 다하겠습니다. 또한 기상 이변이 앞으로 더욱 심해질 것까지 대비하여 반복되는 아픔을 겪지 않도록 국민안전에 모든 역량을 기울이겠습니다.

대한민국의 자부심이 되어 주신 독립유공자와 유가족 여러분께 경의를 표하며, 오늘의 위기와 재난을 반드시 국민과 함께 헤쳐 나갈 것을 약속드립니다.

국민 여러분!

오늘 우리가 모인 동대문디자인플라자는 조선시대 훈련도감과 훈련원 터였습니다. 일제강점기 경성운동장, 해방 후 서울운동장으로 바뀌었고, 오랫동안 동대문운동장이라는 이름으로 수많은 땀의 역사를 간직한 곳입니다. 그 가운데 식민지 조선 청년 손기정이 흘린 땀방울이야말로 가장 뜨겁고도 안타까운 땀방울로 기억될 것입니다.

1935년 경성운동장, 1만 미터 경기 1위로 등장한 손기정은 이듬해 베를린올림픽 마라톤 경기에서 세계신기록으로 우승했습니다. 일본 국가가 연주되는 순간 금메달 수상자 손기정은 월계수 묘목으로 가슴의 일장기를 가렸고, 동메달을 차지한 남승룡은 고개를 숙인 채 눈을 감았습니다. 민족의 자존심을 세운 위대한 승리였지만 승리의 영광을 바칠 나라가 없었습니다.

우리의 독립운동은 나라를 되찾는 것이자 동시에 개개인의 존엄을 세우는 과정이었습니다. 우리는 독립과 주권재민의 민주공화국을 수립하는 혁명을 동시에 이루었습니다. 다시는 누구에게도 지지 않는 당당한 나라를 만들고자 하는 우리 국민의 노력은 광복 후에도 멈추지 않았습니다.

우리는 원조를 받던 가장 가난한 나라에서 세계 10위권의 경제 강국이 되었고, 독재에 맞서 세계 민주주의의 이정표를 세웠습니다. 국가의 이름으로 개인의 희생을 요구하고 인권을 억압하던 시대도 있었지만 우리는 자유와 평등, 존엄과 안전이 국민 개개인의 당연한 권리가 되는 나라다운 나라를 향한 발걸음도 멈추지 않았습니다.

국민께서는 많은 위기를 이겨 왔습니다. 전쟁의 참화를 이겨 냈고, 외환위기와 금융위기를 극복했습니다. 일본의 수출규제라는 위기도 국민과 함께 이겨 냈습니다. 오히려 아무도 흔들 수 없는 나라로 도약하는 기회로 만들었습니다. 대기업과 중소기업의 상생 협력으로 소재·부품·장비의 독립을 이루며 일부 품목에서 해외 투자 유치의 성과까지 이뤘습니다.

코로나19 위기 역시 나라와 개인, 의료진, 기업들이 서로를 믿고 의지하며 극복해 냈습니다. 정부는 방역에 필요한 모든 정보를 투명하게 공개했고, 국민께서는 정부의 방침을 신뢰하며 스스로 방역의 주체가 되었습니다. 기업들은 세계에서 가장 먼저 빠르면서도 정확한 진단 시약을 개발했고, 노동자들은 이웃을 먼저 생각하며 방역물품을 생산했습니다. 의료진들과 자원봉사자들, 국민과 기업

1부 기억하고 기리겠습니다

하나하나의 노력이 모여 코로나19를 극복하는 힘이 되었고, 전 세계가 인정하는 모범이 되었습니다.

이제 우리는 이웃의 안전이 나의 안전이라는 것을 확인하며 포스트 코로나 시대를 준비하고 있습니다. 우리는 한국판 뉴딜을 힘차게 실행하며 디지털 뉴딜과 그린 뉴딜을 양 날개로 우리 경제의 체질을 혁신하고 격을 높일 것입니다. 추격형 경제에서 선도형 경제로, 탄소 의존 경제에서 저탄소 경제로 대한민국을 근본적으로 바꾸며 다시 한번 도약할 것입니다.

한국판 뉴딜의 핵심을 관통하는 정신은 역시 사람 중심의 상생입니다. 한국판 뉴딜은 상생을 위한 새로운 사회계약이며, 고용·사회 안전망을 더욱 강화하고, 사람에 대한 투자를 늘려 번영과 상생을 함께 이루겠다는 약속입니다.

무엇보다 중요한 것은 격차와 불평등을 줄여 나가는 것입니다. 모두가 함께 잘살아야 진정한 광복이라 할 수 있습니다. 우리와 미래세대 모두를 위한 지속 가능한 발전의 길에 국민 여러분께서 함께해 주실 것이라 믿습니다.

국민 여러분!

2016년 겨울 전국 곳곳의 광장과 거리를 가득 채웠던 것은 "대한민국의 모든 권력은 국민으로부터 나온다"는 헌법 제1조의 정신이었습니다. 세상을 바꾸는 힘은 언제나 국민께 있다는 사실을 촛불을 들어 다시 한번 역사에 새겨 놓았습니다. 그 정신이 우리 정부의 기반이 되었습니다.

　저는 오늘 75주년 광복절을 맞아 과연 한 사람 한 사람에게도 광복이 이뤄졌는지 되돌아보며, 개인이 나라를 위해 존재하는 것이 아니라 개인의 인간다운 삶을 보장하기 위해 존재하는 나라를 생각합니다. 그것은 모든 국민께서 인간으로서의 존엄과 가치를 가지고 행복을 추구할 권리를 가지는 헌법 제10조의 시대입니다. 우리 정부가 실현하고자 하는 목표입니다.

　정부는 그동안 자유와 평등의 실질적인 기초를 탄탄히 다지고, 사회안전망과 안전한 일상을 통해 저마다 개성과 능력을 마음껏 발휘하며, 한 사람의 성취를 함께 존중하는 나라를 만들고자 노력해 왔습니다.

　결코 우리 정부 내에서 모두 이룰 수 있는 과제라고 생각하지 않습니다. 그러나 우리 사회가 그 방향으로 가고 있다는 믿음을 국민께 드리고, 확실한 토대를 구축하는 데 최선을 다하겠습니다.

　우리는 대한제국 시절 하와이, 멕시코로 노동 이민을 떠나 조국을 잃고 돌아오지 못한 동포들을 기억합니다. 그 눈물겨운 역사를 결코 잊어서는 안 됩니다. 조국은 동포들을 지켜 주지 못했지만 그분들은 오히려 품삯을 모으고, 한 숟갈씩 쌀을 모아 임시정부에 독립운동자금을 지원하며 해외 독립운동의 뿌리가 되어 주었습니다. 우리는 해방된 조국과 가족의 품으로 끝내 돌아오지 못한 동포들도 끝까지 기억해야 합니다. 나라가 국민께 해야 할 역할을 다했는지,

지금은 다하고 있는지 우리는 물어야 합니다.

대한민국은 이제 단 한 사람의 국민도 포기하지 않을 것입니다. 그만큼 성장했고, 그만큼 자신감을 갖고 있습니다.

2018년 4월 30일 가나 해역에서 피랍되었던 우리 선원 3명이 구출 작전을 수행한 청해부대 문무대왕함과 함께 조국으로 돌아왔습니다. 2018년 7월에는 리비아 무장괴한들에게 피랍된 우리 국민이, 2020년 7월에는 서아프리카 베냉 해역에서 피랍된 선원 5명이 무사히 구출되었습니다.

코로나19 상황에서도 군용기를 이라크에 급파하여 우리 근로자 293명을 국내로 모셔 왔습니다. 코로나19 확산이 심각한 7개 나라에는 특별수송기와 군용기, 대통령 전용기까지 투입해 교민 2000명을 국내로 안전하게 이송했고, 전세기를 통해 119개국 4만 6000여 명에 이르는 교민들을 무사히 모셔 왔습니다. 3·1운동과 임시정부 수립 100주년이었던 지난해 해외 독립유공자 다섯 분의 유해를 고국으로 모신 것도 뜻깊습니다.

자신의 존엄을 증명하고자 하는 개인의 노력에 대해서도 국가는 반드시 응답하고 해결 방법에 대해 함께 지혜를 모아야 할 것입니다.

2005년 네 분의 강제징용 피해자들이 일본의 징용 기업을 상대로 법원에 손해배상소송을 제기했고, 2018년 대법원 승소 확정판결을 받았습니다. 대법원은 1965년 한일청구권협정의 유효성을 인정하면서도, 개인의 불법행위 배상청구권은 소멸하지 않았다고 판

단했습니다. 대법원의 판결은 대한민국의 영토 내에서 최고의 법적 권위와 집행력을 가집니다. 정부는 사법부의 판결을 존중하며 피해자들이 동의할 수 있는 원만한 해결 방안을 일본 정부와 협의해 왔고, 지금도 협의의 문을 활짝 열어 두고 있습니다. 우리 정부는 언제든 일본 정부와 마주 앉을 준비가 되어 있습니다.

함께 소송한 세 분은 이미 고인이 되셨고, 홀로 남은 이춘식 어르신은 지난해 일본의 수출규제가 시작되자 "나 때문에 대한민국이 손해가 아닌지 모르겠다"고 하셨습니다. 우리는 한 개인의 존엄을 지키는 일이 결코 나라에 손해가 되지 않는다는 사실을 확인할 것입니다. 동시에 삼권분립에 기초한 민주주의, 인류의 보편적 가치와 국제법의 원칙을 지켜 가기 위해 일본과 함께 노력할 것입니다. 한 사람의 인권을 존중하는 일본과 한국 공동의 노력이 양국 국민 간 우호와 미래 협력의 다리가 될 것이라 믿습니다.

국민 여러분!

동대문운동장은 해방의 환희와 남북 분단의 아픔이 함께 깃든 곳입니다. 1945년 12월 19일 대한민국임시정부 개선 전국환영대회가 열렸고, 그날 백범 김구 선생은 "전 민족이 단결해 자주·평등·행복의 신한국을 건설하자"고 호소했습니다. 그러나 1949년 7월 5일 100만 조객이 운집한 가운데 다시 이곳에서 우리 국민은 선생을 눈물로 떠나보내야 했습니다. 분단으로 인한 미완의 광복을 통일 한반도로 완성하고자 했던 김구 선생의 꿈은 남겨진 모든 이들의 과제가 되었습니다.

진정한 광복은 평화롭고 안전한 통일 한반도에서 한 사람 한 사람의 꿈과 삶이 보장되는 것입니다. 우리가 평화를 추구하고 남과 북의 협력을 추진하는 것도 남과 북의 국민이 안전하게 함께 잘살기 위해서입니다.

우리는 가축전염병과 코로나19에 대응하고, 기상 이변으로 인한 유례없는 집중호우를 겪으며 개인의 건강과 안전이 서로에게 긴밀히 연결되어 있음을 자각했고, 남과 북이 생명과 안전의 공동체임을 거듭 확인하고 있습니다.

한반도에서 살아가는 모든 사람의 생명과 안전을 보장하는 것이 우리 시대의 안보이자 평화입니다. 방역 협력과 공유 하천의 공동 관리로 남북의 국민이 평화의 혜택을 실질적으로 체감하게 되길 바랍니다.

보건·의료와 산림협력, 농업기술과 품종개발에 대한 공동연구로 코로나19 시대 새로운 안보 상황에 더욱 긴밀히 협력하며 평화 공동체, 경제 공동체와 함께 생명 공동체를 이루기 위한 상생과 평화의 물꼬가 트이길 바랍니다.

국민의 생명과 안전을 위한 인도주의적 협력과 함께 죽기 전에 만나고 싶은 사람을 만나고, 가 보고 싶은 곳을 가 볼 수 있게 협력하는 것이 실질적인 남북 협력입니다. 남북 협력이야말로 남북 모두에게 있어서 핵이나 군사력의 의존에서 벗어날 수 있는 최고의 안보정책입니다. 남북 간의 협력이 공고해질수록 남과 북 각각의 안보가 그만큼 공고해지고, 그것은 곧 국제사회와 협력 속에서 번영으로 나아갈 수 있는 힘이 될 것입니다.

판문점선언에서 합의한 대로 전쟁 위협을 항구적으로 해소하며 선열들이 꿈꾸었던 진정한 광복의 토대를 마련하겠습니다. 남북이 공동조사와 착공식까지 진행한 철도 연결은 미래의 남북 협력을 대륙으로 확장하는 핵심 동력입니다. 남북이 이미 합의한 사항을 하나하나 점검하고 실천하면서 평화와 공동 번영의 한반도를 향해 나아가겠습니다.

존경하는 국민 여러분, 독립유공자와 유가족 여러분, 해외동포 여러분!

국가를 위해 희생할 때 기억해 줄 것이라는 믿음, 재난·재해 앞에서 국가가 안전을 보장해 줄 것이라는 믿음, 이국땅에서 고난을 겪어도 국가가 구해 줄 것이라는 믿음, 개개인의 어려움을 국가가 살펴 줄 것이라는 믿음, 실패해도 재기할 수 있는 기회가 보장될 것이라는 믿음, 이러한 믿음으로 개개인은 새로움에 도전하고 어려움을 감내하고 있습니다. 국가가 이러한 믿음에 응답할 때 나라의 광복을 넘어 개인에게 광복이 깃들 것입니다.

식민지 시대 한 마라톤 선수의 땀과 한, 해방의 기쁨과 분단의 탄식이 함께 배어 있는 동대문디자인플라자, 역사의 지층 위에 오늘 개인의 창의성과 개성이 만발하고 있습니다.

100년 전 시작한 민주공화국의 길 너머 개인의 자유와 평등이 넘치는 대한민국을 향해 국민과 함께 가겠습니다. 선열들이 꿈꾼 자주독립의 나라를 넘어 평화와 번영의 통일 한반도를 향해 국민과 함께 가겠습니다.

감사합니다.

서해 영웅들의 희생에 보답하는 길

제6회 서해수호의 날 기념식
2021년 3월 26일

"서해수호의 역사는 우리 모두의 긍지이고 자부심이며, 우리는 서해수호의 정신 속에서 하나가 되어야 합니다. 국민 통합의 힘이야말로 가장 강력한 국방력이며 안보입니다. 강한 국방력과 안보로 나라와 국민의 평화를 지키는 것만이 서해 영웅들의 희생에 진정으로 보답하는 길입니다."

존경하는 국민 여러분, 유가족과 참전 장병 여러분!

우리는 오늘 서해수호 영웅들을 추모하고, 숭고한 애국심을 되새기기 위해 해군2함대사령부에 모였습니다.

해군2함대사령부는 서해 북방한계선에서 전라북도 경계선에 이르기까지 광활한 해역을 철통방어하고 있습니다. 또한 제2연평해전 전적비와 참수리 357호 정, 천안함 46용사 추모비와 천안함 선체, 그리고 서해수호관에 서해수호 영웅들의 조국 수호 의지가 담겨 있는 곳입니다.

오늘 해군의 주력 상륙함 천자봉함과 노적봉함이 용맹한 항해를 잠시 멈추고, 국민과 함께 용사들의 넋과 정신을 기리고 있습니다. 용사들은 수평선 가득 먹구름이 몰려와도 조국을 지키기 위해 바다로 나아갔고, 포탄이 떨어지는 전장으로 향했습니다. 불굴의 투혼으로 몸과 마음을 다 바쳐 바다 위 저물지 않는 호국의 별이 됐습니다.

우리는 영웅들을 결코 잊지 않았습니다. 용사들의 희생과 헌신을 기억하며 국토 수호 의지를 다졌습니다. 고故 윤영하, 한상국, 조천형, 황도현, 서후원, 박동혁. 제2연평해전의 영웅들은 같은 이름의 미사일 고속함으로 부활하여 지금도 전우들과 함께 조국 수호의 임무를 수행하고 있습니다.

천안함 역시 영웅들과 생존 장병들의 투혼을 담아 찬란하게 부활할 것입니다. 해군은 어제 2023년부터 서해를 누빌 신형 호위함의 이름을 '천안함'으로 결정했습니다. 해궁, 홍상어, 해룡, 청상어 등 강력한 국산 무기를 탑재하여 해군의 주력 호위함이 될 것입니다.

천안함의 부활을 누구보다 간절한 마음으로 염원하고 성원해 오신 유가족과 최원일 전 함장을 비롯한 천안함 생존 장병께 위로와 함께 감사의 말씀을 드립니다. 불의의 피격에도 당당히 이겨 낸 연평도 포격전 영웅께도 마음 깊이 감사드립니다. 장엄한 애국의 역사를 새긴 서해수호 영웅께 깊은 경의를 표하며, 국민과 함께 영원한 안식을 기원합니다.

국민 여러분!

오늘 우리가 누리는 자유와 평화에는 영웅들의 피와 땀이 깃들어 있습니다. 영웅들이 보여 준 애국심은 우리 국민 모두에게 남겨진 유산입니다. 서해수호의 역사는 우리 모두의 긍지이고 자부심이며, 우리는 서해수호의 정신 속에서 하나가 되어야 합니다. 국민 통합의 힘이야말로 가장 강력한 국방력이며 안보입니다. 강한 국방력과 안보로 나라와 국민의 평화를 지키는 것만이 서해 영웅들의 희생에 진정으로 보답하는 길입니다.

정부는 이 당연한 사실을 한순간도 잊은 적이 없으며 평화를 지키고, 평화를 만들 수 있는 압도적인 힘을 갖추기 위해 중단 없이 노력해 왔습니다. 역대 최고 수준의 국방예산 증가율을 기록하며 다시는 우리 장병들을 희생시키지 않을 강한 국방력을 길렀습니다.

지난 4년, 서해에서 무력 충돌이나 군사적 도발로 다치거나 생명을 잃은 장병이 단 한 명도 없습니다. 우리 군은 북방한계선을 지키며 최북단 백령도에서 연평도까지 한 치도 흐트러짐 없는 군사대비태세로 강한 힘이 평화를 만든다는 것을 증명했습니다. 지금 이 순간에도 우리의 바다를 빈틈없이 지키는 서해 영웅들의 후예, 해군 2함대 장병들을 치하하고 격려합니다.

군의 보람은 이기는 데에만 있지 않습니다. 대결의 바다에서 평화의 바다로 바뀐 서해에서 우리 어민은 더 넓어진 어장, 더 길어진 조업시간과 안전을 보장받으며 생업을 이어가고 있습니다. 정부는 싸우면 반드시 이기고, 싸우지 않고도 이기는 필승의 해군력으로 평화의 한반도를 지키고 만들어 나갈 것입니다. 2033년 무렵 모습을 드러낼 3만 톤급 경항공모함은 세계 최고 수준의 우리 조선기술로 건조될 것입니다. 대한민국의 안보를 위협하는 전방위적 위협에 효과적으로 대응하고, 한국형 차기 구축함과 호위함, 잠수함까지 아우르는 합동작전의 결정체로 강력한 핵심 해군력이 될 것입니다.

2018년부터 전력화가 진행 중인 3000톤급 잠수함 사업을 2024년 마무리하고, 더욱 발전된 잠수함 사업으로 누구에게도 뒤지지 않는 강력한 수중 전력을 확보할 것입니다. 상륙기동헬기로 강력한 상륙 능력을 갖춘 해병대는 상륙공격헬기까지 갖춰 명실상부한 최강의 상륙 전력이 될 것입니다.

전통적 군사위협을 넘어 포괄적이고 잠재적인 안보 위협까지 전방위로 대응해 나가면서, 우리 경제의 생명줄인 해상교통로를 보호하고 국제해양 안보협력도 강화해 나가겠습니다. 바다는 대한민국의 미래입니다. 선진 대양해군이야말로 대한민국이 가야 하는 해양 강국의 굳건한 토대입니다. 우리 앞에 광활한 대양이 펼쳐져 있습니다. 정부는 우리의 바다를 지키고, 대양에서 우리 국민과 선박의 안전을 수호하며 평화와 번영의 미래를 열어 갈 것입니다.

우리가 지켜야 하는 것은 바다만이 아닙니다. 우리의 땅도, 하늘도 어느 누구도 넘볼 수 없습니다. 어제 있었던 북한의 미사일 시험 발사에 국민 여러분의 우려가 크신 것을 잘 알고 있습니다. 지금은 남·북·미 모두가 대화를 이어 나가기 위해 노력해야 할 때입니다. 대화의 분위기에 어려움을 주는 일은 결코 바람직하지 않습니다.

우리는 한반도 비핵화의 원칙을 준수하면서도, 우리 자신을 방어하기에 충분한 세계 최고 수준의 미사일 능력을 보유하고 있습니다. 우리 자체기술로 개발한 최초의 차세대 최신형 국산 전투기 KF-X도 곧 국민께 선보이게 될 것입니다. 어느 때보다 강한 국방력과 굳건한 한미동맹으로 어떤 도발도 물리칠 수 있는 확고한 안보대비 태세를 갖추고 있다는 것을 국민께 자신 있게 말씀드립니다.

국민 여러분, 유가족과 참전 장병 여러분!

서해 영웅들이 이룬 애국의 역사는 모두를 위한 통합의 유산이 되어야 합니다.

애국적 희생을 존중하고 예우하는 정신은 국민을 하나로 이어 주는 힘이며, 강한 나라의 기반입니다. 정부는 서해 영웅들을 비롯하여 국가를 위해 헌신한 분들에 대한 보답을 한시도 잊은 적이 없습니다. 보훈을 위해 가장 많은 노력을 기울인 정부였다고 자부합니다.

정부는 따뜻한 보훈, 든든한 보훈으로 일상에서 애국을 기억하고, 예우하고, 지원하는 일이 대한민국의 자랑스러운 문화가 될 수 있도록 최선을 다할 것입니다.

존경하는 국민 여러분, 유가족과 참전 장병 여러분!

이제 천자봉함과 노적봉함은 다시 서해수호 영웅들의 투혼과 기개를 안고 평화의 바다를 지키기 위해 파도를 헤쳐 나갈 것입니다. 우리는 오늘 서해수호 영웅들을 기리며 내 나라, 내 조국을 더욱 사랑하게 됐습니다. 우리는 영웅들의 삶과 죽음, 평범한 이들이 나라와 국민을 위해 모든 것을 바쳤던 이야기를 영원히 기억할 것입니다.

감사합니다.

이후 추진 내용
- 신검 단계를 간소화하고, 신검 실시 기관을 확대하여 보훈 심사 기간을 2022년까지 210일로 단축할 예정입니다.

새로운 꿈을 꾸었습니다

제76주년 광복절 경축식
2021년 08월 15일

|

"우리는 언제나 새로운 꿈을 꾸었습니다. 꿈을 잃지 않았기에 여기까지 왔습니다. 독립과 자유, 인간다운 삶을 향한 꿈이 해방을 가져왔습니다. 지난 6월 유엔무역개발회의는 만장일치로, 개발도상국 중 최초로 우리나라를 선진국으로 격상했습니다. 이제 선진국이 된 우리는 다시 꿈꿉니다. 평화롭고 품격 있는 선진국이 되고 싶은 꿈입니다. 국제사회에서 제 몫을 다하는 나라가 되고자 하는 꿈입니다."

존경하는 국민 여러분, 독립유공자와 유가족 여러분, 해외동포 여러분, 광복 76주년을 맞은 오늘, 마침내 홍범도 장군의 유해가 고국에 도착합니다. 홍범도 장군은 역사적인 봉오동전투와 청산리전투를 승리로 이끈 대한독립군 사령관이었으며, 뒷날 카자흐스탄 고려인 동포들의 정신적 지주가 되었습니다. 장군의 유해를 봉환하기 위한 우리 정부의 외교적 노력이 결실을 맺게 되어 매우 기쁩니다. 물심양면으로 협력해 주신 토카예프Kassym-Jomart Tokayev 카자흐스탄 대통령과 고려인 동포들께 깊이 감사드립니다.

광복 직후인 1946년, 윤봉길 의사와 이봉창 의사를 시작으로 오늘 홍범도 장군까지 애국지사 144분의 유해가 고향산천으로 돌아왔습니다. 독립 영웅들을 조국으로 모시는 일을 국가와 후대들이 마땅히 해야 할 책무이자 영광으로 여기며 끝까지 최선을 다하겠습니다.

우리 선열들은 어떤 어려움 속에서도 자주독립의 꿈을 잃지 않았고, 어디서든 삶의 터전을 일구며 독립운동을 펼쳤습니다. 그 강인한 의지가 후대에 이어져 지금도 국난 극복의 힘이 되고 있습니다. 선열들과 독립유공자, 유가족들께 깊은 존경과 감사의 인사를 드립니다.

국민 여러분, 오늘 기념식이 열리는 '문화역 서울284'는 일제강점기, 아픔과 눈물의 장소였습니다. 우리 땅에서 생산된 물자들이 수탈되어 이곳에서 실려 나갔습니다. 고난의 길을 떠나는 독립지사들과 땅을 잃은 농민들이 이곳에서 조국과 이별했고, 꽃다운 젊음을 뒤로 하고 전쟁터로 끌려가는 학도병들과 가족들이 이곳에서 눈물을 흘렸습니다. 그러나 광복과 함께 역과 광장은 꿈과 희망의 공간이 되었습니다. 만주와 연해주에서 출발한 기차에는 고향으로 돌아오는 사람들로 가득했습니다. 부산, 인천, 군산을 비롯한 항구도시들도 희망에 찬 귀향민으로 북적였습니다.

광복의 감격과 그날의 희망은 지금도 우리의 미래입니다. 모두가 새로운 나라를 세우자는 꿈으로 가슴이 벅찼습니다. 아버지, 어머니는 자식들을 가르치는 데 힘을 쏟았습니다. 전국 145만 명이었던 초·중·고 학생이 해방 후 불과 2년 만에 235만 명으로 60퍼센트 이상 증가했습니다. 뜨거운 교육열로 의무교육이 시작되었고, 우수한 인재들이 대한민국의 성장동력이 되었습니다. 농산물 생산도 크게 증가했습니다. 일제의 수탈로 억눌렸던 작물 생산량이 농지개혁 이후 급증했습니다. 1970년대에 이르러 식민지 시절의 세 배로 늘었고, 마침내 보릿고개를 넘어섰습니다.

'우리도 한번 잘살아 보자'는 국민들의 의지는 1960년대 경제개발 5개년 계획부터 경제·사회개발 계획, 신경제 계획과 IT산업 육성, 녹색성장과 창조경제로 이어지며, 세계 10대 경제 대국으로 올라서는 토대가 되었습니다. 2017년 3만 달러를 넘어선 1인당 GDP도 지난해 G7 국가를 넘어섰습니다.

자주국방은 지난 100년간 우리의 절실한 꿈이었습니다. 육군은 독립군과 광복군의 정신을 이어받아 세계 최고 수준의 K2전차, K9자주포, K21장갑차를 운용하는 '첨단 강군'으로 성장했습니다. 일본군이 버리고 간 경비정과 녹슨 전함으로 창설한 해군은 이지스함을 포함한 구축함 아홉 척, 잠수함 열아홉 척 등 모두 150여 척의 함정을 운용하는 대양해군이 되었습니다.

1949년, 스무 대의 경비행기밖에 갖추지 못했던 공군은 세계에서 여덟 번째로 첨단 초음속전투기 KF-21을 자체 개발하고, 강력한 우주공군으로 비상하고 있습니다. 지금 우리는 종합군사력 세계 6위에 오른 군사강국입니다. 4차 산업혁명과 우주 시대의 새로운 안보환경에 대비하며 누구도 넘볼 수 없는 방위력을 이뤄 가고 있습니다.

백범 김구 선생은 '높은 문화의 힘을 가진 나라'를 꿈꿨습니다. 오늘 우리 문화예술은 세계를 무대로 그 소망을 이뤄 내고 있습니다. BTS는 신곡을 이어가며 빌보드 순위 1위를 지키는 최초의 기록을 세우고 있습니다. 영화 〈기생충〉은 칸 영화제와 아카데미를 석권했고, 윤여정 배우는 아카데미 여우조연상을 수상했습니다. K-팝과 영화뿐만 아니라 게임, 드라마, 웹툰, 애니메이션을 비롯한 다양한 분야의 콘텐츠가 전 세계에서 사랑받으며, 지난해 수출액이 사상 처음 100억 달러를 돌파했습니다. 우리 문화·예술의 높은 역량은 현대적이고 대중적인 분야에 그치지 않습니다. 클래식 음악과 발레 같은 전통문화·예술 분야에서도 우리 문화예술인들의 성취는

탁월합니다. 전통과 현대를 조화롭게 수용한 우리 문화예술인들이 창의성과 열정으로 이룬 것입니다. 문화예술을 사랑하는 우리 민족의 저력입니다.

국민 여러분, 우리는 언제나 새로운 꿈을 꾸었습니다. 꿈을 잃지 않았기에 여기까지 왔습니다. 독립과 자유, 인간다운 삶을 향한 꿈이 해방을 가져왔습니다. 지난 6월 유엔무역개발회의는 만장일치로, 개발도상국 중 최초로 우리나라를 선진국으로 격상했습니다. 이제 선진국이 된 우리는 다시 꿈꿉니다. 평화롭고 품격 있는 선진국이 되고 싶은 꿈입니다. 국제사회에서 제 몫을 다하는 나라가 되고자 하는 꿈입니다.

우리는 누구도 가보지 못한 길을 열어 왔습니다. 식민지와 제3세계 국가에서 시작해 개발도상국의 '새로운 성공 모델'을 만들어 냈습니다. 우리의 성장 경험을 개도국들과 공유할 수 있다는 것이 우리만이 가진 가장 큰 강점이 되었습니다. 코로나의 거센 도전에 맞서며 우리 국민이 가진 높은 공동체 의식의 힘을 보여 주었고, 인류가 위기를 극복하는 모범이 되었습니다.

우리에게는 선조들에게서 물려받은 강인한 '상생과 협력의 힘'이 있습니다. 식민 지배의 굴욕과 차별, 폭력과 착취를 겪고서도 우리 선조들은 해방 공간에서 일본인들에 대한 복수 대신 포용을 선택했습니다. 우리는 언제나 꿈을 이루기 위해 마음을 모았습니다. 위기 앞에서는 더욱 뭉쳤습니다. 서로에게 힘이 되며 숱한 위기를 기회로 반전시켰습니다. 상생협력의 힘이 있기에 우리는 새로운 꿈을 향해 나아가며, 포스트 코로나 시대를 선도하게 될 것입니다.

촛불혁명으로 국민 모두가 함께 꾼 꿈은 '나라다운 나라', '함께 잘사는 나라'였습니다. 우리는 주52시간제와 최저임금 인상, ILO 핵심협약 비준으로 노동기본권을 확대하고 있습니다. 고용보험 확대와 기초연금 인상, 건강보험 보장성 강화와 치매국가책임제로 우리 사회의 포용성을 높이고 있습니다.

세계질서가 새롭게 형성되고 있습니다. 대한민국은 역사의 중요한 분기점에 서서 선도국가로 나아갈 기회를 맞고 있습니다. 선도형 경제는 창의적인 아이디어를 핵심 경쟁력으로 삼는 경제이며, 사람을 중심으로 성장하는 경제입니다. 지난해까지 유니콘 기업이 열다섯 개로 늘었고, 올해 상반기 벤처투자가 역대 최대 실적을 기록하는 등 제2벤처붐이 확산되고 있습니다. 조선 수주 세계 1위, 자동차 세계 5강, 메모리 반도체에 이어 시스템 반도체와 배터리, 바이오에서도 선전하며 역대 최대 수출 기록을 새롭게 쓰고 있습니다. 정부는 경제에 혁신과 상생과 포용의 가치를 심어 더욱 강하게 만들 것입니다.

우리 정부가 추구해 온 국가균형발전의 꿈은 지역균형 뉴딜을 통해 이뤄질 것입니다. 지방 재정 분권을 더욱 강화하고, '동남권 메가시티'와 같은 초광역 협력 모델의 성공과 확산을 통해 수도권 집중 추세를 반전시켜야 합니다. 경기가 빠르고 강한 회복세를 보이고 있지만, 아직 그 온기가 미치지 못하는 곳이 많습니다. 경제회복의 혜택을 모두에게 나누어 '함께 잘사는 나라'의 꿈을 반드시 체감할 수 있는 현실로 만들겠습니다.

품격 있는 선진국이 되는 첫 출발은 존중하고 배려하는 문화입니다. 차별과 배제가 아닌 포용과 관용의 사회로 한 발 더 전진해 나가야 하겠습니다. 사회적 약자를 배려하고 서로의 처지와 생각이 다름을 인정하고 존중할 때, 우리 사회는 품격 있는 나라, 존경받는 선진국으로 나아갈 수 있을 것입니다.

존경하는 국민 여러분, 우리는 선진국으로 도약하는 과정에서 국경을 넘어 상생과 협력을 실천해 왔습니다. 개방과 통상국가의 길을 걸으며 7대 수출 대국으로 성장했고, 세계경제 발전에 기여했습니다. 우리 정부 들어서도 RCEP(역내포괄적경제동반자협정)을 비롯해 인도네시아, 캄보디아, 이스라엘과 FTA를 타결하며 협력의 폭을 넓혔습니다. 세계가 함께 대응하지 않으면 코로나를 이길 수 없고, 기후 위기를 극복할 수 없습니다. 대한민국은 선진국과 개도국의 상생협력을 이끄는 가교 국가 역할을 해 나갈 것입니다. 대한민국이 G7정상회의에 2년 연속 초청된 것은 새로운 세계질서의 태동을 의미합니다. 개방과 협력으로 키운 우리의 역량을 바탕으로 코로나 위기 극복과 함께 코로나 이후 세계경제 재건과 평화 질서에 적극 이바지할 것입니다. 특히, 개도국에서 선진국으로 발전한 우리의 성장 경험과 한류 문화, K-방역을 통해 쌓은 소프트파워를 토대로 새로운 시대의 가치와 질서 형성에 앞장설 것입니다.

존경하는 국민 여러분, 해방 다음 날인 1945년 8월 16일, 민족의 지도자 안재홍 선생은 삼천만 동포에게 드리는 방송 연설을 했습니다. 조선건국준비위원회 부위원장이었던 선생은 패전한 일본과 해방된 한국이 동등하고 호혜적인 관계로 나아가자고 제안했습니다. 식민지 민족의 피해의식을 뛰어넘는 참으로 담대하고 포용적인 역사의식이 아닐 수 없습니다. 해방으로 민족의식이 최고로 고양된 때였지만, 우리는 폐쇄적이거나 적대적인 민족주의로 흐르지 않았습니다. 아시아를 넘어 세계 평화와 인류의 행복을 추구하는 것은 3·1독립운동의 정신입니다. 대한민국임시정부와 해방된 국민들이 실천해 온 위대한 건국의 정신입니다. 대한민국은 한결같이 그 정신을 지켜 왔습니다. 한일 양국은, 국교 정상화 이후 오랫동안 민주주의와 시장경제라는 공통의 가치를 기반으로 분업과 협력을 통한 경제 성장을 함께 이룰 수 있었습니다. 앞으로도 양국이 함께 가야 할 방향입니다. 우리 정부는 양국 현안은 물론 코로나와 기후 위기 등 세계가 직면한 위협에 공동 대응하기 위한 대화의 문을 항상 열어 두고 있습니다. 바로잡아야 할 역사 문제에 대해서는 국제사회의 보편적인 가치와 기준에 맞는 행동과 실천으로 해결해 나갈 것입니다. 한일 양국이 지혜를 모아 어려움을 함께 극복해 나가며, 이웃 나라다운 협력의 모범을 보여 주게 되길 기대합니다.

올해는 남북이 유엔에 동시 가입한 지 30년이 되는 해입니다. 그

1년 전인 1990년, 동독과 서독은 45년의 분단을 끝내고 통일을 이뤘습니다. 동독과 서독은 신의와 선의를 주고받으며 신뢰를 쌓았고, 보편주의, 다원주의, 공존공영을 추구하는 '독일모델'을 만들었습니다. 또한 과거에 대한 진정성 있는 반성으로 통일에 대한 주변 국들의 우려를 극복하며, 세계의 보편적 가치와 기준을 이끌어가는 EU의 선도국이 되었습니다. 우리에게 분단은 성장과 번영의 가장 큰 걸림돌인 동시에 항구적 평화를 가로막는 강고한 장벽입니다. 우리도 이 장벽을 걷어 낼 수 있습니다. 비록 통일에는 더 많은 시간이 걸릴지라도 남북이 공존하며, 한반도 비핵화와 항구적 평화를 통해 동북아시아 전체의 번영에 기여하는 '한반도 모델'을 만들어 낼 수 있습니다.

'동북아 방역·보건 협력체'는 지금 정보 공유와 의료 방역 물품 공동 비축, 코로나 대응 인력 공동 훈련 등 협력사업을 논의하고 있습니다. 코로나의 위협이 결코 일시적이지 않다는 것이 분명해진 지금 그 중요성은 더욱 커졌다고 할 수 있습니다. 협력을 확대해 나가면서 동아시아 생명 공동체의 일원인 북한도 함께 참여할 수 있도록 노력하겠습니다. 한반도의 평화를 공고하게 제도화하는 것이야말로 남과 북 모두에게 큰 이익이 됩니다. 특히 대한민국이, 이른바 코리아 디스카운트를 떨쳐 내고, 사실상의 섬나라에서 벗어나 대륙으로 연결될 때 누릴 수 있는 이익은 막대합니다.

우리가 지치지 않고 끊임없이 한반도 평화를 꿈꾼다면, 우리의 상상력은 한반도를 넘어 유라시아를 넘나들 것입니다. 화해와 협력의 노력을 그치지 않는다면, 강고한 장벽은 마침내 허물어지고, 우리가 상상하는 이상의 새로운 희망과 번영이 시작될 것입니다.

존경하는 국민 여러분, 독립유공자와 유가족 여러분, 해외동포 여러분, 우리는 식민지와 전쟁의 폐허 속에서도 더 나은 미래를 향한 열정과 꿈을 간직했습니다. 보란 듯이 발전한 나라, 나와 이웃이 함께 잘사는 나라, 분단을 극복하고 평화를 지향하는 나라를 향해 걸어왔습니다.

외국에 나가게 되면 누구나 느끼게 되지만 우리는 우리 스스로 생각하는 것보다 훨씬 높은 평가를 받고 있습니다. 국제사회는, 경제와 방역, 민주주의와 문화예술을 비롯한 많은 분야에서 대한민국이 보여 주는 역량과 성취에 놀라워하고 있습니다. 우리는 지난날의 대한민국이 아닙니다. 우리 스스로 자부심을 가지고 새로운 꿈을 꿀 차례입니다. 그 꿈을 향해 국민 모두가 함께 나아가길 바랍니다. 자유와 평화를 향한 강인한 의지와 공동체를 위한 헌신, 연대와 협력의 위대한 유산을 물려주신 선열들께 마음을 다해 존경을 바칩니다.

감사합니다.

홍범도 장군님, 잘 돌아오셨습니다.
부디 편히 쉬십시오

홍범도 장군 유해 안장식 추모사
2021년 08월 18일

|

"조국을 떠나 만주로, 연해주로, 중앙아시아까지 흘러가야 했던 장군을 비롯한 고려인 동포들의 고난의 삶 속에는 근현대사에서 우리 민족이 겪어야 했던 온갖 역경이 고스란히 배어 있습니다. 우리는, 다시는 그런 역사를 되풀이하지 않도록 절치부심해야 합니다. 선조들의 고난을 뒤돌아보며 보란 듯이 잘사는 나라, 누구도 넘보지 못하는 강한 나라, 국제사회에서 존중받는 나라를 반드시 만들어야 합니다. 그러기 위해선 우리 스스로 우리를 존중해야 합니다. 우리의 독립운동사를 제대로 밝히고, 독립유공자들과 후손들을 제대로 예우하는 것이 그 시작일 것입니다."

1부 기억하고 기리겠습니다

존경하는 국민 여러분, 국내외 동포 여러분!

3·1 독립운동의 정신 위에서 수립된 대한민국임시정부는 1920년을 '독립전쟁의 원년'으로 선포했습니다. 그해 치러진 '독립전쟁 1회전', '독립전쟁 첫 승리'라고 불렸던 봉오동전투와, 독립전쟁 최대의 승리, 청산리대첩을 이끌었던 독립전쟁의 영웅, 대한독립군 총사령관 홍범도 장군이 오늘 마침내 고국산천에 몸을 누이십니다.

봉오동전투와 청산리전투 101주년, 장군이 이역만리에서 세상을 떠나신 지 78년, 참으로 긴 세월이 걸렸습니다. 장군의 유해 봉환을 위해 적극 협력해 주신 카자흐스탄 정부와 고려인 동포 여러분께 다시 한번 깊은 감사의 마음을 전합니다.

장군이 안식을 취할 이곳 국립대전현충원에는 많은 애국지사들이 잠들어 계십니다. 지난 2019년, 카자흐스탄에서 먼저 조국으로 돌아오신 황운정 지사 부부, 장군과 함께 봉오동전투에서 싸웠던 이화일, 박승길 지사, 청산리전투에서 함께 싸웠던 김운서, 이경재, 이장녕, 홍충희 지사가 잠들어 계십니다. 장군을 이곳에 모시며, 선열들이 꿈꾸던 대한민국을 향해 끊임없이 전진할 것을 다시 한번 다짐합니다.

봉오동전투와 청산리전투는 평범한 사람들이 함께 만든 '승리와 희망의 역사'입니다. 나라를 되찾겠다는 의기 하나로 모여든 무명의 청년들과 간도 지역으로 이주한 수십만 동포들이 승리의 주역이었습니다. 모두가 함께 만든 승리는, 나라를 잃은 굴종과 설움을 씻고, 일제 지배에 억압받던 삼천만 민족에게 강렬한 자존심과 자주 독립의 희망을 심어 주었습니다.

장군은 독립전쟁의 전투에서 많은 승리를 거두었지만, 망명지 연해주에서 17만 고려인 동포들과 함께 머나먼 중앙아시아로 강제이주되었습니다. 1937년 9월, 극동에서 출발한 열차가 처음 도착한 곳은, 카자흐스탄 우슈토베였습니다. 당시 카자흐스탄도 대기근을 겪은 직후의 어려운 환경이었습니다. 카자흐스탄 국민들은 자신들이 어려운 가운데서도 기꺼이 고려인 동포들에게 도움의 손길을 내밀고 따뜻하게 품어 주었습니다.

독립운동가들의 강인한 정신을 이어받은 고려인 동포 1세대는 정착 초기의 어려움과 고난을 극복하고 새로운 삶의 터전을 일궈냈습니다. 척박한 중앙아시아 지역에서 처음으로 논농사를 시작하여 벼 재배의 북방한계선을 끌어 올렸습니다. 장군은 중앙아시아 고려인 공동체의 정신적 지주가 되었고, 중앙아시아인들은 고려인들의 근면함에 크게 감동받았습니다.

고려인 동포들은 민족의 자부심과 정체성을 지키면서, 카자흐스탄과 우즈베키스탄을 비롯한 중앙아시아 나라들의 발전에 크게 기여했습니다. 작가와 예술가들은 모국어를 지키며 우리 문화와 예술을 이어 갔고, 카자흐스탄에서만 460명의 석·박사, 68명의 노동영웅, 150여 명의 공훈근로자를 비롯해 정치, 경제, 문화, 과학기술 등 사회 모든 분야에서 존경받는 많은 인재들을 배출했습니다.

장군의 불굴의 무장투쟁은 강한 국방력의 뿌리가 되었습니다. 1800톤급 잠수함 '홍범도 함'은 긍지와 함께 필승의 신념으로 동해 앞바다를 지키고 있습니다. 육군사관학교는 2018년, 99주년 3·1절을 기념해 생도들이 훈련에 사용한 탄피 300킬로그램으로 장군을 비롯한 독립 영웅들의 흉상을 육사 교정에 세웠습니다. 신흥무관학교 설립자 이회영 선생과 홍범도, 김좌진, 지청천, 이범석 장군의 숭고한 애국정신 위에서 대한민국은 종합군사력 세계 6위의 군사 강국으로 자주국방의 꿈을 이어 가고 있습니다.

존경하는 국민 여러분, 국내외 동포 여러분!

장군은 우리 민족 모두의 영웅이며, 자부심입니다. 매년 수많은 사람들이 크즐오르다에 조성된 '홍범도 거리'와 공원 묘역을 찾고 있습니다. 정부는 카자흐스탄에 있는 장군의 묘역 관리 등 고려인 사회의 자부심이 변함없이 이어질 수 있도록 적극 지원하겠습니다.

조국을 떠나 만주로, 연해주로, 중앙아시아까지 흘러가야 했던 장군을 비롯한 고려인 동포들의 고난의 삶 속에는 근현대사에서 우리 민족이 겪어야 했던 온갖 역경이 고스란히 배어 있습니다. 우리는, 다시는 그런 역사를 되풀이하지 않도록 절치부심해야 합니다. 선조들의 고난을 뒤돌아보며 보란 듯이 잘사는 나라, 누구도 넘보지 못하는 강한 나라, 국제사회에서 존중받는 나라를 반드시 만들어야 합니다. 그러기 위해선 우리 스스로 우리를 존중해야 합니다. 우리의 독립운동사를 제대로 밝히고, 독립유공자들과 후손들을 제대로 예우하는 것이 그 시작일 것입니다. 아직도 조국으로 돌아오지 못한 애국지사들이 많고, 제대로 평가받지 못한 독립운동가들이 많으며, 가려진 독립운동의 역사가 많습니다. 열 권 분량의 《홍범도》 대하 서사시를 완결한 바 있는 이동순 시인은, 이제야 긴 여행을 끝내고 고국으로 돌아온 장군의 마음을 이렇게 표현했습니다.

"나 홍범도, 고국 강토에 돌아왔네. 저 멀리 바람 찬 중앙아시아 빈 들에 잠든 지 78년 만일세. 내 고국 땅에 두 무릎 꿇고 구부려 흙 냄새 맡아 보네. 가만히 입술도 대어 보네, 고향 흙에 뜨거운 눈물 뚝뚝 떨어지네."

우리는 수많은 시련과 역경을 이겨 내며 민주주의와 경제 발전을 이뤘고, 드디어 선진국으로 도약했습니다. 장군의 귀환은 어려운 시기, 서로를 믿고 의지하며 위기 극복에 함께하고 있는 대한민국 모든 국민들에게 큰 희망이 될 것입니다. 장군이 고향 흙에 흘린 눈물이 대한민국을 더 강하고 뜨거운 나라로 이끌어 줄 것입니다.

홍범도 장군님, 잘 돌아오셨습니다. 부디 편히 쉬십시오.

감사합니다.

이후 추진 내용

• 홍범도 장군 구 묘역의 기념공원화 및 홍범도 거리 조성을 추진하고, 카자흐스탄 거주 고려인을 초청할 예정입니다.

1부 기억하고 기리겠습니다

이제 누구도 대한민국을
흔들 수 없습니다

제103주년 3·1절 기념식
2022년 3월 1일

"지금까지 우리 국민 모두는 경제 발전과 민주주의의 주역으로
활약했고, 각자의 자리에서 소중한 사람이 되었습니다. 이제 우
리는 선도국가라는 새로운 대한민국을 향해 출발했습니다. 그
길에서 국민 한 사람 한 사람이 임정 요인과 같습니다. 모두가
선구자이며, 모두가 중요한 사명을 갖고 있습니다. 이제 누구도
대한민국을 흔들 수 없습니다. 이제 누구도 국민주권을 빼앗을
수 없습니다. 이제 누구도 한 사람의 삶을 소홀히 대할 수 없습
니다."

존경하는 국민 여러분, 해외동포 여러분!

마침내 국민 곁에 우뚝 서게 된 대한민국임시정부 기념관에서 개관과 함께 103주년 3·1절 기념식을 열게 되어 매우 감회가 깊습니다.

지난 100년, 우리는 3·1독립운동과 임시정부가 꿈꿨던 민주공화국을 일궈 냈습니다. 모두가 자유롭고 평등하며 억압받지 않는 나라, 평화롭고 문화적인 나라를 만들기 위해 쉼 없이 달려왔습니다.

3·1독립운동과 대한민국임시정부는 선조들이 우리에게 물려준 위대한 유산입니다. 민주공화국의 역사를 기억하고 기리는 일은 오늘의 민주공화국을 더 튼튼하게 만드는 일입니다.

저는 취임 첫해 광복절 기념사에서 대한민국임시정부 기념관 건립을 약속한 데 이어, 그해 중국 방문 때 대한민국 대통령으로서는 처음으로 중경 대한민국임시정부 청사를 찾아, 임시정부기념관 건립을 선열들께 다짐했습니다. 그 약속과 다짐이 드디어 이루어졌습니다.

3·1독립운동의 정신과 임시정부의 역사, 자주독립과 민주공화국의 자부심을 국민과 함께 기릴 수 있게 되어 매우 뜻깊습니다.

기념관 건립에 오랜 시간 애써 오신 임시정부 기념사업회와 김자동 회장님, 기념관 건립위원회와 이종찬 회장님, 광복회와 독립유공자, 독립유공자의 후손들, 소중한 자료를 기증해 주신 분들께 깊이 감사드립니다.

대한민국임시정부 기념관은 서대문독립공원과 마주하고 있습니다. 오늘, 고난에 굴하지 않았던 독립운동가와 선열들의 영혼이 임시정부기념관과 3·1독립선언기념탑, 순국선열추념탑을 기쁘게 맞이하는 듯합니다.

임시정부 기념관에는 3·1독립운동의 함성이 담겨 있습니다. 풍찬노숙하며 나라의 독립에 한평생을 바쳤던 지사들의 애국심이 담겨 있습니다. 우리는 민주공화국 대한민국의 뿌리를 결코 잊지 않을 것입니다.

국민 여러분!

우리 역사는 평범함이 모여 위대한 진전을 이룬 진정한 민주공화국의 역사입니다. 1919년 3월 1일, 이름 없는 사람들이 모여 태극기를 들었습니다. 만세 소리 가득한 거리에서 자신처럼 해방된 세상을 꿈꾸는 사람들을 만났습니다. 비폭력의 평화적인 저항이 새로운 시대를 열 수 있음을 보여 주었습니다.

독립의 함성은 압록강을 건너고 태평양을 넘어 전 세계에 울려 퍼졌습니다. 북간도와 서간도, 연해주에서 하와이와 필라델피아, 샌프란시스코에서 만세 소리와 함께 태극기가 휘날렸습니다. 선조들은 식민지 백성에서 민주공화국의 국민으로 스스로를 일으켜 세웠습니다.

그해 4월 10일, 서울과 만주, 연해주와 미주, 일본에서 온 민족 대표 독립운동가들이 중국 상해에 모여 대한민국임시정부를 수립하고, 임시의정원을 구성하여, 국민이 민주공화국의 주인이 되었음을 선언했습니다.

민주공화국 대한민국이 탄생하는 순간이었습니다. "우리 운동은 주권만 찾는 것이 아니다. 한반도 위에 모범적인 공화국을 세워 2000만이 천연의 복락을 누리게 하는 것이다." 안창호 선생은 임시정부 내무총장에 취임하며 이렇게 말했습니다. 1941년 임시정부 국무위원회는 '대한민국 건국강령'을 발표하고, 광복 이후의 새로운 나라에 대한 구상을 제시했습니다. 정치·경제·교육·문화에서 균등한 생활을 누리는 민주공화국이 목표임을 다시 한번 천명했습니다.

우리는 지난 100년, 그 목표를 하나하나 이루어 냈습니다. 식민지와 전쟁을 겪은 가난한 나라 대한민국은 청계천의 작은 작업장에서, 독일의 낯선 탄광과 병원에서, 사막의 뙤약볕과 전국 곳곳의 산업 현장에서 국민 한 사람 한 사람이 흘린 땀방울로 선진국이 되었습니다. 외환위기를 비롯한 숱한 국난도 위기 속에서 더욱 단합하는 국민의 힘으로 헤쳐 올 수 있었습니다. 부산과 마산에서, 5월 광주에서, 6월의 광장과 촛불혁명까지 민주주의를 지켜 낸 것도 평범한 국민들의 힘이었습니다.

우리 정부 역시 국민의 힘으로 탄생했습니다. 이름 없이 희생한 분들의 이름을 찾아드리고, 평가받지 못한 분들에게 명예를 돌려

드리는 것을 당연한 책무로 여겼습니다. 지난 5년, 2243명의 독립유공자를 찾아 포상했습니다. 그중에는 제대로 평가받지 못했던 여성 독립운동가 245명이 포함되어 있습니다. 아직 후손을 찾지 못해 훈장을 드리지 못한 독립유공자도 많습니다. 정부는 마지막 한 분까지 독립유공자와 후손을 찾기 위해 노력할 것입니다.

이역에 묻혔던 독립유공자의 유해 봉환에도 힘썼습니다. 2019년 중앙아시아 카자흐스탄에서 계봉우·황운정 지사 내외를 봉환했고, 2021년 광복절에는 홍범도 장군의 유해를 고국으로 모셔 왔습니다.

정부는 생활이 어려운 독립유공자 자녀와 손자녀에게 생활지원금을 지급하면서, 국가유공자 명패를 자택에 달아 드리고 있습니다. 지난해 말까지 독립유공자와 국가유공자 46만 가정에 명패를 달아 드렸고, 올해에도 10만 가정에 명패를 달아 드릴 것입니다. 평범한 이웃이 독립의 영웅이라는 사실은 지역 사회에도 자긍심을 심어 줄 것입니다.

정부는 지난 5년 위기 극복과 함께 미래를 위한 도전을 멈추지 않았습니다. 일본의 수출규제에 맞서 소재·부품·장비 자립화의 길을 개척했습니다. 위기 극복을 넘어 혁신과 성장을 이끄는 동력을 국민들과 함께 만들어 냈습니다.

국민의 성숙한 시민의식은 코로나 터널을 헤쳐 간 일등 공신이었습니다. 방역의 성과를 바탕으로 지난해 우리 경제는 4퍼센트 성장률을 달성했고, 1인당 국민소득 3만 5000달러 시대를 열었습니다.

지니계수, 5분위 배율, 상대적 빈곤율 등 3대 분배지표가 모두 지속적으로 개선되어 '위기가 불평등을 키운다'는 공식도 깰 수 있었습니다.

힘든 여건 속에서도 헌신해 주신 의료진과 방역진, 묵묵히 공동체의 일상을 지켜 주신 필수노동자, 누구보다 어려움이 컸던 소상공인과 자영업자, 일상의 불편을 감내해 주신 국민들, 모두 위기 극복과 새로운 대한민국을 열어 가는 주역입니다. 깊이 감사드립니다.

우리는 행복해질 자격이 있는 국민들입니다. 국민 모두의 노력이 헛되지 않도록 임기가 다하는 순간까지 최선을 다하겠습니다.

국민 여러분!

우리는 이제 누구도 얕볼 수 없는 부강한 나라가 되었습니다. 세계가 공인하는 선진국이 되었습니다. 무엇보다 가슴 벅찬 일은, 대한민국이 수준 높은 문화의 나라가 된 것입니다.

3·1독립선언서에서 선열들은, 독립운동의 목적이 "풍부한 독창성을 발휘하여 빛나는 민족문화를 맺고", "세계 문화에 이바지할 기회"를 갖는 데 있다고 밝혔습니다. 대한민국 임시정부의 주석 백범 김구 선생도 "오직 한없이 가지고 싶은 것은 문화의 힘이다. 문화의 힘은 우리 자신을 행복하게 하고, 나아가서 남에게 행복을 주기 때문이다"라고 했습니다.

까마득한 꿈처럼 느껴졌던 일입니다. 그러나 오늘 우리는 해내고

1부 기억하고 기리겠습니다

있습니다. 우리 문화예술은 전통과 현대 문화를 한국이라는 그릇에 함께 담아 새롭게 변화시켰습니다.

한 세기 전, 선열들이 바랐던 꿈을 이뤄 내고 세계를 감동시키고 있습니다. K-팝으로 대표되는 한류가 세계를 뒤덮고 있습니다. BTS 열풍을 두고 〈포브스〉는 "새로운 표준"이라고 했습니다.

영화 〈기생충〉은 칸과 아카데미를 석권했습니다. 게임, 웹툰, 애니메이션이 세계의 사랑을 받고 〈오징어 게임〉 등 우리 드라마가 연속 홈런을 치고 있습니다. 서양 클래식 음악과 발레 같은 분야에서도 한국인들의 재능이 세계의 격찬을 받고 있습니다. 각 분야 문화예술인들의 열정과 혼이 어우러진 결과입니다.

우리 문화예술을 이처럼 발전시킨 힘은 단연코 민주주의입니다. 차별하고 억압하지 않는 민주주의가 문화예술의 창의력과 자유로운 상상력에 날개를 달아 주었습니다. 첫 민주 정부였던 김대중 정부는 자신감을 가지고 일본문화를 개방했습니다.

우리 문화예술은 다양함 속에서 힘을 키웠고, 오히려 일본문화를 압도할 정도로 경쟁력을 갖게 되었습니다. 영국 월간지 〈모노클〉은 우리의 소프트파워를 독일에 이은 세계 2위에 선정했습니다. 우리 문화예술의 매력이 우리의 국제적 위상을 크게 높여 주고 있다는 사실을 저는 순방외교 때마다 확인할 수 있었습니다. '지원하되 간섭하지 않는 것'은 역대 민주 정부가 세운 확고한 원칙입니다.

창작과 표현의 자유는 민주주의 안에서 넓어지고 강해집니다. 우리의 민주주의가 전진을 멈추지 않는다면, 우리 문화예술은 끊임없이 세계를 감동시킬 것입니다. 우리에게 큰 자부심을 주고 있는 문화예술인들과 문화예술을 아껴 주신 국민들께 한없는 경의를 표합니다.

국민 여러분!

코로나 위기 속에 국제질서가 요동치고 있습니다. 디지털과 그린 혁신이 가속화되면서 기술 경쟁이 치열하게 전개되고 있습니다. 힘으로 패권을 차지하려는 자국중심주의도 다시 고개를 들고 있습니다. 신냉전의 우려도 커지고 있습니다. 그러나 우리에게는 폭력과 차별, 불의에 항의하며 패권적 국제질서를 거부한 3·1독립운동의 정신이 흐르고 있습니다.

대한민국은 세계 10위 경제 대국, 글로벌 수출 7위의 무역 강국, 종합군사력 세계 6위, 혁신지수 세계 1위의 당당한 나라가 되었습니다. 3·1독립운동의 정신이 오늘 우리에게 주는 교훈은, 강대국 중심의 국제질서에 휘둘리지 않고 우리의 역사를 우리가 주도해 나갈 수 있는 힘을 가져야 한다는 것입니다.

우리는 지금, 위기를 기회로 바꾸며 새롭게 도약하고 있습니다. 코로나 위기의 한복판에서 시작한 한국판 뉴딜은 세계를 선도하는 대한민국의 미래전략이 되었습니다. 디지털과 그린 뉴딜로 새로운 산업을 일으키고 더 나은 일자리를 만들고 있습니다. 휴먼 뉴딜로 고용안전망과 사회안전망을 확충하고 지역균형 뉴딜로 국가 균형

발전시대를 열며 혁신적 포용사회로 확실한 전환을 시작했습니다. 경제가 안보인 시대, 글로벌 공급망의 어려움도 헤쳐 나가고 있습니다. 세계 최고 경쟁력을 갖춘 우리 반도체와 배터리 산업이 글로벌 공급망을 주도하고 있습니다.

이제 우리에게는 다자주의에 입각한 연대와 협력을 선도할 수 있는 역량이 생겼습니다. G7 정상회의에 2년 연속으로 초대받을 만큼 위상이 높아졌습니다.

아세안을 중심으로 한 신남방정책, 유라시아 국가들과의 신북방정책, 중남미와 중동까지 확장한 외교로 경제협력과 외교·안보의 지평을 넓혔습니다. 세계 최대의 FTA, RCEP가 지난달 발효되면서, 우리는 세계 GDP의 85퍼센트에 달하는 FTA 네트워크를 갖추게 되었습니다. 우리의 경제영역이 그만큼 넓어진 것입니다.

우리가 더 강해지기 위해 반드시 필요한 것이 한반도 평화입니다. 3·1독립운동에는 남과 북이 없었습니다. 다양한 세력이 임시정부에 함께했고, 좌우를 통합하는 연합정부를 이루었습니다. 항일독립운동의 큰 줄기는 민족의 대동단결과 통합이었습니다.

임시정부 산하에서 마침내 하나로 통합된 광복군은 항일독립운동사에 빛나는 자취를 남겼습니다. 1945년 11월, 고국으로 돌아온 임정 요인들은 분단을 막기 위해 마지막 힘을 쏟았습니다. 그 끝나지 않은 노력은 이제 우리의 몫이 되었습니다.

어느 날, 3·1독립운동의 열망처럼 그날의 이름 없는 주역들의 아들과 딸들 속에서 통일을 염원하는 함성이 되살아날 것입니다. 우선 우리가 이루어야 할 일은 평화입니다. 한국전쟁과 그 이후 우리가 겪었던 분단의 역사는, 대결과 적대가 아니라 대화만이 평화를 가져올 수 있다는 사실을 가르쳐 주었습니다.

우리 정부는 출범 당시의 북핵 위기 속에서 극적인 대화를 통해 평화를 이룰 수 있었습니다. 그러나 우리의 평화는 취약합니다. 대화가 끊겼기 때문입니다. 평화를 지속시키기 위한 대화의 노력이 계속되어야 합니다.

전쟁의 먹구름 속에서 평창 동계올림픽을 평화올림픽으로 만들기를 꿈꾸었던 것처럼 우리가 의지를 잃지 않는다면, 대화와 외교를 통해 한반도 비핵화와 항구적 평화를 반드시 이룰 수 있습니다. 우리는 100년 전의 고통을 결코 되풀이하지 않을 것입니다. 평화를 통해 민족의 생존을 지키고, 민족의 자존을 높이고, 평화 속에서 번영해 나갈 것입니다.

한일 양국의 협력은 미래세대를 위한 현세대의 책무입니다. 우리 선조들은 3·1독립운동 선언에서 '묵은 원한'과 '일시적 감정'을 극복하고 동양의 평화를 위해 함께하자고 일본에 제안했습니다. 지금 우리의 마음도 같습니다. 여러 가지 어려움이 많은 지금, 가까운 이웃인 한국과 일본이 '한때 불행했던 과거의 역사'를 딛고 미래를 향해 협력할 수 있어야 합니다.

한일관계를 넘어서, 일본이 선진국으로서 리더십을 가지기를 진심으로 바랍니다. 그러기 위해서 일본은 역사를 직시하고, 역사 앞에서 겸허해야 합니다. '한때 불행했던 과거'로 인해 때때로 덧나는 이웃 나라 국민의 상처를 공감할 수 있을 때 일본은 신뢰받는 나라가 될 것입니다.

우리 정부는 지역의 평화와 번영은 물론 코로나와 기후 위기, 그리고 공급망 위기와 새로운 경제질서에 이르기까지 전 세계적 과제의 대응에 함께하기 위해 항상 대화의 문을 열어 둘 것입니다.

존경하는 국민 여러분, 해외동포 여러분!

우리는 대한민국임시정부에서 활약한 분들을 임정 요인이라 불러왔습니다. 임정 요인이라는 단어에는 우리 후손들의 존경이 담겨 있습니다. 지금까지 우리 국민 모두는 경제 발전과 민주주의의 주역으로 활약했고, 각자의 자리에서 소중한 사람이 되었습니다.

이제 우리는 선도국가라는 새로운 대한민국을 향해 출발했습니다. 그 길에서 국민 한 사람 한 사람이 임정 요인과 같습니다. 모두가 선구자이며, 모두가 중요한 사명을 갖고 있습니다.

이제 누구도 대한민국을 흔들 수 없습니다. 이제 누구도 국민주권을 빼앗을 수 없습니다. 이제 누구도 한 사람의 삶을 소홀히 대할 수 없습니다.

이곳 대한민국임시정부 기념관은 평범함이 이룬 위대한 대한민국을 기억할 것이며, 국민들에게 언제나 용기와 희망의 이정표가 될 것입니다. 독립의 열기로 뜨겁게 타올랐던 1919년의 봄, 고난과 영광의 길을 당당히 걸어가 마침내 우리 모두의 위대한 역사가 된 선열들께 깊은 존경의 마음을 바칩니다.

감사합니다.

마침내 고국의 품에 안긴
영웅의 귀환

100년 만의 귀국! 왜 이렇게 오래 걸렸을까요? 사실, 홍범도 장군의 귀환은 '30여 년에 걸친 노력의 결실'이라고 할 수 있습니다. 노태우 정부에서 시작된 역대 모든 정부의 노력에도 불구하고 실제 성사되기는 매우 어려운 실정이었습니다.

2019년 4월 카자흐스탄 방문을 앞두고 홍범도 장군을 모셔 오는 것은 대한민국 대통령의 의무였습니다. 당시 외교 라인은 30여 년 동안 장군의 귀환이 성사되지 못했고, 카자흐스탄 정부가 어떤 입장을 취할지 예단하기 어려운 상황에서, 정상회담 의제로 장군의 유해 봉환을 적극 추진하는데 조심스러운 태도였을 것입니다. 그러나 장군의 귀환이 쉽지 않다는 '외교적 현실론'은 우리의 신념을 넘을 수가 없습니다.

불같은 의지와 우리의 모든 외교적 역량을 쏟아부은 결과, 장군은 연해주 이주 100년 만에, 2021년 8월 15일 마침내 서거 78년 만에 고국의 품으로 돌아오셨습니다. '장군의 귀국'이 이루어지는 과정을 큰 시각에서 보면, 문재인 정부 출범 직후부터 카자흐스탄 등을 대상으로 신북방 정책을 적극 추진함으로써 한-카자흐스탄 관계가 비약적으로 발전한 것이 카자흐 정부를 설득하는 데 긍정적으로 작용했다고 생각합니다. 약속대로, 장군을 '최고의 예우'로 직접 맞이하는 우리의 눈가에 맺힌 눈물은 대한민국과 국민 모두의 감동과 진심이 담긴 환영의 표상이었습니다.

국제외교는 평화를 완성해 가는 길이면서 동시에 완성된 평화를 지속 가능하게 하는 길입니다. 우리가 주도권을 갖고 우리의 운명을 결정하는 일이기도 합니다. 우리는 지금 거대한 물줄기를 바꾸고 있습니다. 조화와 나눔의 문화로 서로의 나라를 존중하면서 발전하는, 새로운 세계질서를 만들어 낼 것입니다.

우리는 거대한 물줄기를
바꾸고 있습니다

앵커리지를 떠나며

2018년 5월 23일, 미국 알래스카

1905년 을사늑약으로 내려졌던 주미공사관의 태극기가 다시 게양되었습니다. 재개관한 주미공사관은 문화재청이 교민들의 도움으로 매입해서 원형을 복원한 것입니다.

1882년 5월 22일 조선과 미국 사이에 조미수호통상조약이 체결됐습니다. 우리가 자주적으로 체결한 최초의 근대조약입니다. 기울어 가는 국운을 외교를 통해 지켜보려던 노력이었습니다.

136년이 흐른 바로 그날 한미정상회담이 북미정상회담의 성공을 위해 열린 것은 참으로 뜻깊은 일입니다. 당시 개설한 주미공사관이 마침 오늘 재개관했습니다. 우리가 서양에 개설한 최초의 외교공관이었습니다. 그곳에서 초대 박정양 공사의 손녀 박혜선 님, 서기관이셨던 월남 이상재 선생의 증손 이상구 님, 장봉환 선생의 증손 장한성 님을 만나 대화를 나눈 것도 참으로 감회 깊었습니다.

이번에도 곳곳에서 교민들이 뜨겁게 환영해 주셨습니다. 특히 재개관한 주미공사관 앞길에는 많은 교민들이 아이들과 함께 갑자기 쏟아진 폭우를 맞으며 태극기를 들고 긴 시간 기다려 주셨습니다. 경호 때문에 그분들은 길을 건너오지 못하고, 저도 건너가지 못한 채, 최대한 다가가서 서로 손을 흔들며 인사를 나누고 작별했는데, 너무 고마워서 코끝이 찡했습니다. 모든 분께 감사드립니다.

인도를 떠나며

2018년 7월 11일, 인도 뉴델리

친절하고 관대한 사람들 사이에서 인도의 3박 4일을 보냈습니다. 국민들의 눈 속에는 신들이 살아 있고, 모디Narendra Modi 총리님은 인도의 역사처럼 조화가 온몸에 배어 있는 분이었습니다.

모디 총리님의 제안으로 지하철을 타고 인도 국민들을 만난 일이 기억에 남습니다. 우리가 지하철을 타고 이동한 구간은 우리 기업이 공사를 맡은 구간이었고, 우리가 탄 전동차도 우리 기업이 납품한 것이었습니다. 모디 총리님의 세심한 배려에 놀랐습니다. 동포 간담회에도 인도 전통공연단을 보내 주셨는데, 가야국에 도착한 허황후를 무용극으로 만든 것이었습니다.

모디 총리님과 저는 양국의 협력을 강화하는 여러 약속을 했습니다. 교역량을 늘리고 미래를 함께 준비하기로 했습니다. 저는 그러한 우리의 약속이 서로에 대한 이해와 깊은 배려 속에서 아주 굳건해졌다고 생각합니다.

양국의 협력으로 아시아의 평화와 번영이 이뤄지길 바랍니다. 오랜 역사와 다양한 문화, 역동적인 국민들을 가진 인도를 잊지 못할 것입니다. 환대해 주신 인도 국민들께 감사드립니다.

2부 우리는 거대한 물줄기를 바꾸고 있습니다

싱가포르 국민들께 감사드립니다

2018년 7월 13일, 싱가포르

북미정상회담 성공을 지원해 주시고 따뜻하게 환대해 주신 싱가포르 국
민들께 감사드립니다. 리셴룽李顯龍 총리님의 우정을 잊지 못할 것입니다.
다가올 50년도 기적을 보여 주시길 기대합니다.

싱가포르는 질서 안에 자유가 충만한 도시였습니다. 우리가 추구해야 할 도시의 모습을 곳곳에서 만났습니다. 리센룽 총리님과 저는 평화롭고 생산적이며 스마트한 미래도시를 향해 서로 협력하기로 했습니다. 양국 국민들의 삶을 더 나아지도록 희망을 키워나가기로 했습니다.

지난 50년 싱가포르가 이룬 기적은 싱가포르 국민들의 삶을 바꿨을 뿐만 아니라 국가 운영의 모범을 보여 주었습니다. 2박 3일 동안, 첨단을 향한 발전 속에서도 사람을 아끼고 자연을 지켜온 싱가포르의 모습을 제대로 볼 수 있었습니다.

싱가포르는 평화를 추구하며 번영을 이뤘습니다. 우리도 한반도 평화를 통해 새로운 미래로 나가고자 합니다. 싱가포르와 한국의 협력은 한반도를 넘어 세계 평화를 위한 협력이며 우리 모두의 번영을 위한 협력이 될 것입니다.

2부 우리는 거대한 물줄기를 바꾸고 있습니다

파리를 떠나며

2018년 10월 16일, 프랑스 파리

인류가 강한 이유는 자유, 평등, 박애의 정신을 품고 있기 때문입니다. 인류가 이 숭고한 정신을 잃지 않는 한 프랑스는 영원히 아름다울 것입니다. 파리 시민들의 배려와 존중하는 마음속에서 프랑스 국빈방문 3박 4일을 보냈습니다. 마크롱Emmanuel Macron 대통령과 저는 양국 관계를 더욱 가까운 사이로 만들기로 했습니다. 빅데이터, 인공지능, 우주개발 등 신산업분야 협력을 강화하기로 했습니다.

올해는 제1차 세계대전 종전 100주년인 뜻깊은 해입니다. 마크롱 대통령은 유럽 통합을 이끈 지혜와 상상력을 나누기로 했고, 한반도의 평화를 위해 끝까지 같이하기로 약속했습니다. 프랑스는 우리가 어려울 때 생명까지 나누어 준 오랜 친구입니다. 유엔안보리 상임이사국인 프랑스의 지지는 아주 큰 힘이 될 것입니다.

도시는 그 자체로 예술작품이었고, 시민들은 자유로웠습니다. 오래도록 생각날 것 같습니다. 저는 이제 이탈리아로 갑니다. 따뜻하게 맞아 주신 마크롱 대통령과 프랑스 국민들께 다시 한번 감사드립니다.

우리는 엘리제궁 곳곳을 걸으며 민주주의와 공화정을 이야기했습니다.
프랑스혁명과 광화문 촛불이 시공간을 뛰어넘어 깊이 연결되어 있음을
느꼈습니다. 두 나라의 미래가 포용과 화합, 혁신에 있다는 것도 되새겼
습니다.

로마를 떠나며

2018년 10월 18일, 이탈리아 로마

프란치스코 교황님께서는 변함없이 한반도 평화의 길을 축복해 주셨습
니다. 교황님의 방문은 한반도를 가른 분단의 고통을 위로하고 오랜 상
처를 치유하는 시간이 될 것입니다.

평화를 향한 우리의 길은 외롭지 않습니다. 성 베드로 성당에 울려 퍼진 평화의 기도는 우리 국민들에게 보내는 세계인의 찬미였습니다.

로마의 거리에는 수천 년의 이야기가 담겨 있었습니다. 옛것과 새것, 예술과 과학이 어우러져 있었습니다. 이번 방문으로 이탈리아와 우리는 항공, 산업에너지 협력 등 제도적 기반을 든든히 다졌고, 새로운 관계를 시작했습니다. 우리는 정치, 경제, 국방, 문화, 각 분야에서 전략을 공유하는 동반자가 되기로 했습니다.

오직 평화만이 인류의 미래임을 느낀 로마 방문이었습니다. 평화로 맺은 연대만이 가장 인간적이고, 가장 오래갈 수 있다는 것을 확인했습니다.

프란치스코 교황님께서는 평양 방문 초청에 "나는 갈 수 있다"고 하셨습니다. 교황님의 방문은 한반도를 가른 분단의 고통을 위로하고 오랜 상처를 치유하는 시간이 될 것입니다.

주세페 콘테Giuseppe Conte 총리님은 지속적이며 완전하게 우리 정부를 지지하겠다고 말씀하시며 큰 힘을 보태주셨습니다.

2부 우리는 거대한 물줄기를 바꾸고 있습니다

이제 ASEM 정상회의를 위해 벨기에로 떠납니다. 따뜻하게 환대해 주신 이탈리아 국민들께 깊이 감사드립니다. 하늘의 지혜와 사랑을 나눠 주신 교황청에도 대한민국 국민들의 마음을 담아 평화의 인사를 전합니다.

피에트로 파롤린 교황청 국무원장님은 한반도 평화를 위한 특별미사의
집전으로 전 세계 모든 선한 이들의 마음을 모아 주셨습니다.

2부 우리는 거대한 물줄기를 바꾸고 있습니다

아세안 회의를 마치고

2018년 11월 16일, 싱가포르

아세안의 정상 한 분 한 분의 모습에서 포용이 근본적으로 아시아의 것임을 느꼈습니다. 포용은 아시아에서 실현되어 반드시 세계를 따뜻하게 변화시킬 것입니다.

아세안 정상회의 일정을 마치고 싱가포르를 떠납니다. 세계가 변화하고 있다는 것을 실감하는 회의였습니다. 인류가 협력의 시대로 갈 수 있다는 것을 확신할 수 있는 회의였습니다.

아세안의 정상들은 서로를 배려하며 상생하려는 의지를 보여 주었습니다. 경제협력뿐 아니라 서로의 삶을 더 가치 있게 하는 것에 관심을 쏟았습니다. 기후 환경과 재난 같은 전 지구적인 문제에도 진정성을 가지고 함께하기로 했습니다. 특히 한반도 평화를 자신들의 문제로 여겨 주신 것에 감격하지 않을 수 없었습니다.

내년 '2019년 한 – 아세안 특별정상회의'와 '제1차 한 – 메콩 정상회의'를 우리나라에서 개최하게 됩니다. 평화의 한반도에서 아세안의 정상들을 반갑게 맞게 되길 바랍니다.

2부 우리는 거대한 물줄기를 바꾸고 있습니다

G20 정상회의를 마치고

2018년 12월 1일, 아르헨티나 부에노스아이레스

부에노스아이레스는 뉴욕에 버금가는 이민자의 도시입니다. 역동적이며 활기차고 포용적입니다. 이곳에서 국제적 과제를 논의하게 되어 뜻깊었습니다.

우리 경제나 세계경제의 성장을 지속하기 위해서는 공정하고 자유로운 무역이 담보되어야 합니다. 이번 G20 정상회의에서 '다자주의' 국제질서 원칙을 확인하고 정상선언문이 발표된 것은 매우 중요한 성과입니다. 세계는 지금 포용적 가치에 공감하고 있습니다. 우리 정부의 경제 정책과 포용국가 비전은 국제적 관심 속에서 진행되고 있습니다. 우리가 함께 잘사는 나라를 만들어 낸다면 지구촌의 새로운 희망이 될 것입니다.

지속 가능한 미래는 평화 안에서만 가능합니다. G20 정상들 모두 한반도 평화를 변함없이 지지했으며, 2차 북미정상회담과 김정은 위원장 서울 답방의 성공을 위해 트럼프 대통령과의 협력은 계속될 것입니다. 믿어 주시기 바랍니다. 정의로운 나라, 국민들의 염원을 꼭 이뤄 내겠다고 다시 한번 다짐합니다.

우리 동포들은 서로 도우며 가장 빛나는 포용 정신을 보여 주셨습니다. 동포들의 헌신적 봉사 정신이 프란치스코 교황님을 감동시켰습니다. 지구 반대편까지 와서 참으로 고생이 많았을 것입니다. 동포 여러분이 너무나 자랑스럽습니다.

오클랜드를 떠나며

2018년 12월 4일, 뉴질랜드 오클랜드

8일간 지구 한 바퀴를 도는 순방을 마쳤습니다. 한반도 평화에 대한 각 나라 지도자들의 지지를 확인했고 대외 무역의 다변화를 위해 많은 협의와 합의를 이뤘습니다.

대통령이 해야 하는 일의 많은 부분이 외교입니다. 한반도 평화, 경제 성장은 외교적 노력에 크게 좌우됩니다. 역사적으로 보아 왔듯, 국내 문제와 외교는 결코 따로 떨어져 갈 수 없습니다. 세계의 변화와 외교의 중요성에 대해 국민들께서 좀 더 관심을 가져 주시길 바라 마지않습니다.

뉴질랜드 아던Jacinda Kate Laurell Ardern 총리와 '사람 중심'의 가치, 포용적 성장의 중요성을 깊이 공감했습니다. 뉴질랜드 제1야당 대표와의 만남도 소중한 시간이었습니다. 책임 있는 정치지도자로서 초당적 외교를 펼치는 모습에 큰 감명을 받았습니다.

혼자서는 갈 수 없는 여정입니다. 항상 새로 시작하는 마음으로 뚜벅뚜벅 앞으로 가겠습니다. 더 많은 국민들께서 동의하고 함께 할 수 있도록 묻고, 듣고, 수용하며 새로운 대한민국을 만들어 내겠습니다. 최선을 다하고 있는 우리 외교관들에게도 많은 격려 바랍니다.

해외 순방 중 동포들과의 만남은 늘 힘이 됩니다. 체코, 아르헨티나에서 그 나라의 주역으로 살아가는 동포들을 뵈었습니다. 뉴질랜드에서는 비바람 속에서 저를 환영해 주셨습니다. 정의롭고 공정한 나라, 평화의 한반도를 바라는 간절한 마음을 결코 잊을 수 없습니다.

2부 우리는 거대한 물줄기를 바꾸고 있습니다

브루나이를 떠나며

2019년 3월 12일, 브루나이 반다르스리브가완

브루나이 국민들과 볼키아Hassanal Bolkiah 국왕께서 순방 내내 세심하게 환대해 주었습니다. 수도 반다르스리브가완 곳곳의 우거진 숲과 장엄한 석양을 잊지 못할 것입니다.

올해 첫 순방 국가이며 국빈방문한 브루나이를 떠나 말레이시아로 갑니다.

브루나이는 보루네오섬 북쪽에 위치한, 인구 40만이 조금 넘는 이슬람 왕국입니다. 작은 나라지만 국민소득이 3만 달러 가까이 되며 국민들은 소박합니다. 우리와는 1984년부터 외교 관계를 맺고 오랫동안 에너지 협력을 이어 왔습니다.

브루나이는 지금 자원부국을 넘어 새로운 성장 동력을 만들기 위해 '비전 2035'를 추진 중입니다. 그 일환으로 브루나이 동서를 잇는 템부롱 대교를 건설 중이며 우리 기업이 건설에 참여해 비전 실현에 기여하고 있습니다. 이번에 우리의 신남방 정책과 연계하여 ICT, 스마트시티, 재생에너지 등 첨단산업과 지적재산권, 국방, 방산 분야까지 경제협력을 강화하기로 했습니다.

브루나이는 한–아세안 대화조정국으로 우리나라와 아세안 국가들 사이의 든든한 우방이 되어 주고 있습니다. 세계의 보물로 불리는 브루나이가 우리와 함께 발전하면서 영원히 아름답기 바랍니다.

2부 우리는 거대한 물줄기를 바꾸고 있습니다

말레이시아를 떠나며

2019년 3월 14일, 말레이시아 쿠알라룸푸르

지난 1월 취임한 압둘라Abdullah 국왕님의 첫 국빈이자 신정부 출범 후 첫 국빈으로 말레이시아에 초청받았습니다. 참으로 영광스러운 일입니다. 그동안 두 나라 국민들이 맺은 우정의 결과입니다.

내년이면 말레이시아와 수교한 지 60년이 됩니다. 서로 닮으려고 노력한, 아주 오래된 친구 나라입니다.

말레이시아와는 작년 교역 규모만 200억 달러에 육박합니다. 한류에도 열광적이며, 수도 쿠알라룸푸르의 상징 페트로나스 트윈빌딩에는 우리 기업의 건설 이야기가 전설처럼 남아 있습니다. 할랄 인증 기반을 가진 말레이시아와 이번에 MOU를 체결하고 2조 달러 규모의 큰 시장에 공동진출하기로 했습니다. 한-말 FTA를 추진하기로 한 것도 의미 있는 성과이며, 코타키나발루에서의 스마트시티 사업은 두 나라의 협력을 넘어 4차 산업혁명 시대를 선도할 수 있는 기회가 될 것입니다.

아시아를 느끼기에 가장 좋은 나라로 말레이시아를 꼽습니다. 모스크와 도교사원이 어울려 있고 아시아의 색, 맛, 소리와 향기가 모여 있습니다. 초록의 도시 쿠알라룸푸르도 인상적입니다. 압둘라 국왕님, 말레이시아 국민들과 마하티르Bin Mohamed Mahathir 총리님의 따뜻한 배려에 감사드립니다. 이제 저는 앙코르와트의 미소를 가진 캄보디아로 갑니다.

캄보디아를 떠나며

2019년 3월 16일, 캄보디아 프놈펜

정성을 다해 환대해 주시고 크메르 문명을 만나게 해 주신 시하모니Norodom Sihamoni 국왕님과 훈센Hun Sen 총리께 깊이 감사드립니다. 캄보디아는 지금 젊은 힘으로 연 7퍼센트의 성장률을 기록하고 있습니다. 우리의 2대 개발협력국이고, 우리는 캄보디아의 제2위 투자국입니다. 양국이 이번에 문안을 확정한 '형사사법공조조약'과 조속히 타결하기로 약속한 '이중과세방지협정'은 인적교류와 경제협력을 넓히는 기반이 될 것입니다.

올해 대화 관계 수립 30주년이 되는 아세안은 우리가 추진하고 있는 신남방 정책의 동반자입니다. 가는 곳마다 우리 기업이 건설한 랜드마크가 있었고 이를 통해 협력의 힘을 확인할 수 있었습니다. 우리 동포들은 현지사회에서 점점 더 위상이 높아지고 있었으며 동포들이 쌓은 신뢰로 공동 번영의 미래를 낙관할 수 있었습니다.

이제 아세안 3개국 순방을 마치고 고국으로 돌아갑니다. 순방의 성과가 우리 경제의 활력을 높일 수 있도록 더욱 노력하겠습니다. 국민 이상의 외교관은 없으며 국민이 곧 국력이라는 사실을 새삼 깨닫습니다. 성원해 주신 국민들께 감사드립니다.

앙코르와트 앞에서 캄보디아 국민들에 대한 존중이 더 깊어졌습니다. 나라마다 역사를 일궈온 자신들만의 저력이 있다는 걸 느꼈습니다. 앙코르와트는 캄보디아의 과거이면서 곧 미래입니다. '메콩강의 기적'이 반드시 이뤄지리란 확신이 듭니다.

                                   2부 우리는 거대한 물줄기를 바꾸고 있습니다

한미 정상회담을 잘 마쳤습니다

2019년 4월 11일, 미국 워싱턴

이번 정상회담 자체가 북미 간의 대화 동력 유지에 큰 도움이 될 것이라
믿습니다. 한국과 미국은 흔들림 없이 함께할 것입니다.

시차를 두고 있지만, 오늘은 대한민국임시정부 수립 100년을 맞는 뜻깊은 날입니다. 미 연방의회에서는 때마침 임시정부를 대한민국 건국의 시초로 공식 인정하는 초당적 결의안을 제출했습니다. 미국과 협력했던 우리 독립운동사의 한 장면을 뒤돌아보는 일도 매우 의미 있으리라 생각합니다.

임시정부는 1940년 9월 광복군을 창설했고, 1941년 12월 10일 대일 선전성명서를 통해 일제와의 전면전을 선포했습니다. 이후 광복군은 영국군과 함께 인도-버마 전선에서 일본군과 싸웠고, 1945년 4월 미국 전략정보국OSS과 국내 진공을 위한 합동작전을 시작했습니다.

한미 양국은 국내 진공작전을 위해 50명의 제1기 대원을 선발했으며, 대원들은 중국 시안에서 미 육군특전단의 훈련을 받고 정예 요원으로 단련되었습니다. 대원 중에는 일본군에서 탈영해 7개월을 걸어 충칭 임시정부 청사에 도착한 청년 김준엽과 장준하도 있었습니다.

연합군과의 공동작전을 통해 승전국의 지위에 서려 했던 임시정

　　　　　2부 우리는 거대한 물줄기를 바꾸고 있습니다

부와 광복군의 목표는 일본의 항복으로 아쉽게도 달성하지 못했지만, 임정 요인들과 광복군 대원들의 불굴의 항쟁의지, 연합군과 함께 기른 군사적 역량은 광복 후 대한민국 국군 창설의 뿌리가 되고, 한미동맹의 토대가 되었습니다.

선대의 아쉬움은 한반도 비핵화와 항구적 평화를 통한 완전한 광복으로 풀어 드릴 것입니다.

미 연방의회의 결의안에는 한국 민주주의의 시작을 임시정부로 규정하며
외교와 경제, 안보에서 한미동맹이 더 강화되어야 한다고 강조했습니다.

2부 우리는 거대한 물줄기를 바꾸고 있습니다

투르크메니스탄을 떠나며

2019년 4월 18일, 투르크메니스탄 아시가바트

투르크메니스탄은 사막의 나라입니다. 수도 아시가바트는 사막이 끝나 가는 곳의 오아시스로 '사랑의 도시'라는 뜻입니다. 실제로 와 보니, 파미르고원을 넘고 카라쿰 사막을 지난 고대인과 낙타들에게 아시가바트가 얼마나 사랑스러웠을지 짐작이 갑니다.

중앙아시아 나라 중에서 우즈베키스탄이나 카자흐스탄은 고려인 동포들 덕분에 우리에게 익숙한 편입니다. 투르크메니스탄은 낯설지만, 삼국지 관우가 탔던 적토마의 나라라 하면 조금 가깝게 생각될지 모르겠습니다. 붉은 땀을 흘리며 천 리를 달리는 '한혈보마' 아할테케를 자랑하는 나라이며 최고의 양탄자로도 유명합니다.

무엇보다 투르크메니스탄은 가스 석유 자원이 풍부하고 발전 가능성이 큰 나라입니다. 지금은 가스 화학 산업의 고부가 가치화를 적극 추진 중입니다. 지난해 말 최초의 대규모 가스화학단지를 우리 기업이 건설해 준공했고 오늘 저는 투르크메니스탄의 대통령과 함께 그 현장을 다녀왔습니다. 이번 순방을 계기로 ICT, 문화, 보건 등으로 협력을 넓히기로 했으며, '신북방 정책'의 주요 파트너가 될 것입니다.

양국의 관계가 아할테케처럼 오래, 멀리 가기를 바라며 오아시스처럼 따뜻하게 맞아 주신 베르디무하메도프Berdymukhammedov 대통령과 투르크메니스탄 국민들께 감사드립니다.

2부 우리는 거대한 물줄기를 바꾸고 있습니다

우즈베키스탄을 떠나며

2019년 4월 21일, 우즈베키스탄 타슈켄트

우즈베키스탄은 중앙아시아에서 가장 혁신적이고 역동적인 나라입니다. 이번 순방을 계기로 농기계 같은 전통산업, ICT·5G 등 첨단산업, 방위산업, 의료클러스터 협력, e-헬스, 금융, 문화유산 보존협력 등 다양한 협력이 시작될 것입니다.

고려인 동포의 눈물 어린 역사 또한 우리의 역사입니다. 우즈베키스탄은 어려울 때 강제이주 당한 고려인들을 따뜻하게 품어 주었습니다. 18만 고려인이 그 사회의 주역으로 살고 있는 우즈베키스탄은 결코 낯선 나라가 아닙니다. 우즈베키스탄과의 깊은 형제애 뒤에는 고려인이 있습니다.

나라 간의 우정이 지리적으로 멀고 가깝고의 문제가 아니라는 것을 우즈베키스탄을 통해 절실히 느꼈습니다. 중앙아시아 우즈베키스탄까지 우리 삶의 영역, 우리 우정의 영역이 얼마든지 넓어져도 될듯 합니다. 한반도 평화와 남북 간 협력을 하루빨리 이루겠다고 다시 한번 다짐했습니다. 우리 국민들이 기차를 타고 유라시아 대륙을 지나 타슈켄트역에 내릴 수 있도록 꼭 만들어 보겠습니다.

미르지요예프Shavkat Mirziyoyev 대통령은 경제 기술 협력을 하고 싶은 첫 번째 국가로 한국을 꼽았고 양국 기업은 플랜트, 발전소, 병원, 교통·인프라, 교육시설 등 120억 달러 수준의 협력 사업을 합의했습니다.

우리는 우즈베키스탄과 '특별 전략적 동반자 관계'가 되었습니다. 동맹 국가에 버금가는 형제 국가라 할 수 있습니다. 1500년 전 고대 고구려 사신의 모습이 사마르칸트 아프로시압 벽화에 새겨져 있습니다. 미르지요예프 대통령은 사마르칸트의 마지막 밤까지 우리 내외와 함께해 주었습니다. 3박 4일 방문 동안 거의 모든 일정을 함께해 준 미르지요예프 대통령의 성의와 환대를 결코 잊지 못할 것입니다. 아쉬운 시간도 끝나 이제 우즈베키스탄을 떠나 카자흐스탄으로 갑니다.

타슈켄트에서 '한국문화예술의 집' 개관식이 있었습니다. 미르지요예프 대통령은 기공식에 이어 개관식에도 참여해 고려인과 한국에 각별한 애정을 보여 주었습니다. 우즈베키스탄 동포간담회도 이곳에서 가졌습니다. 우리 공간에 우리 동포들을 모시고 싶었습니다. 우리 공간을 만드는 데 도움을 주신 우즈베키스탄 정부에 감사드리지 않을 수 없습니다.

2부 우리는 거대한 물줄기를 바꾸고 있습니다

카자흐스탄을 떠나며

2019년 4월 23일, 카자흐스탄 누르술탄

누르술탄 공항에서 독립유공자 계봉우, 황운정 두 분 지사님 내외의 유해
를 고국으로 모셨습니다. 그분들이 헌신했던 조국의 도리라고 믿습니다.

알마티의 고려극장은 연해주에서부터 고려인 동포들의 애환을 보듬으며 공동체의 구심점이 되어 왔습니다. 한국 밖에서 우리말로 공연하는 유일한 극장입니다. 청산리, 봉오동전투의 영웅 홍범도 장군이 말년에 몸을 의탁한 곳이기도 합니다. 고려극장을 찾아 고려인 이주의 역사를 담은 공연을 보며, 우리의 일부인 고려인의 삶과 만났습니다. 이제는 당당한 카자흐스탄의 국민이 된 고려인들이야말로 양국을 이어 주는 튼튼한 가교입니다.

카자흐스탄은 멘델레예프 주기율표의 모든 광물을 가진 자원 부국입니다. 중앙아시아 최대의 물류, 경제 중심국으로 실크로드의 역동성을 되살리고 있습니다. 유럽-중동-아시아를 연결하는 지리적 요충지 카자흐스탄은 우리의 '신북방 정책'에 더없이 좋은 파트너입니다. 또한 스스로 핵보유국의 지위를 포기하고 비핵화의 길을 택해 외교적 안정과 경제 발전을 이룬 카자흐스탄의 경험은 한반도 평화의 여정에 큰 교훈이 될 것입니다.

풍성한 국빈 방문의 성과 외에도 토카예프Kassym-Jomart Tokayev 대통령은 예정이 없이 정상회담 전날 제 숙소를 찾아와 친교의 저녁을 보내고, 비즈니스포럼에 직접 참석했으며, 나자르바예프Nursultan Nazarbayev 초대 대통령과의 마지막 만찬에도 함께하는 등 최상의 예우와 환대를 해 주었습니다. 두 분께 감사를 표합니다.

저는 이제 중앙아시아 3개국 순방을 마치고 돌아갑니다. 우리의 인종, 언어, 문화적인 동질감과 오랜 역사적 인연을 가진 투르크메니스탄, 우즈베키스탄, 카자흐스탄과 함께 '철의 실크로드' 시대를 여는 것은 우리의 미래입니다. 순방의 성과가 우리 경제의 활력으로 이어지도록 챙기겠습니다.

독립운동의 역사는 대한민국의 뿌리입니다. 유해 봉환을 도와주신 카자
흐스탄 정부, 유족들과 고려인 사회에 깊이 감사드립니다.

　　　　　　　　　　　　　2부 우리는 거대한 물줄기를 바꾸고 있습니다

핀란드를 떠나며

2019년 6월 11일, 핀란드 헬싱키

오타니에미 산학연 단지의 알토대학교가 매우 인상적이었습니다. 헬싱키 공대, 헬싱키 예술디자인대, 헬싱키 경제대를 통합해 개교한 알토대는 서로 다른 분야를 성공적으로 융합해 세계 최고 수준의 대학으로 성장했습니다. 알토대가 스타트업의 요람이 된 비결은 '소통과 대화'였습니다. 작은 목소리에도 귀 기울이며 끊임없이 대화하고, 소통의 결과를 하나의 목소리로 모아 한 걸음씩 전진하는 것. 그것이 혁신의 본질이자, 혁신에 성공할 수 있는 필수조건이라는 것을 '혁신의 나라, 핀란드'에서 다시 느꼈습니다.

우리의 혁신 역시 일상의 꾸준한 한 걸음 한 걸음이 모여 만들어지고 있습니다. 우리 정부 출범 이후 신설된 중소벤처기업부는 이번 순방에서 최초로 스타트업 서밋을 가졌습니다. 중소기업과 스타트업 협력에 관한 MOU를 맺고, 핀란드에 '코리아 스타트업센터'도 설치하기로 했습니다. 미래 신성장 산업, 스타트업과 혁신 분야에서 서로에게 도움을 주게 될 것입니다. 핀란드는 성평등한 사회문화로 여성 고용과 출산율을 끌어올리는 데 성공한 대표적 국가입니다. 새정부 여성 장관 비율이 50퍼센트를 넘는 등 여성 대표성 분야에서도 가장 적극적입니다. 여성 정책에 있어서 국제사회와의 협력이 기대됩니다.

'헬싱키 프로세스'로 냉전 시대 동서 진영 사이의 화합을 이끌어 낸 핀란드 정부는 이번 순방에서 한반도 평화 여정에 지지를 표했습니다. 우리 스스로 모색하고 만들어 간 혁신이 결실을 맺어 가고, 국제사회와의 협력을 통해 더 큰 열매로 이어지는 과정 하나하나가 참 소중하고 감사합니다.

핀란드와 우리는 혁신과 열정, 불굴의 정신이 많이 닮았습니다. 양국은 혁신적 포용 사회를 달성해 나가는 한편, 일과 가정이 균형을 이루는 사회를 만들기 위해 긴밀히 협력할 것입니다.

저는 이제 헬싱키를 떠나 적극적으로 평화를 만들어 온 노르웨이로 갑니다. 우리를 따뜻하게 맞아 주신 핀란드 국민들과 니니스퇴Sauli Vainamo Niinisto 대통령님, 린네Antti Rinne 총리께 깊이 감사드립니다.

2부 우리는 거대한 물줄기를 바꾸고 있습니다

헬싱키의 나무들은 키가 큽니다. 자연은 자연대로 자라고, 사람은 자연에게 공간을 빌려 어울려 사는 듯합니다. 핀란드의 혁신도 그런 조화로부터 시작되고 있었습니다.

노르웨이를 떠나며

2019년 6월 13일, 노르웨이 오슬로

오슬로엔 비가 내립니다. 바다는 사람들 곁에서 출렁이고, 숲은 길옆에서 울창합니다. 오페라 하우스는 눈썰매장처럼 지어져 누구나 가까이 가고 싶게 했습니다. 오슬로는 비가 내려도 모두 함께 비를 맞으며 행복하게 살고 있습니다.

노르웨이는 우리에게 '평화'로 기억되는 나라입니다. 한국전쟁 당시 노르웨이 출신 트리그베 리 초대 유엔사무총장이 국제사회에 강력한 요청한 덕분에 유엔군이 파병되었습니다.

노르웨이는 국제분쟁 해결뿐 아니라 일상에서 국민들이 평화를 만끽하도록 노력해 왔습니다. 저는 깊은 감명을 받았고, 오슬로포럼 연설에서 우리 국민들이 당연히 누려야 할 평화를 먼저 실천해 가자고 말씀드렸습니다.

노르웨이는 무엇보다 깨끗한 환경이 인상 깊었습니다. 2019년 유럽환경수도로 선정된 오슬로와 그리그의 음악이 녹아 있는 베르겐 모두 청정했고 아름다웠습니다.

'사람 중심 도시'를 꿈꾸는 노르웨이는 미래형 친환경 자율운행 선박, 차세대 무공해 에너지인 수소경제에 힘쓰고 있습니다. 과학

　　　2부 우리는 거대한 물줄기를 바꾸고 있습니다

기술 정책을 비롯해 환경보호와 포용국가 실현, 기후 변화 대응과 개발협력 분야까지 노르웨이와 적극적으로 협력하기로 했습니다.

수교 60년을 맞은 특별한 해에 두 나라의 우정이 더욱 깊어지게 되어 기쁩니다. 국민이 행복하기 위해서는 "꼭 경제 성장만이 주요 목표가 되어서는 안 되고, 사회적인 균형이 있어야 된다"는 솔베르그Erna Solberg 총리의 말씀을 가슴에 담고 갑니다. 높은 성평등을 이뤄 낼 수 있었던 것도 누구 하나 배제되지 않기를 바라는 노르웨이 국민들의 노력이 있었기에 가능했으리라 생각합니다.

모든 일정에 함께해 주신 하랄 5세Harald V 국왕님께 각별히 감사드립니다. 써라이데 외교부 장관과 페르센 베르겐 시장께도 다시 만나자고 인사드립니다. 미소가 부드러운 노르웨이 국민들 덕분에 일정 내내 행복했습니다.

한국과 노르웨이는 오래오래 서로에게 도움을 주는 친구가 될 것입니다. 저는 이제 핵을 버리고 신뢰로 평화를 이룬, 스칸디나비아 순방 마지막 나라 스웨덴으로 갑니다.

한국전쟁 때 의료지원단을 파견하여 우리를 도운 노르웨이에 70년이 지
난 후 병원 기능을 보유한 최대 규모의 군수지원함을 건조해 수출한 것
은 매우 의미심장한 일입니다. 오늘 국왕님의 조모의 이름을 붙인 이 배
에 국왕님과 함께 승선해 해군의 사열을 받았습니다. 방산, 조선, 수산협
력의 상징이 될 것입니다.

2부 우리는 거대한 물줄기를 바꾸고 있습니다

스웨덴을 떠나며

2019년 6월 16일, 스웨덴 스톡홀름

정상회담을 가진 쌀트쉐바덴은 오늘의 스웨덴으로 있게 한 곳입니다. 이
곳에서 노조와 기업 간의 양보와 협력이 시작되었습니다. 이를 통해 국
민과 정부 간의 신뢰도 굳어졌습니다. 신뢰와 협력을 상징하는 쌀트쉐바
덴에서 뢰벤 총리와 저는 포용적 사회, 평화와 인권 등 인류를 위한 일에
함께하기로 약속했습니다.

스웨덴은 서울, 평양, 판문점 세 곳에 공식 대표부를 둔 세계 유일한 나라입니다. 2000년 남북정상회담과 1, 2차 북미정상회담을 준비하는 과정에서 당사자국들의 만남과 대화의 기회를 마련해 주기도 했습니다. 세계 평화가 곧 자국의 평화라는 걸 스웨덴은 너무나 잘 알고 세계 평화를 위해 적극적으로 노력하고 있습니다.

스웨덴은 핵을 포기하고, 서로 간의 신뢰를 바탕으로 한 평화를 선택했습니다. 스웨덴 의회연설에서 저는 한반도 평화를 위한 방법으로 남북 국민들 사이의 신뢰, 대화에 대한 신뢰, 국제사회의 신뢰를 말씀드렸습니다. 마음을 연결하는 일이 평화에 더 빠르게 닿는 길이라 생각합니다.

어제 우리나라에 최초의 전화기를 설치한 에릭슨사를 방문했습니다. 서울과 인천 사이를 연결한 이 전화가 김구 선생을 살렸습니다. 사형 소식을 들은 고종황제께서 급히 전화를 걸어 선생의 사형을 중지시켰습니다. 독립운동 지도자를 잃을 수도 있었던 아찔한 순간이었습니다.

지금 우리와 스웨덴은 함께 사람과 사람, 사람과 사물을 잇는 5G

시대를 이끌어 가고 있습니다. 수교 60년을 맞아 5G 통신장비, 바이오 헬스, 친환경차 배터리 외에도 4차 산업혁명의 핵심인 탄소 융복합 소재 산업, 사물인터넷 기반 융합 산업에서도 협력을 강화하며 4차 산업혁명 시대를 함께 준비해 가기로 했습니다.

극진하게 맞아 주신 칼 구스타프 16세Carl XVI Gustaf 국왕님과 실비아Silvia Renate Sommerlath 왕비님을 비롯한 왕실 가족 여러분께 감사드립니다. 국왕님은 스톡홀름에 한국전 참전 기념비를 세울 수 있도록 스웨덴 왕실 소유 땅을 내어 주셨습니다. 스웨덴 참전 용사들의 희생과 헌신을 기릴 수 있게 되어 마음의 빚을 많이 덜었습니다.

안드레아스 노를리엔Per Olof Andreas Norlén 의장님, 스테판 뢰벤Stefan Lofven 총리님께도 특별히 감사드립니다. 두 나라 사이에 멋진 다리가 놓인 기분입니다. 이제 스웨덴 국민들의 혁신적이면서도 따뜻하고 서로를 존중하는 마음을 담아 돌아갑니다.

핀란드, 노르웨이, 스웨덴 순방의 성과가 경제 활력과 한반도 평화로 이어질 수 있도록 하겠습니다.

스웨덴 수도 스톡홀름은 14개의 섬을 연결해 만든 도시입니다. 57개의 다리가 있다고 하는데, 눈길 닿는 곳마다 크고 작은 다리들이 인상적이 었습니다. 자연과 사람 사이를 잇고, 마음과 마음이 가까워지면서 살기 좋은 나라 스웨덴이 된 것 같습니다.

2부 우리는 거대한 물줄기를 바꾸고 있습니다

오사카를 떠나며

2019년 6월 29일, 일본 G20 정상회의

지금 지구촌의 공통된 관심은 역시 "지속 가능하고 포용적인 성장을 할 수 있을까?"였습니다. 각 나라의 정상들은 이를 함께 이뤄 나가자 결의했고 협력을 약속했습니다.

G20 정상회의를 마치고 구름이 걷히지 않은 오사카를 떠납니다.

갈수록 국가 운영에서 외교의 비중이 커지고 있습니다. 먼저, 자국우선주의와 보호무역이 확산되면서 각 나라 간 무역, 투자, 인적 교류에 대한 경쟁이 치열합니다. 서로에게 도움이 되도록 신뢰를 쌓는 일이 더욱 중요해졌습니다. 또한 기후 변화, 미세먼지 같은 환경문제 등 자신의 노력만으로 해결할 수 없는 일들이 점점 많아집니다. 각 나라 미세먼지와 해양플라스틱 같은 공통 관심사에 대해서도 유익한 이야기를 나눴습니다.

한반도 평화는 직접 당사자들 간의 대화만큼 다자간 외교를 통한 국제사회의 동의와 지지가 필요합니다. 동서독 통일 과정에서 당시 서독 헬무트 콜 총리는 통일된 독일이 유럽 발전에 이득이 될 것이라고 부지런히 설파했습니다. 베를린 장벽이 무너지고 10개월 동안 콜 총리는 대략 아버지 부시를 여덟 번, 미테랑 대통령을 열 번, 고르바초프를 네 번 만나 신뢰를 쌓았습니다.

우리 또한 한반도 평화가 아시아의 발전에 이득이 되고, 세계 평화에 기여할 것이라는 것을 끊임없이 확인시키고 설득해야 합니다.

2부 우리는 거대한 물줄기를 바꾸고 있습니다

국제외교는 평화를 완성해 가는 길이면서 동시에 완성된 평화를 지속 가능하게 하는 길입니다. 우리가 주도권을 갖고 우리의 운명을 결정하는 일이기도 합니다.

신뢰를 쌓아야 할 정상들, 지지를 얻어야 할 나라들이 매우 많습니다. 이번에 2박 3일의 짧은 기간이었지만 우리를 둘러싼 4강의 정상 가운데 시진핑 주석, 푸틴 대통령을 만났고 이제 서울에서 트럼프 대통령과 정상회담을 갖습니다. 지금까지 시진핑 주석과 푸틴 대통령은 다섯 차례, 트럼프 대통령과는 친서 교환과 전화 통화를 빼고 이번이 여덟 번째 만남입니다. 일본의 적극적 지지가 더해진다면 우리의 평화는 좀 더 빠르게 올 것입니다. 일본과의 선린 우호 관계를 위해서도 계속 노력하겠습니다.

해외동포들과 해외 관광객이 많아지면서 우리 국민을 위한 외교의 역할도 커졌습니다. 경제 활동, 교육을 지원하고 안전을 보장하기 위해 상대 나라와 긴밀히 협력해야 합니다. 재일 동포 간담회에서 동포들의 삶의 이야기를 생생하게 들을 수 있었습니다. 재일 동포들은 오랜 시간 어려움을 겪으면서도 오히려 조국에 대한 사랑을 더 키워 오셨습니다. 한일 관계를 잘 풀어내 한반도 평화뿐 아니라 동포들이 일본사회에서 당당히 사실 수 있도록 만들겠습니다.

많은 나라가 우리와 협력하기를 바라고 있습니다. 우리 경제의 역량이 높아졌고, 성숙하며 평화적인 방법으로 민주주의를 일궈 낸 우리 국민들의 문화 역량을 높이 평가하기 때문입니다.

국민 여러분, 감사합니다. 우리는 거대한 물줄기를 바꾸고 있습니다. 두렵지만 매우 보람된 일이 될 것입니다. 우리부터 서로 믿고 격려하며 지치지 않길 바랍니다.

태국을 떠나며

2019년 9월 3일, 태국 방콕

방콕은 활기가 넘칩니다. 짜오프랴야강에는 많은 배가 오가고, 사원의 고요함과 시장의 떠들썩함이 조화롭게 어울리고 있었습니다. 곳곳에서 관광대국 태국의 매력이 느껴졌습니다.

태국 순방 중 특별히 인상에 남는 행사는 국가인증 상표를 단 우리 중소기업 제품을 태국 국민들에게 소개하는 '브랜드 K' 론칭 행사였습니다. 한류 문화가 더해 준 우리의 경쟁력을 다시 한번 확인할 수 있었습니다. 한류 문화를 통해 우리 제품을 좋아하고, 한글을 공부하고, 한국을 사랑하게 만들었습니다.

우리 중소기업 제품의 우수성도 자랑스러웠습니다. 중소기업이라 브랜드 파워에서 밀렸지만, 이제 국가인증 브랜드로 당당하게 경쟁할 수 있게 되었습니다. 그 바탕에 '메이드인 코리아'에 대한 신뢰가 있습니다.

태국에서 참전 용사들께 '평화의 사도 메달'을 달아 드릴 수 있어, 매우 기뻤습니다. 따뜻하게 맞아 주신 쁘라윳 총리님 내외와 태국 국민들의 미소가 오래 기억날 것입니다.

태국은 한국전쟁 참전국으로 우리의 영원한 우방입니다. 양국은 미래산
업 분야뿐 아니라 국방과 방산 분야에서도 협력하기로 약속하며 더욱
긴밀한 관계가 되었습니다. 쁘라윳Prayuth Chanocha 총리님은 우리 드라마
〈태양의 후예〉를 재미있게 보셨다고 하셨고, 〈아리랑〉을 흥얼거리기도
하셨습니다.

미얀마를 떠나며

2019년 9월 5일, 미얀마 양곤

아웅산 묘역에는 35년이 지난 지금까지 잊을 수 없는 아픔이 남겨져 있습니다. '대한민국 순국사절 추모비'에 헌화하며 북한의 폭탄테러로 희생된 우리 외교 사절단을 기리고, 유가족들의 슬픔을 되새겼습니다. 우리가 온전히 극복해야 할, 대결의 시대가 남긴 고통이 아닐 수 없습니다.

양곤에 내리는 비는 벼 이삭을 적시고, 열기를 식히고, 우리 일행들의 마음에 잠시 여유를 주었습니다. 골고루 나누어 주는 비처럼, 미얀마 사람들은 나눔으로 공덕을 쌓고 어른을 공경하며 서로 협력하며 살아갑니다. 우리네 고향 마을 이웃들 같았습니다.

미얀마는 한국전쟁 때 쌀을 보내 우리에게 폐허를 딛고 일어날 힘을 주었습니다. 미얀마와의 협력은 서로의 성장을 돕는 길이면서 동시에 미덕을 나누는 일입니다. 양곤 인근에 건설될 경제협력산업단지는 빠르게 성장 중인 미얀마 경제에 가속을 붙이고 우리 기업들에게도 새로운 기회를 선사할 것입니다. 한국의 경험과 미얀마의 가능성이 만났습니다. 우리는 닮은 만큼 서로 신뢰하는 동반자가 될 것입니다.

따뜻하게 맞아 주신 미얀마 국민들과 우 윈 민Win Myint 대통령님, 도 아웅산 수찌Aung San Suu Kyi 국가고문님께 감사드립니다. 이제 '한강의 기적'은 '양곤강의 기적'으로 이어질 것입니다.

2부 우리는 거대한 물줄기를 바꾸고 있습니다

라오스를 떠나며

2019년 9월 6일, 라오스 비엔티안

라오스는 '모든 강의 어머니' 메콩을 가장 길게 품고 아세안의 물류허브
로 성장하고 있는 나라입니다.

아세안 나라들은 메콩강의 잉어처럼 힘차게 도약하고 있습니다. 모두 젊고 역동적이어서 미래가 밝습니다. 조화와 나눔의 문화로 서로의 나라를 존중하면서 발전하는, 새로운 세계질서를 만들어 낼 것입니다.

우리에게 아세안과의 협력은 경험과 가능성을 나누며 지속 가능한 성장 기반을 만드는 일입니다. 특정 국가에 대한 의존도를 줄여 수출을 다변화하고 자유무역의 영역을 확대하는 길이기도 합니다. 대륙과 해양을 잇는, 진정한 '교량 국가'가 되기 위해 우리는 아세안과 굳게 손을 잡아야 합니다.

라오스 분냥Bounnhang Vorachith 대통령님과의 정상회담으로 아세안 10개 나라 정상들을 모두 만났습니다. 한결같이 우리와의 협력을 반가워했고 한반도 평화를 지지해 주셨습니다. 그사이, 베트남에서는 LNG 수입기지인 티바이 LNG 터미널을 수주했고, 말레이시아에서는 스마트시티 시범사업을 시작했으며, 다른 많은 사업들이 성과를 거두고 있습니다.

무엇보다 힘이 되었던 것은 순방 때마다 만난 현지의 우리 기업,

교민들과 아세안을 찾는 우리 국민들이었습니다. 아세안이 사랑하는 한류 문화의 저력도 실감했습니다. 대한민국의 위상을 높여 주신 우리 국민들께 진심으로 감사드립니다.

올해 11월 부산에서 개최되는 '한－아세안 특별정상회의'와 최초로 열리는 '한－메콩 정상회의'는 결코 의례적인 국제회의가 아닙니다. 자연과 사람이 함께 번영하는 인도네시아, 아세안의 미래 필리핀, 아세안 경제의 심장 베트남, 개방과 포용의 나라 싱가포르, 아시아 문화융합의 힘 말레이시아, 메콩강의 도약 캄보디아, 번영의 인프라를 놓는 브루나이, 문화 교류와 관광을 선도하는 태국, 나눔으로 번영을 꿈꾸는 미얀마, 아세안의 배터리 라오스, 이 소중한 나라들과 우정을 쌓고 공동 번영의 씨앗을 심는 매우 중요한 회의입니다. 우리 국민들께서 함께해 주셔야 성공할 수 있습니다.

아세안 10개 나라 순방을 잘 마쳤습니다. 조용한 미소와 세심한 배려로 맞아 주신 라오스 국민들께 다시 만나자는 인사를 드립니다. 우리 경제의 희망을 안고 돌아갑니다.

저는 분냥 대통령과 메콩강 가에 '우의와 공동 번영의 나무'를 심었습니
다. 라오스와 아세안을 사랑하는 우리의 마음처럼 잘 자라길 기원합니다.

2부 우리는 거대한 물줄기를 바꾸고 있습니다

뉴욕을 떠나며

2019년 9월 25일, 미국 뉴욕

비무장지대의 국제 평화지대화는 북한의 안전을 보장하면서 동시에 우리의 안전을 보장받는 방법입니다. 구테흐스Antonio Guterres 사무총장을 비롯해 많은 호응이 있었습니다. 나라다운 나라에 우리는 아직 도달하지 못했습니다. 우리의 위상을 높이는 것은 남이 아닌 바로 우리 자신입니다.

유엔총회에 3년을 계속해서 참석했습니다. 국제사회에 우리의 의지를 전달하고 함께 행동해야 할 일이 많아졌기 때문입니다.

2017년 첫해는 전쟁 위기라는 말이 나올 정도로 고조된 한반도의 군사적 긴장을 해소하기 위한 대화의 문을 여는 것이 절실한 과제였습니다. 유엔은 2018년 중점 과제로 한반도 비핵화를 선정했고, 유엔의 '휴전 결의안'은 평창동계올림픽을 성공적인 평화올림픽으로 치르는 데 큰 힘이 되었습니다.

남북 정상회담과 북미 정상회담이 이룬 결과는 세계인들에게 대화로 평화를 만들어 낼 수 있다는 희망을 주었습니다. 지난해 유엔총회는 한반도 평화프로세스에 대한 국제적 지지를 더욱 높이는 자리였습니다.

올해 저는 두 개의 목표를 가지고 유엔총회에 참석했습니다.

첫째는 국제사회로부터 우리가 받은 이상으로 책임을 다하는 모습을 보여 주는 것이었습니다. 전쟁을 이겨 내고 중견국가가 되기까지 유엔으로부터 많은 도움을 받았지만 이제 많은 역할을 할 정도로 우리는 성장했습니다. 기후행동과 지속가능발전을 위한 다자주의적 노력에 우리의 몫을 다할 것입니다.

둘째는 한반도 비핵화와 평화를 위한 새로운 제안입니다. 기조연설에서 밝힌 비무장지대의 국제 평화지대화가 그것입니다. 북한이 진정성 있게 실천할 경우 유엔이 할 수 있는 상응조치입니다. 뉴욕은 다양한 사람들이 다양한 힘을 쏟아 내는 곳입니다. 세계를 이끄는 미국의 힘을 느낍니다. 하지만 역동성에서는 우리도 결코 뒤지지 않습니다. 우리는 반드시 희망을 현실로 만들어 낼 것입니다.

국제회의에 참석할 때마다 우리의 위상을 실감합니다. 우리나라에 대한 관심과 기대는 오직 우리 국민들이 이뤄 낸 성취입니다. 평화도 경제활력도 개혁도 변화의 몸살을 겪어 내야 더 나아지는 방향으로 갈 수 있다고 믿습니다.

2부 우리는 거대한 물줄기를 바꾸고 있습니다

태국을 떠나며

2019년 11월 5일, 태국 아세안+3 동아시아 정상회의

아시아의 가능성은 전통에 있습니다. 사람과 자연을 함께 존중하는 정신
은 기후 환경 문제를 해결할 해법을 제시하고, 상부상조의 나눔과 협력
정신은 포용으로 이어져 지속 가능한 미래를 제시합니다.

이번 태국에서의 아세안+3, 동아시아 정상회의에서 각 나라 정상들은 그동안 협력으로 여러 위기에 함께 대응해 온 것을 높이 평가했고, 앞으로도 테러, 기후 변화, 재난관리, 미래 인재양성 등에 대해 긴밀히 협력하기로 했습니다.

특히 RCEP 협정문 타결은 세계 최대 규모의 자유무역 시장을 열고, 서로의 다양성을 존중하며 협력하는 경제 공동체의 길을 보여주게 될 것입니다. 아시아의 협력은 서구가 이끌어 온 과학기술 문명 위에서 사람 중심의 새로운 문명을 일으키는 힘이 될 것입니다.

아베 총리와는 대화의 시작이 될 수도 있는 의미 있는 만남을 가졌으며, 모친상에 위로전을 보내 주신 여러 정상들에게 일일이 감사 인사를 드렸습니다. 트럼프 대통령도 오브라이언 국가안보보좌관을 통해 위로 서한을 보내 주셨는데, 어머니가 흥남 철수 때 피난 오신 이야기를 기억해 주셨습니다.

부산 '한－아세안 특별정상회의'와 '한－메콩 정상회의'가 20일 앞으로 다가왔습니다. 두 회의의 성공과 아시아가 열게 될 미래를 위해 국민들께서도 관심을 가져 주시길 바랍니다.

2부 우리는 거대한 물줄기를 바꾸고 있습니다

청두를 떠나며

2019년 12월 24일, 중국 한·중·일 정상회의

세계 G2 국가인 중국, 세계 3위 경제 대국 일본과 어깨를 나란히 하며, 우리는 유럽, 북미와 함께 세계 3대 경제권을 형성하고 있습니다. 더 시야를 넓혀 보면, 우리는 아시아의 시대를 함께 여는 당당한 일원이 되고 있습니다.

청두를 떠나며 돌아가는 비행기 안에서 생각해 봅니다.

우리는 한국인입니다. 한글을 쓰고 김치를 먹으며 자랐습니다. 강대국에 둘러싸여 어려움을 겪으면서도 우리는 정체성과 고유한 문화를 지켰고, 경제적으로 당당한 위상을 갖게 되었습니다. 오늘의 우리는 우리나라를 자랑스러워해도 됩니다.

한·중·일 3국은 불행한 과거 역사로 인해 때때로 불거지는 갈등 요소가 분명히 있습니다. 그러나 우리는 오랜 역사와 문화를 공유하는 가장 가까운 이웃입니다. 다른 듯한 문화 속에서 서로 통하는 것을 느낄 수 있습니다. 또한 서로에게 도움을 주는 분업과 협업 체제 속에서 함께 발전해 왔습니다. 과거의 역사를 직시하면서도 미래지향적인 협력을 계속 발전시켜 나가야 합니다.

오늘 3국은 끝까지 이견을 조정하여 '향후 10년 한·중·일 3국 협력 비전'을 채택했고 3국 협력을 획기적으로 도약시키기로 했습니다. 대기오염, 보건, 고령화같이 국민들의 삶의 질을 개선하는 구체적 협력에서부터 보호무역주의, 4차 산업혁명이라는 시대의 도전에도 함께 대응할 것입니다.

2부 우리는 거대한 물줄기를 바꾸고 있습니다

아베 총리와의 한일 정상회담도 매우 유익한 진전이었다고 믿습니다. 양국 국민들께 희망을 드릴 수 있기를 바랍니다. 중·일 정상들이 북미 대화 재개의 중요성에 공감하고 한반도 평화를 위해 함께 노력해 주고 계신 것에 대해서도 감사드립니다.

사람을 먼저 생각하는 한·중·일 3국의 인문 정신이 3국 협력을 넘어 세계를 변화시키는 동력이 될 것입니다. 3국은 수천 년 이웃입니다. 우리는 더 긴밀히 협력해야 하고 협력 속에서 함께 잘사는 것이 우리가 걸어가야 할 길입니다.

청두는 유서 깊은 곳입니다. 시성 두보의 발자취가 남아 있고, 삼국지의
제갈공명, 유비, 관우, 장비, 조자룡이 우정을 나누며 대의명분을 실천한
곳입니다. 어느 나라든 홀로 잘살 수 없습니다. 이웃 국가들과 어울려 같
이 발전해 나가야 모두 함께 잘살 수 있습니다.

2부 우리는 거대한 물줄기를 바꾸고 있습니다

최고의 순방이었고,
최고의 회담이었습니다

2021년 5월 23일, 미국 워싱턴

바이든Joe Biden 대통령님과 해리스Kamala Harris 부통령님, 펠로시Nancy Pelosi
의장님 모두 쾌활하고, 유머있고, 사람을 편하게 대해 주는 분들이었습니
다. 바이든 대통령님과 해리스 부통령님, 그리고 펠로시 의장님을 비롯한
미국의 지도자들에게 존경과 감사의 인사를 전합니다.

코로나 이후 최초의 해외 순방이고 대면 회담이었던 데다, 최초의 노마스크 회담이어서 더욱 기분이 좋았습니다.

바이든 대통령님과 펠로시 의장님은, 연세에도 불구하고 저보다 더 건강하고 활기찼습니다. 무엇보다 모두가 성의있게 대해 주었습니다. 정말 대접받는다는 느낌이었습니다. 우리보다 훨씬 크고 강한 나라인데도 그들이 외교에 쏟는 정성은 우리가 배워야 할 점입니다.

회담의 결과는 더할 나위 없이 좋았습니다. 기대한 것 이상이었습니다. 미국이 우리의 입장을 이해하고 또 반영해 주느라고 신경을 많이 써 주었습니다. '백신 파트너십'에 이은 백신의 직접지원 발표는 그야말로 깜짝 선물이었습니다. 미국민들이 아직 백신접종을 다 받지 못한 상태인 데다, 백신 지원을 요청하는 나라가 매우 많은데 선진국이고 방역과 백신을 종합한 형편이 가장 좋은 편인 한국에 왜 우선적으로 지원해야 하나라는 내부의 반대가 만만찮았다고 하는데 한미동맹의 중요성을 특별히 중시해 주었습니다.

성김 대북특별대표의 임명 발표도 기자회견 직전에 알려 준 깜짝

2부 우리는 거대한 물줄기를 바꾸고 있습니다

선물이었습니다. 그동안 인권대표를 먼저 임명할 것이라는 관측이 많았으나, 대북 비핵화 협상을 더 우선하는 모습을 보여 주었습니다. 성김 대사는 한반도 상황과 비핵화 협상의 역사에 정통한 분입니다. 싱가포르 공동성명에 기여했던 분입니다. 통역 없이 대화할 수 있는 분이어서 북한에 대화의 준비가 되어 있다는 메시지를 보낸 셈입니다.

미국 국민들과 우리 교민들의 환대를 잊지 못합니다. 의원 간담회에 참석해 주셨던 한국계 의원 네 분께도 특별히 감사드립니다. 한국을 사랑하고 저를 격려해 주는 마음을 진심으로 느낄 수 있었습니다. 한국에서 뵙겠습니다.

콘월, G7 정상회의를 마치고

2021년 6월 13일, 영국 G7 정상회의

G7 정상회의에 초청받아 모든 일정을 잘 마쳤습니다. 보건, 열린사회, 기후환경, 각 주제별로 지구촌의 책임 있는 나라들이 진솔한 의견을 나눴습니다. 우리도 지속 가능한 세계를 위해 국격과 국력에 맞는 역할을 약속했고, 특히 선진국과 개도국 간의 가교 역할을 강조했습니다.

2부 우리는 거대한 물줄기를 바꾸고 있습니다

G7 정상회의를 계기로 가진 만남들도 매우 의미 있었습니다. 아스트라제네카 소리오 회장과는 백신생산 협력을 논의했고, 독일 메르켈 총리와는 독일의 발전한 백신개발 협력에 대한 의견을 나눴습니다. 호주 모리슨Scott Morrison 총리와는 수소경제 협력, EU의 미셸 상임의장과 라이엔Ursula von der Leyen 집행위원장과는 그린, 디지털 협력에 공감했습니다.

프랑스 마크롱 대통령과도 첨단 기술과 문화·교육 분야 등의 미래 협력을 다짐했습니다. 우리의 외교 지평이 넓어지고 디지털과 그린 분야 협력이 확대 발전할 기회가 될 것입니다. 스가 총리와의 첫 대면은 한일 관계에서 새로운 시작이 될 수 있는 소중한 시간이었지만, 회담으로 이어지지 못한 것을 아쉽게 생각합니다.

G7정상회의에 참석하면서 두 가지 역사적 사건이 마음속에 맴돌았습니다. 하나는 1907년 헤이그에서 열렸던 만국평화회의입니다. 일본의 외교 침탈을 알리기 위해 시베리아 횡단철도를 타고 헤이그에 도착한 이준 열사는, 그러나 회의장에도 들어가지 못했습니다. 다른 하나는 한반도 분단이 결정된 포츠담회의입니다. 우리는 목소

리도 내지 못한 채 강대국들 간의 결정으로 우리 운명이 좌우되었습니다.

오늘 대한민국은 세계 10위권의 경제 대국이 되었고, 세계에서 가장 성숙한 국민들이 민주주의와 방역, 탄소중립을 위해 함께 행동하는 나라가 되었습니다. 이제 우리는 우리 운명을 스스로 결정하고, 다른 나라와 지지와 협력을 주고받을 수 있는 나라가 되었습니다.

많은 나라가 우리나라와 협력하기를 원합니다. 지속 가능한 세계를 위해 우리의 목소리를 낼 수도 있게 되었습니다. 참으로 뿌듯한 우리 국민들의 성취입니다. G7정상회의 내내 우리 국민을 대표한다는 마음으로 임했습니다. 대한민국을 자랑스럽게 여깁니다. 진심으로 감사드립니다.

비엔나를 떠나며

2021년 6월 15일, 오스트리아 비엔나

오스트리아의 수준 높은 과학기술과 우리의 상용화 능력이 만나 두 나라 모두 도약의 기회가 될 것입니다. 성의를 다해 우리 대표단을 맞아 주신 판 데어 발렌Alexander Van der Bellen 대통령과 쿠르츠Sebastian Kurz 총리께 깊이 감사드립니다.

오스트리아는 소록도 한센병 환자들을 돌봐 주었던 마리안느, 마가렛 두 천사의 고향이며 모차르트, 요한 슈트라우스, 슈베르트 같은 우리 국민들이 사랑하는 음악 대가들을 배출한 고전음악의 나라입니다. 우리와 외교 관계를 수립한 지 129년 되었지만, 한국 대통령으로서는 처음 방문했습니다.

양국은 수소산업과 탄소중립, 문화와 청소년 교류에 대한 긴밀한 협력 관계를 수립했고, 양국 관계를 '전략적 동반자 관계'로 격상했습니다. 오스트리아로서는 같은 중립국인 스위스 다음으로 두 번째 맺는 관계라고 합니다.

오스트리아의 힘은, 유럽의 역사와 문화의 중심이라는 자부심에 더해, 분단의 위기를 극복한 중립국이라는 것에 있습니다. 오스트리아는 제2차 세계대전 패전국이었지만 좌우를 포괄한 성공적인 연립정부 구성으로 승전국들의 신뢰를 얻었습니다. 이후 10년의 분할 통치 끝에 완전한 통일국가를 이뤘습니다. 지금도 이념을 초월한 대연정으로 안정적인 정치구조를 이루고 있습니다. 그 힘으로 오스트리아는 비엔나에 위치한 수많은 국제기구와 함께 세계의 평

2부 우리는 거대한 물줄기를 바꾸고 있습니다

화에 크게 기여하고 있습니다.

다뉴브강이 낳은 오스트리아의 정치와 과학, 인문과 예술의 성취는 훌륭합니다. 그러나 한강이 이룬 기적의 역사 역시 이에 못지않습니다. 비엔나를 떠나 마드리드로 향하면서, 이제는 우리가 우리 자신을 믿을 때라는 생각을 갖습니다.

우리는 선도국가, 평화의 한반도를 만들어 세계사에 새로운 시작을 알릴 수 있습니다. 우리 국민들은 충분한 자격이 있고 해낼 능력이 있습니다.

외교 현장에서 느낍니다. 경제에서도, 코로나 극복에서도, 문화예술에서
도, 우리는 우리 생각보다 세계에서 훨씬 높은 평가를 받고 있습니다. 이
제 우리 차례입니다.

2부 우리는 거대한 물줄기를 바꾸고 있습니다

바르셀로나를 떠나며

2021년 6월 17일, 스페인 바르셀로나

스페인은 대항해시대를 열며 세계사를 바꿨습니다. 지금 스페인은 그때
처럼 세계로 나아가고 있습니다. 대한민국도 대륙과 해양을 잇고, 선진국
과 개도국을 연결하는 교량 국가를 추구합니다.

드디어 끝났습니다. 체력적으로 매우 벅찬 여정이었습니다. 하지만 그런 만큼 성과가 많았고 보람도 컸습니다. 코로나 이후 대한민국을 가장 먼저 국빈 초청해 주시고, 많은 일정을 함께해 주신 펠리페Felipe VI 국왕님과 산체스Pedro Sanchez 총리께 다시 한번 감사드립니다.

스페인의 심장 마드리드에는 분수가 많습니다. 분수는 시원하면서도 동적인 아름다움을 보여 줍니다. 마드리드의 역동성을 보여 주는 상징처럼 느꼈습니다. 바르셀로나는 바다를 끼고 있는 모습, 항만, 쌓여 있는 컨테이너들, 해운대 같은 모래사장 해변 등 부산과 무척 많이 닮았습니다.

스페인은 우리에게 산티아고 순례길, 예술과 건축, 정열, 축구의 나라로 떠올려집니다. 몬주익의 영웅 황영조의 기억도 있습니다. 그렇지만 스페인은 신재생에너지 비율이 40퍼센트에 이르는 친환경에너지 기술 강국이고, 세계 2위의 건설 수주국입니다. 우리와는 태양광과 풍력발전소 건설에 서로 협력하고 있고, 해외 인프라 건설 시장에도 최대 협력국입니다.

무엇보다 양국은 내전과 권위주의 시대를 극복하고 민주주의와 함께 세계 10위권의 경제 강국으로 발전한 역사적 경험이 닮았습니다. 인구도, 경제 규모도 우리와 가장 비슷한 나라입니다. 양국은 함께 협력하며 함께 발전하자는 의지가 매우 강합니다. 양국은 서로에게 필요한 전략적 동반자가 되었습니다.

이제 모든 일정을 마치고 서울로 돌아갑니다. G7에서 대한민국의 위상을 확인했고, 비엔나에서는 문화·예술의 자부심을, 스페인에서는 새로운 시대를 여는 의지와 열정을 담아 갑니다. 제약 회사들과 백신 협력 논의도 있었습니다.

해외에 나올 때마다 현지 교민들에게서 힘을 얻습니다. 이번에도 영국의
외진 곳 콘월, 오스트리아의 비엔나, 스페인의 마드리드와 바르셀로나,
가는 곳마다 저와 우리 대표단을 응원해 주었습니다. 각별한 감사 인사
를 전합니다.

2부 우리는 거대한 물줄기를 바꾸고 있습니다

하와이를 떠나며

2021년 9월 23일, 미국 하와이

이제 예순여덟 분 영웅과 함께 귀국길에 오릅니다. 신원이 확인된 고故 김석주 일병과 고故 정환조 일병은 장진호전투 전사자로 확인되었습니다. 고故 김석주 일병의 증손녀인 대한민국 간호장교 김혜수 소위가 함께 영웅들을 모셔 가게 되어 더욱 뜻깊습니다. 신원이 확인된 두 분은 대통령 전용기로 모셔 최고의 예우를 갖추었습니다.

하와이는 우리 근대 이민 역사가 시작된 곳입니다. 사탕수수 농장에서 일한 1세대들은 품삯의 3분의 1을 독립자금에 보냈고, 대한민국임시정부를 든든하게 후원했습니다. 우리 근현대사의 아픔과 긍지가 함께 배어 있는 셈입니다. 오늘 하와이의 독립운동 유공자 고故 김노디 지사와 고故 안정송 지사의 유족들께 독립유공자 훈장을 추서해 드렸습니다. 하와이가 품고 있는 애국의 역사를 국민들과 함께 되새기겠습니다.

지난 5월 미국과 합의한 '한미 글로벌 백신 파트너십'의 진전 등 백신 글로벌 허브로의 가시적 성과도 있었습니다. 우리는 이제 연대와 협력의 모범으로 국제사회에 기여하고 있습니다.

지속가능발전은 미래세대에 대한 현 세대의 반성으로 시작되었습니다. 새로운 시대의 주인공으로 미래세대는 분명 인류의 일상을 바꿔낼 것입니다. BTS가 유엔 총회장을 무대 삼아 〈퍼미션 투 댄스〉를 노래한 것은 역사적인 사건이었으며 우리의 새로운 위상을 확인하는 계기였습니다. 유엔은 미래세대에게 문을 활짝 열어 주었습니다. BTS에게 고맙고 자랑스러운 마음을 특별히 전하고 싶습니다.

2부 우리는 거대한 물줄기를 바꾸고 있습니다

남북 유엔 동시 가입 30주년을 맞아, 변함없는 우리의 평화 의지도 보여 주었습니다. 남·북·미 또는 남·북·미·중이 함께하는 한반도 종전 선언을 제안했고, 국제사회도 공감으로 화답했습니다. 북한은 지난 6월 처음으로 유엔에 지속가능발전 목표 이행 현황을 담은 '자발적 국별 리뷰'를 제출했습니다. 지속가능발전의 길에 북한의 동참은 반가운 일입니다. 남과 북이 협력해 나간다면 한반도 평화의 길이 되기도 할 것입니다.

　추석 명절 동안 서로 격려하며 새롭게 충전하셨을 것이라 생각합니다. 저도 심기일전하겠습니다. 숙소 근처에 매일 오셔서 대표단을 환영하고 응원해 주신 뉴욕과 하와이의 교민들께 깊이 감사드립니다.

이번 유엔총회에서 높아진 대한민국의 국격과 무거워진 책임을 동시에 느꼈습니다. 유엔이 창설된 후 처음으로 연대와 협력의 힘을 보여 준 것이 한국전쟁 참전이었습니다. 덕분에 우리는 전쟁의 참화에서 벗어나 개도국에서 선진국으로 도약할 수 있었습니다.

2부 우리는 거대한 물줄기를 바꾸고 있습니다

로마를 떠나며

2021년 10월 31일, 이탈리아 로마

3년 만에 다시 뵙게 된 프란치스코 교황님은 한결같이 한반도 평화를 축원하시고 북한 방문 의사를 밝혀 주셨습니다. 우리는 결코 혼자가 아닙니다. 한반도 평화의 시계가 다시 힘차게 돌아갈 것이라 믿습니다.

"로마의 평화를 지키는 것은 성벽이 아니라 시민의 마음"이라 했습니다. 한반도의 평화 역시 철조망이 아니라 우리 국민들의 마음에 있을 것입니다. 비무장지대 철조망을 녹여 만든 '평화의 십자가'를 로마에서 세계와 나눈 것은 매우 뜻깊은 일이었습니다.

세계는 지금 코로나를 함께 극복하며 지구공동체의 새로운 시대로 나아가고 있습니다. 중요한 역사적 전환점에서 열린 이번 G20정상회의에서 정상들은 내년 중반까지 세계인구 70퍼센트가 코로나 백신 접종을 마칠 것을 공동의 목표로 천명했습니다.

별도로 열린 공급망 회복력 정상회의에서는 세계경제의 가장 큰 위험 요인으로 떠오른 공급 병목 현상과 물류 대란 해소를 위해 공동의 노력을 기울이기로 했습니다. G20의 협력이 포용적 회복과 도약을 위한 발판이 될 것입니다.

로마는 활기를 되찾고 있었습니다. 찬란한 역사와 창의적 도전이 어울린 도시의 모습처럼 여전히 다양성을 힘으로 회복해 가고 있었습니다. 더 나아진 일상이 멀지 않았습니다. 우리의 일상 회복이 성공적으로 이뤄질 수 있도록 마음을 모아 주시기 바랍니다.

글래스고를 떠나며

2021년 11월 2일, 영국 글래스고

산업혁명의 도시 글래스고가 탄소중립을 선도하는 도시로 탈바꿈했습니다. 산업구조를 전환하여 기후 위기 극복에 앞장서고 있습니다.

이번 COP26 특별정상회의에는 120여 개 나라 정상이 참석했습니다. 우리는 2030 NDC 목표를 상향 제시했고, 국제 메탄서약 출범에도 함께했습니다. 세계는 온실가스 배출을 줄이고, 산림과 토양생태계 보호를 위해서도 긴밀히 협력할 것입니다.

이제 선진국과 개도국의 협력이 중요한 과제로 남았습니다. 개도국에서 선진국이 된 유일한 나라, 대한민국이 앞장서야 할 과제입니다. 어떤 일은 시간을 두고 천천히 해결해야 하지만, 기후 위기는 지금 당장 행동해야 합니다. 모두가 주인공이 되어야 합니다. 우리 국민들과 기업의 열정, 상생의 마음을 믿고 탄소중립 계획을 제출했습니다. 우리가 모범을 만들고 연대와 협력을 이끌게 되길 바랍니다.

이제 글래스고를 떠나 헝가리로 향합니다. 유럽의 새로운 중심으로 떠오르고 있는 비세그라드 그룹 네 나라 헝가리, 체코, 폴란드, 슬로바키아와 협력을 강화하는 계기를 만들겠습니다.

삶의 방식을 바꾸는 일은 매우 어렵지만, 인류는 비상한 결의로 이 일을 시작했습니다. 산업혁명이 세계를 순식간에 휩쓸며 인류를 풍요롭게 만들었듯, 지구와 공존하는 삶도 어느 순간 우리의 평범한 삶이 되고 우리를 다른 방식으로 풍요롭게 할 것입니다.

부다페스트를 떠나며

2021년 11월 5일, 헝가리 부다페스트

양국 관계가 깊어질수록 2년 전 목숨을 잃은 우리 국민 스물여섯 분의
넋도 덜 외로우시리라 생각합니다. 다시 한번 고인들을 추모하며 수색과
구조에 힘쓰고 슬픔을 함께 나누어 주신 헝가리 국민들께 감사드립니다.

'비세그라드 그룹' 헝가리, 체코, 슬로바키아, 폴란드는 유럽 경제의 새로운 중심입니다. 600개가 넘는 국내 기업이 진출해 가전, 자동차, 전기차, 배터리까지 대규모 생산기지를 구축하고, 유럽 각지를 향한 수출품을 만들고 있습니다.

V4는 유럽 내 우리의 최대 투자처로 부상했습니다. 이번 한-V4 정상회의를 통해 과학기술, 에너지, 인프라까지 협력의 폭을 넓히기로 했고 동북아, 중앙아, 러시아, 중부유럽으로 이어지는 거대한 '신 유라시아 루트'가 열리게 되었습니다.

특히 헝가리는 중동부 유럽에서 우리와 가장 먼저 수교하며 북방정책의 시작점이 되었던 나라입니다. 우리 육개장과 비슷한 국민음식 굴래시, 언어의 뿌리, 민주화와 경제 발전을 동시에 이룬 경험이 닮았고, 함께해 나갈 일도 많습니다.

노벨상 수상자를 13명 배출한 헝가리의 과학기술과 우리의 응용기술을 결합하면 디지털·그린 시대의 도전에 빠르게 대응할 수 있을 것입니다.

이번에 야노쉬Janos Ader 대통령, 오르반Viktor Orban 총리와 양국 관

2부 우리는 거대한 물줄기를 바꾸고 있습니다

계를 '전략적 동반자 관계'로 격상했습니다. 우리는 함께 도약할 것입니다.

이제 한국으로 돌아갑니다. G20 정상회의와 COP 26에서 세계가 우리를 주목하고 있음을 새삼 느꼈습니다. 한반도 평화에 대한 굳건한 지지도 확인했습니다. 높아진 국격만큼 국민의 삶의 질도 높아지도록 노력하겠습니다.

헝가리 방문 중 국립국가기록원에서 동해가 표시된 고지도를 기증받고, 120년 전 한국과 헝가리 사이를 잇는 귀중한 기록을 확인했습니다. 버이 뻬떼르 신부님이 남긴 일기와 저서에는 조선 사람들의 품격 있는 모습과 함께 대륙의 관문 역할을 할 부산, 유럽과 아시아를 잇는 머나먼 여정의 종착지로써 부산의 미래가 예견되어 있습니다.

2부 우리는 거대한 물줄기를 바꾸고 있습니다

호주를 떠나며

2021년 12월 15일, 호주 캔버라

지구 남반구, 우리와 계절이 정반대인 호주를 방문한 것은 광물과 희토류 공급망 협력과 방산 협력을 위해서입니다. 탄소중립 기술을 나누고 수소협력, 우주 개발도 함께할 것입니다.

수교 60주년을 맞아 이번에 양국 관계를 '포괄적 전략 동반자 관계'로 격상했습니다. 호주와 우리는 작년과 올해 G7에 함께 초대될 만큼 국제사회의 주요 국가로 성장했습니다. 양국은 코로나와 기후 위기, 공급망 불안을 극복하고 새로운 변화를 주도해 나갈 것입니다. 시드니가 속한 뉴사우스 웨일즈 주정부와의 만남도 유익했습니다. 우리 교민과 기업들을 위해 긴밀히 협력할 것입니다.

호주의 한국전 참전 용사들을 만찬에 모신 것은 무척 보람된 일이었습니다. 캔버라까지 와서 보니, 정말 낯선 나라, 낯선 사람들을 위해 목숨을 바쳤다는 게 실감 났습니다. 가장 힘들었던 것이 한국의 추위였다고 합니다. 보훈에는 국경이 없습니다. 다시 한번 한국전 참전 용사들께 깊이 감사드립니다.

따뜻하게 환대해 주시고, 마지막 날까지 가족 동반으로 함께해 주신 모리슨 총리께도 깊은 감사를 전합니다.

호주 일정 내내 따뜻하게 환영해 주신 교민들께 각별한 감사를 드립니다. 마지막 성 메리 성당의 조명 행사 일정 때는 우리 교민들이 더 많았습니다. 모든 분들의 건강과 행복을 기원합니다.

2부 우리는 거대한 물줄기를 바꾸고 있습니다

UAE를 떠나며

양국은 글로벌 수소경제 시장을 선도하며 기후 위기 극복에 함께할 것입니다. 양국은 각별한 우정으로 국방, 방산, 보건 등 많은 분야에서 협력해 왔습니다.

UAE와 한국은 '기적'의 동반자입니다.

우리는 UAE 건설사업에 참여하며 '사막의 기적'에 힘을 보탰고, 그 성취와 자신감으로 '한강의 기적'을 일궈 냈습니다. 사막의 기적은 지속 가능한 미래로 계속되고 있습니다. UAE는 중동과 아프리카 국가 중 최초로 2050탄소중립을 발표했고, 내년 COP28 개최국으로 지구를 위한 행동에 앞장서고 있습니다. 우리와 함께 블루 암모니아 생산 프로젝트, 수소 버스 인프라 구축 사업을 추진하고 있습니다.

아크부대와 바라카 원전은 양국의 굳건한 연대와 신뢰를 상징합니다. 이번에 수출을 확정 지은 '천궁2'는 소중한 우정의 결실이며, 서울대병원이 운영하고 있는 셰이크칼리파전문병원은 양국의 우정을 더 크게 키우고 있습니다. 멀리 중동에서 한국의 기술과 마음을 빛내 주고 계신 분들께 깊이 감사드립니다.

2020 두바이엑스포 '한국의 날'은 신뢰가 빚어낸 축제의 시간이었습니다. 세계의 대전환은 연대와 협력으로 이뤄질 것입니다. 우리 국민들이 먼저 부산엑스포 유치에 마음을 모아 주시길 바랍니다.

　　　　　　　2부 우리는 거대한 물줄기를 바꾸고 있습니다

이제 UAE를 떠납니다. UAE 국민들과 모하메드 알 막툼Mohammed
bin Rashid Al Maktoum 총리님, 모하메드 알 나흐얀Mohammed bin Zayed bin
Sultan Al-Nahyan 왕세제님의 따뜻한 배려에 감사드립니다. 아부다비
신공항 건설 현장의 피습에 대해 다시 한번 위로와 응원을 보냅니
다. 서쪽으로 이어진 우정의 길, 수교 60주년을 맞은 사우디아라비
아로 여정을 이어갑니다.

포용의 정신이 담긴 한국관과 한국우수상품전에 세계인의 발길이 이어
지고, 2030 부산엑스포 역시 두바이의 유치활동으로 더 나은 미래를 향
한 담대한 항해를 시작했습니다.

사우디를 떠나며

2022년 1월 19일, 사우디아라비아 리야드

모하메드 왕세자는 공항에 직접 영접을 나오고, 공식 오찬에 이어 친교
만찬까지 함께하는 등 하루 종일 일정을 함께했습니다.

사우디의 정성 어린 환대를 받았습니다.

한국과 사우디는 1962년 수교를 맺고 60년 우정을 쌓았습니다.

우리 기업은 1970년대 초, 중동 국가 중 처음으로 사우디에 진출해 협력의 땀방울을 흘렸습니다. 상생의 열매는 지금 사우디 최대 조선소와 최초의 광역 대중교통 시스템 '리야드 메트로' 건설로 이어지고 있습니다.

사우디가 추진하고 있는 탄소 제로의 친환경 스마트 도시 '네옴'은 서울시의 44배에 달하는 미래형 메가시티입니다. 포스트 석유시대를 내다보는 사우디의 통찰력과 우리의 첨단 기술이 만나 미래를 앞당길 것입니다. 양국은 그린수소 공동 개발로 수소경제 시대를 함께 개척하고 지속 가능한 미래를 위해서도 긴밀하게 협력할 것입니다.

사우디에 부는 개혁의 바람은 거셉니다. '사우디 비전 2030'을 통해 정치·경제·사회·문화 전반을 개혁하고 혁신하면서 아라비아의 새로운 번영을 만들고 있습니다. 우리는 '사우디 비전 2030'의 중점 협력국으로서 미래 분야로 협력을 넓혀 가고 있습니다.

우리 대표단을 따뜻하게 맞아 준 모하메드 빈 살만 왕세자님과 사우디 국민들께 깊이 감사드립니다. 아직 복원 중이어서 일반에게 공개되지 않은 인류문화유산 '디리야 유적지'에서 사우디아라비아의 정신을 볼 수 있었던 것도 무척 좋았습니다.

이제 사막의 우정을 가슴에 담고, 문명의 시원이자 아프리카의 경제 대국 이집트로 길을 떠납니다.

손님이 오지 않으면 천사도 오지 않는다는 속담처럼, 이방인을 대하는 사막의 마음이 모래바다를 건널 용기를 주었고, 동서교류를 가능하게 했다고 생각합니다.

2부 우리는 거대한 물줄기를 바꾸고 있습니다

이집트를 떠나며

2022년 1월 21일, 이집트 카이로

우리 내외와 대표단을 따뜻하게 맞아 준 이집트 국민들과 압델 파타 알
시시Abdul Fatah al-Sisi 대통령께 깊이 감사드립니다.

숙소에서 내려다본 나일강의 모습은 낮에도, 밤에도 환상적입니다. 도시의 빌딩 사이로 멀리 기자 피라미드가 보입니다. 나일강이 키워 낸 문명은 인류가 가진 가능성이 어디까지일지 생각하게 합니다. 이집트는 지금도 우리에게 상상력을 불어넣으며 아프리카와 아시아, 유럽 세 대륙의 교차로에서 새로운 문명을 꿈꿉니다. 광범위한 FTA 네트워크와 인구의 절반이 30세 이하인 젊음의 힘으로 5년 연속 아프리카에서 가장 많은 외국인 투자를 유치하고, 코로나 상황 속에서도 플러스 성장을 이어 가고 있습니다.

이집트는 가장 오래되고 찬란했던 문명의 쇠퇴기를 겪었지만 이제 다시 도약의 시기를 맞고 있습니다. '이집트 비전 2030'은 지속 가능한 발전의 길을 열고 있습니다. 이번 정상회담으로 우리 기업들이 이집트의 교통·수자원 인프라 사업에 더욱 활발하게 참여할 수 있게 되었습니다. 전기차·재생에너지, 해수담수화 같은 친환경·미래산업에서도 함께할 것입니다.

양국이 합의한 무역 경제 파트너십 공동연구는 양국간 FTA 네트워크의 연결로 이어질 것입니다. 이집트는 COP27 개최국이며 중

2부 우리는 거대한 물줄기를 바꾸고 있습니다

동지역 분쟁 해결에 앞장서 온 나라입니다. 우리는 기후 위기 극복과 국제사회의 평화를 위해서도 긴밀하게 공조할 것입니다.

 외교의 힘은 국민으로부터 나옵니다. 대한민국의 상승된 국격은 모두 국민들 덕분입니다. 국민들께서 깊이 느껴 주실 것을 바랄 뿐입니다.

이집트와 한국은 미래를 향해 함께 걸어가는 동반자가 될 것입니다. 생명 넘치는 나일강의 환대를 우리 국민에게 잘 전달하겠습니다.

2부 우리는 거대한 물줄기를 바꾸고 있습니다

V4 정상회담장에서 5분 브레이크타임 사이
연설 원고를 마지막까지 직접 손질하다

점점 커지는 헬기 소리가 사무실 창문을 뒤흔드는 웅장함으로 바뀌는 것
을 보니 7박 9일의 숨 가쁜 순방외교가 마침내 끝났음을 느꼈습니다.

이번 해외 순방을 통해 다섯 번의 시차 변경을 겪었고 지구 반 바퀴가 넘는 2만 3000킬로미터를 30시간에 걸쳐 비행했습니다. 무려 33회의 공식 일정을 소화했는데 하루 평균 5회에 해당합니다. 주요 연설과 발표가 8회, 16회의 정상급 회동과 조우를 제외하더라도 10회의 면담과 정상회담을 소화한 광폭·강행군 일정이었습니다.

　이런 순방 일정은 어찌 보면 달라진 대한민국의 위상이라고 생각합니다. 2017년 출범 초기와 비교해도 불과 5년 만에 대한민국 대통령을 초청하거나 다자회의 계기에 정상회담을 요청하는 나라가 크게 증가하여 지난 G7이나 이번 순방시만 해도 약 30여 개국 정도가 줄을 서 있는 정도이니 순방 일정이 바늘 꽂을 틈도 없을 만큼 촘촘할 수밖에 없습니다. 한마디로 '국제질서의 소비자' 입장에서 '국제질서의 생산자'로 바뀐 대한민국의 위상을 순방 일정을 통해 똑똑히 목격하고 있는 것입니다.

　마지막까지 한 나라라도 더 방문하여 세계와의 협력과 연대가 우리나라 발전과 국익에 큰 도움이 될 수 있도록 노력하겠습니다.

아무도 흔들 수 없는 나라

미래는 준비하는 자의 몫입니다. 현재의 위기를 신속히 탈출하기
위해 온 힘을 모으면서도, 대한민국의 미래를 개척하는 일 또한 한
시도 멈출 수 없습니다. '한국판 뉴딜'과 '탄소 중립' 그리고 '포용국
가'는 대한민국의 미래가 달린 일입니다. 어제의 우리가 오늘을 바
꿨듯, 오늘의 우리가 어떻게 하느냐에 따라 내일을 바꿀 수 있습니
다. 세계를 선도하는 새로운 대한민국의 길을 열어 나가겠습니다.

우리는 대한민국 100년의
미래를 열었습니다

첫 번째 미래,
한국판 뉴딜

20.4.22.	〈제5차 비상경제회의〉 한국판 뉴딜 추진 지시
20.7.14.	〈한국판 뉴딜 국민보고대회 기조연설〉 한국판 뉴딜 종합계획 발표
20.9.3.	〈제1차 한국판 뉴딜 전략회의〉 한국판 뉴딜의 진화(뉴딜펀드와 뉴딜금융 추가)
20.9.22.	〈제75차 유엔총회 기조연설〉 코로나19 위기 극복을 강조하며 한국판 뉴딜 소개
21.10.13.	〈제2차 한국판 뉴딜 전략회의〉 한국판 뉴딜의 진화: 지역균형 뉴딜 추가
20.11.16.	〈제3차 한국판 뉴딜 전략회의〉 제도정비 및 한국판 뉴딜의 흔들림 없는 추진 강조
21.1.27.	〈2021 세계경제포럼WEF 문재인 대통령 특별연설〉 연대와 협력을 강조하며, 포용적 성장정책으로 한국판 뉴딜 소개
21.7.14.	〈미래를 만드는 나라 대한민국, 한국판 뉴딜 2.0〉 더욱 진화·발전된 한국판 뉴딜 2.0 발표

대한민국의
새로운 미래

제5차 비상경제회의
2020년 4월 22일

일자리가 있어야 국민의 삶이 있고 경제가 있습니다. 일자리를 지키는 것은 국난 극복의 핵심 과제이며 가장 절박한 생존 문제입니다. 정부는 그동안 선제적으로 고용 안정과 취약계층 지원 대책에 역점을 기울여 왔고, 100조 원 이상의 금융 조치를 통해 기업을 살리고 일자리를 지키는 조치를 취해 왔습니다.

지금은 위기의 시작 단계입니다. 기업의 위기와 함께 고용 한파가 눈앞에 다가오고 있습니다. 더 광범위하게, 더 오랫동안 겪어보지 못한 고용 충격이 올 수도 있습니다. 비상한 각오로 정부의 대책을 더욱 강력하게 보강하고, 과단성 있게 대처해야 합니다. 과거의 대책이나 방식을 넘어 새로운 사고와 비상한 대책을 주저하지 말아야 하겠습니다.

오늘 5차 비상경제회의에서는 기간산업의 위기와 고용 충격에

3부 우리는 대한민국 100년의 미래를 열었습니다

신속히 대처하고, 국민의 일자리를 지키기 위한 특단의 대책을 결정합니다.

우선 40조 원 규모로 위기 극복과 고용을 위한 기간산업안정기금을 긴급 조성합니다. 우리 경제와 고용에 지대한 영향을 주는 기간산업이 크게 위협받고 있습니다. 일시적인 자금 지원이나 유동성 공급만으로는 어려움을 극복하기 힘든 기업이 생기기 시작했습니다.

정부는 기간산업안정기금을 통해 기간산업이 쓰러지는 것을 막겠습니다. 일시적인 유동성 지원을 넘어서 출자나 지급보증 등 가능한 모든 기업 지원 방식을 총동원하겠습니다. 강력한 의지를 갖고 기간산업을 반드시 지켜 내겠습니다.

기간산업을 지키는 데 국민의 세금을 투입하는 대신에 지원받는 기업들에게 상응하는 의무도 부과하겠습니다. 고용총량 유지와 자구 노력, 이익 공유 등의 장치를 마련하겠습니다. 고용 안정이 전제되어야 기업 지원이 이루어지며, 임직원의 보수 제한과 주주 배당 제한, 자사주 취득 금지 등 도덕적 해이를 막는 조치가 취해질 것입니다. 정상화의 이익을 국민과 함께 공유하는 방안도 추진하겠습니다.

아울러 지난 1·2차 비상경제회의에서 결정한 100조 원 규모의 금융 조치에 35조 원을 추가하여 135조 원 규모로 확대하는 조치도 취합니다. 이를 통해 소상공인 지원과 기업들의 회사채 매입을 확대하고, 신용이 낮은 기업들까지도 유동성 지원을 늘리겠습니다.

또한 정부는 긴급고용안정대책에 10조 원을 별도로 투입하여 코로나19로 현실화되고 있는 고용 충격에 적극 대응하고자 합니다. 고용유지 지원으로 실업대란을 차단하는 것에 역점을 두면서, 고용안전망의 사각지대를 획기적으로 줄여 촘촘하게 지원하겠습니다.

정부가 새로운 일자리를 직접 창출하는 노력도 배가하겠습니다.

첫째, 고용을 유지하는 기업은 최대한 지원하겠습니다. 휴직수당의 90퍼센트까지 보전하는 고용유지지원금을 지속적으로 확대·지원하면서 무급휴직자까지 대상을 넓힌 무급휴직 신속 지원 프로그램을 통해 적극적으로 고용이 유지될 수 있도록 지원하겠습니다. 항공지상조·면세점업 등 타격이 심한 업종은 추가적으로 특별고용지원 업종으로 지정하여 지원을 강화하겠습니다.

둘째, 고용안정지원의 사각지대를 획기적으로 줄이겠습니다. 그동안 사각지대였던 프리랜서, 특수고용노동자, 영세사업자 등 93만 명에 대해 특별히 긴급고용안정지원금을 지급합니다. 3개월간 50만 원씩 지급하여 일자리가 끊기거나 소득이 감소한 분들의 생계유지에 조금이나마 도움이 될 수 있기를 기대합니다.

셋째, 정부가 일자리 창출에 직접 나서겠습니다. 민간 부문의 고용 창출 여력이 부족한 상황에서 정부가 나서서 50만 개의 일자리를 창출하여 국민께 제공하겠습니다. 공공부문 일자리와 청년일자리를 적극적으로 만들어 취업에 어려움을 겪고 있는 국민께 조금이라도 위안을 드리겠습니다. 연기되었던 공공부문 채용 절차도 하루

3부 우리는 대한민국 100년의 미래를 열었습니다

빨리 정상화시키겠습니다.

정부는 한편으로 범국가적 차원에서 새로운 일자리 창출을 위한 대규모 사업을 대담하게 추진할 필요가 있습니다. 고용의 위기를 새로운 일자리 창출로 극복하는 새로운 기회의 문을 여는 것입니다. 정부는 고용창출 효과가 큰 대규모 국가사업을 추진함으로써 단지 일자리를 만드는 데 그치지 않고 포스트 코로나 시대의 혁신성장을 준비해 나갈 것입니다.

관계부처는 대규모 국가 프로젝트로서 이른바 '한국판 뉴딜'을 추진할 기획단을 신속히 준비해 주기 바랍니다. 정부가 특별한 사명감을 가지고 나서 주기 바랍니다.

거듭거듭 강조하지만, 무엇보다 중요한 것은 속도입니다. 지금까지 발표한 비상경제대책들을 신속하게 실시하는 것이 무엇보다 중요합니다. 1차 추경을 최대한 신속하게 집행 완료하고, 2차 추경을 최대한 신속하게 통과시켜 즉시 집행할 수 있도록 준비하고, 오늘 결정하는 비상대책에 필요한 3차 추경과 입법도 신속하게 추진해 주기 바랍니다.

국회에서도 할 일이 태산 같은 비상한 시기임을 감안하여 대승적인 합의로 신속한 결정을 내려 주실 것을 간곡히 당부드립니다.

선도국가로 도약하는
'대한민국 대전환' 선언

한국판 뉴딜 국민보고대회
2020년 7월 14일

　존경하는 국민 여러분, 우리는 바이러스와 언제 끝날지 모르는 전쟁을 치르고 있습니다. 하지만 우리 국민은 바이러스에 지지 않는 방법을 알고 있습니다. 우리 국민이 생활화하고 있는 안전수칙이야말로 최고의 바이러스 예방백신입니다. 우리는 코로나 위기를 가장 모범적으로 극복하고 있습니다. 우리는 다른 나라들처럼 국경봉쇄나 지역봉쇄 없이, 경제를 멈추지 않으면서 '효율적인 방역'에 성공했습니다.

　위대한 국민 여러분께 한없는 감사와 존경의 마음을 표합니다. 우리나라는 이제, 빠른 추격자가 되고자 했던 과거의 대한민국이 아닙니다. '우리는 이미 선진국'이라는 자부심과 함께, 세계를 선도할 수 있다는 자신감까지 갖게 되었습니다. 대한민국의 세계적 위상도 몰라보게 높아졌습니다. 그러나 앞날을 결코 낙관할 수 없습

　　　　　3부 우리는 대한민국 100년의 미래를 열었습니다

니다.

인류는 일찍이 겪어 보지 못한 거대한 도전에 직면해 있습니다. 바이러스가 세계경제를 무너뜨렸고, 인류의 일상을 송두리째 바꿨습니다. 글로벌 공급망이 재편되고 있고, 새로운 국제질서를 요구하고 있습니다. 코로나 이전과 이후의 세계가 근본적으로 달라지고 있습니다. 이 거대한 변화에 능동적으로 대처해야 합니다. 변화에 뒤처지면 영원한 2등 국가로 남게 될 것입니다. 정부는 다시 한번 국민의 힘으로, 코로나 위기 극복을 넘어, 세계사적 변화를 도약의 기회로 삼고자 합니다. 변화를 피할 수 없다면, 그 변화를 적극적으로 주도해 나가겠습니다. 세계를 선도하는 새로운 대한민국의 길을 열어 나가겠습니다.

국민 여러분, 정부는 오늘, 새로운 대한민국의 미래를 여는 약속으로, 한국판 뉴딜의 담대한 구상과 계획을 발표합니다. 한국판 뉴딜은 선도국가로 도약하는 '대한민국 대전환' 선언입니다.

추격형 경제에서 선도형 경제로, 탄소의존 경제에서 저탄소 경제로, 불평등 사회에서 포용 사회로, 대한민국을 근본적으로 바꾸겠다는 정부의 강력한 의지입니다. 한국판 뉴딜은, 대한민국 새로운 100년의 설계입니다. 지금까지 우리는 정말 잘 해냈습니다. 식민과 분단, 전쟁을 딛고 놀라운 압축성장을 이루었습니다. 하지만 과거 방식의 성장은 이제 한계에 다다랐고, 불평등의 어두운 그늘이 짙게 남아 있습니다. '포스트 코로나 시대'가 새로운 100년의 길을 더욱 빠르게 재촉하고 있습니다.

선도형 경제, 기후 변화에 대한 적극적인 대응, 포용 사회로의 대전환은 대한민국의 미래를 위해 더는 머뭇거리거나 지체할 수 없는 시대적 과제입니다. 결코 한국만의 길이 아닙니다. 전 세계가 함께 나아가야 하는 피할 수 없는 시대적 흐름입니다. 4차 산업혁명과 디지털 문명은 이미 시작된 인류의 미래입니다. 그 도도한 흐름 속에서 앞서 가기 위한 국가발전전략이 한국판 뉴딜입니다. 튼튼한 고용·사회안전망을 토대로 디지털 뉴딜과 그린 뉴딜을 두 축으로 세워, 세계사적 흐름을 앞서 가는 선도국가로 나아가겠습니다.

우리는 이미 디지털 분야에서 세계적으로 앞서 가는 경쟁력을 갖고 있습니다. 우리의 디지털 역량을 전 산업 분야에 결합시킨다면 추격형 경제에서 선도형 경제로 거듭날 수 있습니다. 그것이 디지털 뉴딜의 목표입니다.

이미 우리 삶 깊숙이 비대면 디지털 세계가 들어와 있고, 교육·보건 분야에서 원격의 시대가 도래하고 있습니다.

데이터가 경쟁력인 사회가 열렸고, 인공지능과 네트워크가 결합된 새로운 산업이 미래의 먹거리가 되고, 미래형 일자리의 보고가 되고 있습니다. 우리는 세계 최고의 ICT 경쟁력, 반도체 1등 국가로서 디지털 혁명을 선도해 나갈 기술과 역량을 가지고 있습니다. 이미 혁신벤처 창업 열풍이 역동적인 경제를 만들어 내고 있습니다.

더 대담하고 선제적인 투자로 사회, 경제, 교육, 산업, 의료 등 우리 삶의 전 분야에서 디지털화를 강력하게 추진하여 세계를 선도하는 디지털 1등 국가로 나아갈 것입니다. 그린 뉴딜은 기후 위기에 선제적으로 대응하는 것입니다. 기후 위기는 이미 우리에게 닥친 절박한 현실입니다. 코로나 대유행이 기후 변화 대응의 절박성을 다시 한번 확인시켜 주었습니다. 기후 변화 대응이 감염병을 막는 데에도 필수적이라는 공감대 속에서 유럽 등 선진국들은 이미 그린 뉴딜을 핵심 과제로 추진하고 있습니다. 우리가 전체적으로 뒤처진 분야이지만, 우리에게도 강점이 있습니다. 그린 혁명도 우리가 강점을 가진 디지털 기술을 기반으로 삼아야 하기 때문입니다. K-방역으로 세계적 찬사를 받고 있는 한국이 그린 뉴딜로 나아갈 때 기후 위기 해결을 위한 연대와 협력의 새로운 세계질서를 주도해 나갈 수 있을 것입니다.

저탄소 경제도 세계적 추세입니다. 그린 뉴딜은 미세먼지 해결 등 우리의 삶의 질을 높여 줄 뿐 아니라, 날로 강화되고 있는 국제 환경규제 속에서 우리의 산업경쟁력을 높여 주고 녹색산업의 성장으로 대규모 일자리를 창출해 낼 것입니다. 불평등 해소와 포용 사회로의 전환은 대한민국 대전환의 전제 조건입니다. 코로나 위기는 우리 사회 안전망의 취약성을 더 극명하게 드러내고 있습니다. 취약계층이 가장 먼저 타격을 받고, 프리랜서, 플랫폼 노동자 등 새로운 형태의 노동과 일자리가 크게 위협받고 있습니다.

한국판 뉴딜은 대한민국의 새로운 사회계약입니다. 위기가 닥쳐도 누구도 낙오되지 않고 모두가 상생할 수 있어야 합니다. 우리는 과거 외환위기와 글로벌 금융위기를 잘 극복했지만, 고용불안과 함께 양극화의 후유증을 남겼습니다. '위기는 곧 불평등 심화'라는 공식을 깨겠습니다. 이번의 코로나 위기를 오히려 사회안전망을 강화하고 불평등을 줄이는 계기로 삼겠습니다.

정부부터 앞장서겠습니다. 고용안전망과 사회안전망을 두텁게 하고 사람에 대한 투자를 적극적으로 확대하겠습니다. 누구도 소외되지 않는 사람 중심의 디지털 경제와 지속 가능한 발전을 위해 노사정 등 경제 주체들이 위기 극복에 손을 잡고 양보하고 타협하며 상생의 미래로 함께 나아가길 바랍니다.

국민 여러분, 정부의 역할이 더욱 커지고 책임도 무거워졌습니다. 재정지출을 확대하고 미래를 위해 과감히 투자하겠습니다. 정부가 앞장서 새로운 일자리 창출에 적극 나서겠습니다. 불평등 해소와 안전망 확충에 국가적 역량을 모아 나가겠습니다. 한국판 뉴딜을 국가발전전략으로 삼아, 정부의 역할과 책임을 힘 있게 실천하겠습니다. 우리 경제를 바꾸고, 우리 사회를 바꾸며, 국민의 삶을 바꾸는 대규모 국가프로젝트를 대표사업으로 선정하여 집중 투자하겠습니다.

정부는 디지털 뉴딜과 그린 뉴딜 분야에서 한국판 뉴딜의 간판사업이 될 10대 대표사업을 선정했습니다. '데이터 댐', '인공지능 정부', '스마트 의료 인프라', '그린 리모델링', '그린 에너지', '친환경 미래 모빌리티' '그린 스마트 스쿨', '디지털 트윈', 'SOC 디지털화' '스마트 그린산단' 등 10대 대표 사업이 대한민국 대전환을 이끌게 될 것입니다. 우리 정부 임기 안에 국민들께서 직접 눈으로 변화를 확인하게 될 것입니다.

한국판 뉴딜은 안전망 확충과 사람 투자에 특별히 역점을 두었습니다. 전 국민 대상 고용 안전망을 단계적으로 확대하는 노력과 함께 부양의무자 기준을 2022년까지 완전 폐지하고, 아프면 쉴 수 있는 상병수당의 시범 도입을 추진하겠습니다. 사람 투자를 확대하여 사회·경제구조의 변화에 맞춰 인재 양성과 직업훈련 체계를 강화하고 디지털 격차 해소를 위한 디지털 포용을 힘 있게 추진하겠습니다. 정부는 한국판 뉴딜에 전례 없는 투자를 약속합니다. 2025년까지 국고 114조 원을 직접 투자하고, 민간과 지자체까지 포함하여 약 160조 원을 투입할 것입니다.

우리 정부 마지막 해인 2022년까지 국고 49조 원 등 총 68조 원을 투입하여 체감할 수 있는 변화를 만들어 내겠습니다. 새로운 일자리도 2022년까지 89만 개, 2025년까지 190만 개가 창출될 것입니다. 일자리가 필요한 국민들께 한국판 뉴딜이 새로운 기회가 되길 희망합니다.

국민 여러분, 한국판 뉴딜은 앞으로도 계속 진화할 것입니다. 지역으로, 민간으로 확산되어 대한민국을 역동적으로 변화시킬 것입니다. 세계의 변화에 앞장서서 우리 정부를 넘어 다음 정부로 이어지고 발전해 나갈 것입니다.

　오늘 발표하는 한국판 뉴딜 종합계획은 대한민국 대전환의 시작입니다. 세계를 선도하는 나라로 도약하는 출발점입니다. 시작이 반입니다. 한국판 뉴딜의 성공에 모두 힘을 모아 주시기 바랍니다. 선도국가 대한민국의 미래를 다 함께 열어 나갑시다.

　감사합니다.

미래는
준비하는 자의 몫입니다

이 자리에 함께하신 분들, 그리고 온라인으로 또 함께해 주신 분들, 모두 반갑습니다.

엄중한 코로나 상황에서 정부와 금융권 전체가 경제 위기 극복에 힘을 모으고 있습니다. 한발 더 나아가, '한국판 뉴딜'이라는 이름으로 대한민국의 미래를 열기 위해 여기에 모였습니다. 금융은 국가적으로 어려운 시기마다 큰 역할을 해 왔습니다. 지금도 코로나19로 매우 어려운 상황에서 구원투수를 자임하며 정부와 함께 결정한 175조 원 이상의 민생금융안정 프로그램을 차질 없이 집행해 주고 있습니다.

금융권의 뒷받침 덕분에 소상공인 경영안정 자금과 전 국민 재난지원금을 비롯한 비상경제 조치로 우리 경제를 지탱할 수 있었습니다. 지난주에는 소상공인·중소기업 대출 만기 연장과 이자 상환 유예를 내년 3월 말까지 6개월 연장하기로 결정해 주셨습니다. 우리 금융권은 기업을 살리고 국민의 일자리를 지키는 데 실로 지대한 역할을 하고 있다고 말할 수 있습니다. 다시 한번 금융권의 기여에 깊이 감사드립니다.

정부는 대한민국의 새로운 미래를 위한 국가 전략으로 '한국판 뉴딜'을 강력히 추진하고 있습니다. '한국판 뉴딜'의 성공은 민간의 투자가 활성화되고 국민이 역동적으로 참여할 때 가능합니다. 이를 위해서는 금융의 적극적 뒷받침이 필요합니다. '한국판 뉴딜'의 첫 번째 전략회의를 특별히 금융권과 함께하게 된 이유입니다. '한국판 뉴딜'은, 뉴딜펀드와 뉴딜금융으로 대한민국 경제의 미래를 열어 나갈 것입니다.

국민과 함께 재정, 정책금융, 민간금융 3대 축으로 '한국판 뉴딜'의 성공을 이끌고자 합니다. '국민참여형 뉴딜펀드', '정책금융과 민간금융'을 통해 단일 프로젝트로는 역대 최대 규모의 투자가 이루어질 것입니다.

'국민참여형 뉴딜펀드'는 정책형 뉴딜펀드로 20조 원을 조성하여 '한국판 뉴딜' 분야에 집중투자할 계획입니다. '인프라 펀드'를 육성하여 뉴딜 사회기반시설에 투자하고, 손실위험 분담과 세제 혜택으로 국민들에게 보다 안정적인 수익을 가능하게 할 것입니다. 또한 정부는, 민간이 자율적으로 뉴딜펀드를 조성할 수 있는 투자 여건도 적극적으로 마련하겠습니다. 뉴딜지수를 개발하여 지수에 투자할 수 있는 상품도 조만간 출시할 계획입니다.

　국민들께서 국민참여형 뉴딜펀드에 참여하신다면 보람과 성과를 함께 공유할 수 있게 될 것입니다. 개인의 수익 창출은 물론, 국민들께서 직접 대한민국의 미래와 사회적 가치에 투자하는 기회가 될 것입니다. 무엇보다 정책금융과 민간금융이 '한국판 뉴딜'의 성공을 이끄는 중심에 섰습니다. 향후 5년간 정책금융에서 100조 원, 민간금융에서 70조 원을 한국판 뉴딜 프로젝트와 기업에 투입할 것입니다. 정부의 마중물 역할과 정책금융의 적극적 기여, 여기에 민간의 협조까지 더하게 됨으로써 '한국판 뉴딜'을 힘 있게 추진할 물적 기반이 마련된 것입니다. 시중의 풍부한 유동성을 부동산과 같은 비생산적인 부문에서 생산적인 부문으로 이동시킨다는 측면에서도 큰 의미가 있습니다. 정부와 금융이 대한민국의 미래를 위해 힘을 모은 만큼 우리 경제와 국민에게 큰 희망이 되기를 기대합니다.

　정부는 '한국판 뉴딜'을 촉진하는 데 필요한 제도 개선과 규제 혁신을 속도감 있게 추진하겠습니다. 규제 혁신이야말로 '한국판 뉴딜'의 또 하나의 성공 조건입니다. 정부와 여당은 경제계와 함께 지난달 한국판 뉴딜 법·제도 개혁 T/F를 구성했습니다.

　'한국판 뉴딜'의 성공을 위한 입법사항을 차질 없이 추진하고, 불필요한 규제를 조속히 발굴하여 개혁해 나가겠습니다. 특히, 뉴딜 분야 프로젝트나 기업 활동을 제약하는 규제는 과감히 혁파해 나가겠습니다. 미래는 준비하는 자의 몫입니다. 현재의 위기를 신속히 탈출하기 위해 온 힘을 모으면서도, 대한민국의 미래를 개척하는 일 또한 한시도 멈출 수 없습니다. '한국판 뉴딜'은 대한민국의 미래가 달린 일입니다. 오늘 정부와 금융은 함께 큰 걸음을 내딛었습니다. 국민들께서도 함께해 주시리라고 믿습니다.

감사합니다.

3부 우리는 대한민국 100년의 미래를 열었습니다

대한민국을 지역에서부터
역동적으로 변화시키겠습니다

제2차 한국판 뉴딜 전략회의
2020년 10월 13일

　지역 현장에서 코로나 방역과 경제 위기 극복을 위해 누구보다 앞장서고 계신 시·도지사님들을 한 자리에서 뵙게 되어 무척 반갑습니다.

　지자체의 적극적이고 헌신적인 노력이 K-방역의 성공과 어려운 민생경제를 이겨 나가는 밑거름이 되고 있습니다. 시·도지사님들과 지자체 공무원들의 노고에 깊은 감사의 말씀을 드립니다.

　위기 극복과 함께, 대한민국의 미래를 열고 국가균형발전의 꿈을 이루기 위한 발걸음은 한순간도 멈출 수 없습니다. 정부는 담대한 지역균형발전 구상을 갖고 대한민국 미래를 위한 국가발전전략으로 한국판 뉴딜을 강력히 추진하고자 합니다. 국가발전의 축을 지역 중심으로 전환하겠다는 뜻입니다.

　그 구상을 더욱 분명히 하기 위해 튼튼한 안전망과 디지털 뉴딜,

그린 뉴딜에 더하여, 한국판 뉴딜의 기본정신으로 '지역균형 뉴딜'을 추가하고자 합니다. 대한민국을 지역에서부터 역동적으로 변화시키겠다는 정부의 강력한 의지입니다.

'지역균형 뉴딜'의 성공적 추진을 위해서는 중앙정부와 지자체, 민간의 참여와 협력이 필수적이며, 국회의 뒷받침도 필요합니다. 이에 따라 오늘 2차 한국판 뉴딜 전략회의를 '지역균형 뉴딜'을 주제로 하여 시·도지사 연석회의로 개최하게 되었습니다.

우리 정부는 혁신도시, 대규모 국가균형발전 프로젝트, 규제자유특구 선정, 지역밀착형 생활SOC 확충, 재정분권, 상생형 지역 일자리 사업 등 국가균형발전 정책을 힘 있게 추진해 왔습니다. '지역균형 뉴딜'은 지금까지 추진한 국가균형발전 정책에 더욱 힘을 불어넣고, 질을 높여 줄 것입니다. 또한 지역을 변화시키고 새로운 활력을 만들어 내는 지역혁신 전략이기도 합니다.

첫째, '지역균형 뉴딜'은 한국판 뉴딜을 지역에서부터 생생하게 구현하여 주민의 삶을 바꿀 것입니다.

한국판 뉴딜 종합계획에 담은 총 투자 규모 160조 중 절반에 달하는 75조 이상이 지역 단위 사업입니다. 그린 스마트스쿨, 스마트 그린 산단, 그린 리모델링 등 한국판 뉴딜의 대표 사업들은 삶의 공간과 일터를 혁신하고 생활을 변화시킬 것입니다. 지역 경제의 활력을 높이고 일자리 창출에도 크게 기여하리라 기대합니다.

둘째, '지역균형 뉴딜'은 지역 주도로 창의적 발전 모델을 창출하게 될 것입니다.

지역 주도성을 살린다면, 지역 스스로가 주역이 되어 마음껏 창의력과 상상력을 발휘하는 장이 될 것입니다. 지자체가 앞장서고 기업과 지역 주민이 함께한다면, 많은 모범사례와 성과가 창출되리라 믿습니다. 인근 지자체끼리 협력하여 초광역권으로 '지역균형 뉴딜'을 추진하는 것도 경쟁력을 키우는 좋은 방안입니다.

셋째, '지역균형 뉴딜'은 기존의 국가균형발전과 연계하여 균형발전의 완성도를 높일 것입니다.

혁신도시는 '지역균형 뉴딜'의 거점이 될 것이며, 이미 추진 중인 대규모 국가균형발전 프로젝트는 디지털 뉴딜, 그린 뉴딜과 만나며 고도화될 것입니다. 지역밀착형 생활SOC는 한국판 뉴딜과 결합되어 지역 주민의 삶의 질을 더욱 높일 수 있을 것입니다. '지역균형 뉴딜'이 우리 정부의 균형발전정책을 새로운 차원으로 발전시켜 나가길 기대합니다. 정부는 '지역균형 뉴딜'을 한국판 뉴딜의 성패를 걸고 강력하게 추진하겠습니다. '지역균형 뉴딜' 사업에 적극적으로 인센티브를 제공하는 등 재정적 지원을 아끼지 않을 것입니다. '지역균형 뉴딜'의 원활한 추진을 위한 제도 개선에도 적극 나서겠습니다.

초광역권 '지역균형 뉴딜'을 포함하여 지역의 창의적 사업에 대해서는 더욱 특별한 관심과 지원을 아끼지 않겠습니다. 중앙과 지방 간 소통 협력을 강화하는 협업체계도 강력히 구축하겠습니다.

오늘, '지역균형 뉴딜'의 첫발을 떼게 됩니다.

이제 '지역균형 뉴딜'은 한국판 뉴딜의 기본정신이면서 국가균형 발전의 중심에 서게 되었습니다. 중앙정부와 지자체, 민간이 합심하여 힘 있게, 그리고 속도감 있게 추진되길 바랍니다. 다음 시·도지사 연석회의는 '지역균형 뉴딜'의 추진 상황과 성과를 점검하고 공유하는 자리가 되길 기대합니다.

감사합니다.

또 하나의 새로운 축
'휴먼 뉴딜'

한국판 뉴딜 2.0 연설
2021년 7월 14일

존경하는 국민 여러분, 오늘 한국판 뉴딜 선언 1주년을 맞아 그 성과와 함께 더 진화된 '한국판 뉴딜 2.0' 추진 계획을 국민들께 보고드리고자 합니다.

한국판 뉴딜은 위기의 한복판에서 시작한 프로젝트입니다. 당면한 위기 극복뿐 아니라 선도국가로 도약하는 국가발전전략으로, 진화를 거듭하며 희망을 만들어 왔습니다. 처음엔, 코로나 위기에 대응하기 위한 대규모 일자리 창출 전략으로, '디지털 뉴딜'에 중점을 두고 출발했지만, 기후 변화 대응과 저탄소 경제 전환의 속도를 높이기 위해 '그린 뉴딜'을 또 다른 축으로 세우며 본격적으로 한국판 뉴딜의 진화가 시작되었습니다.

추가적으로 고용안전망과 사회안전망 확충을 한국판 뉴딜의 토대로 삼으며, 비로소 완전한 모습을 갖추게 되었습니다. 여기에 멈추지 않고, 지역균형 뉴딜이 한국판 뉴딜의 정신으로 정립되며 지역 확산의 발판도 마련되었습니다. 160조 원 규모의 투자계획이 세워 졌고, 위기를 기회로 만드는 대담하고 원대한 국가발전 전략이 되었습니다. 국제사회에서도 한국판 뉴딜을 코로나 위기 극복과 기후 위기 대응을 위한 대표적인 국가발전전략으로 평가하고 있습니다.

이제, 한국판 뉴딜은 세계가 함께 가는 길이 되었습니다. 우리가 1년 전 제시한 국가발전전략이, 세계가 추구하는 보편적 방향이 되었음을 G7 정상회의에서도 확인할 수 있었습니다. 오늘, 우리의 선택이 옳았다는 자신감과 함께 보다 강화된 '한국판 뉴딜 2.0'을 발표하게 되었습니다. 그동안의 성과를 바탕으로 한국판 뉴딜을 더욱 확장하고 발전시키기 위한 한 단계 진전된 전략입니다.

국민 여러분, 한국판 뉴딜은 대한민국 대전환의 문을 힘 있게 열었습니다. 디지털 혁신과 그린 혁신의 바람을 일으키고, 포용의 힘을 더욱 키웠습니다. 그 힘으로 우리는 코로나로 인한 경제충격을 빠르게 극복할 수 있었고, 선도국가로 나아갈 수 있었습니다. 적극적 재정투자가 마중물이 되어 변화의 동력이 되었습니다.

빅데이터 플랫폼과 인공지능 학습용 데이터가 구축되고 개방되었습니다. 전국 초중고에 스마트 기자재가 보급되는 등 미래 교육 인프라 구축과 함께 산업, 교통, 물류 등 SOC 디지털화에도 속도를 내고 있습니다. 전기차와 수소차의 보급을 확대했고, 재생에너지 개발과 보급을 지원하는 등 저탄소 경제 전환의 기반도 마련해

3부 우리는 대한민국 100년의 미래를 열었습니다

나갔습니다. 학교와 마을, 건물과 산단 등 삶의 공간과 일터가 녹색 공간으로 바뀌고 있습니다.

고용안전망과 사회안전망도 튼튼히 구축해 가고 있습니다.

전 국민 고용보험 시대를 앞당기기 위해 보험가입 대상을 지속적으로 늘렸고 국민취업지원제도를 시행했으며, 소프트웨어 인재양성 등 전문 인력을 늘리면서 고용 충격을 완화하는 효과를 거두고 있습니다. 한국판 뉴딜을 안정적으로 추진하기 위한 제도적 기반도 마련되고 있습니다. 데이터기본법이 추진되고 있고, 세계 최초로 수소법을 제정했으며 고용안전망을 강화하기 위한 소득파악체계를 구축하고 있습니다.

민간의 참여도 활성화되고 있습니다. 데이터, 네트워크, 인공지능 사업에 대한 투자가 확대되고 있으며, 세계 최대 해상풍력단지, 부유식 해상풍력단지 등 대규모 신재생에너지 투자 계획이 발표되고 있습니다. 주요 기업들이 디지털 인재 양성에 적극적으로 나서고 있고, 디지털 격차 해소 등 사람에 대한 투자에 민간의 참여가 확산되고 있습니다.

이 같은 성과와 변화로 국민들도 일상 속에서 한국판 뉴딜을 체감하기 시작했습니다. '닥터 앤서', '인공지능 국민비서', 배달 로봇 등을 일상 속에서 쉽게 접할 수 있게 되었고, 주거와 교통, 경제 등 삶의 모든 영역에서 '그린'이 일상의 언어가 되며 삶의 질을 향상시키고 있습니다. 한국판 뉴딜에 대한 관심과 참여도 높아지고 있습니다.

민간 뉴딜펀드가 지속적으로 출시되고 있고, '국민참여 뉴딜펀드'는 조기에 완판되었습니다. 코로나 위기 속에 이룬 성과들이어서 더욱 값집니다. '한국판 뉴딜 2.0'은 일상에서의 변화와 성과를 더욱 빠르게 체감시켜 줄 것입니다.

국민 여러분, 세계는 디지털 경쟁에서 우위를 확보하기 위해 나서고 있고, 저탄소 경제를 미래 성장 동력으로 육성하기 위한 전략을 강력히 추진하고 있습니다.

'한국판 뉴딜 2.0'은 이 같은 국제 환경의 변화에 능동적으로 대응하며 디지털 전환과 그린 전환에 더욱 속도를 높이는 계획입니다. 격차 해소와 안전망 확충, 사람 투자에 더 많은 관심을 기울이고, 산업구조의 급속한 변화에 따른 노동이동 등 포용적 전환에 대한 지원도 확대하려는 것입니다.

첫째, 한국판 뉴딜의 '디지털 뉴딜'과 '그린 뉴딜'에 추가하여 '휴먼 뉴딜'을 또 하나의 새로운 축으로 세우겠습니다.

'휴먼 뉴딜'은 고용안전망과 사회안전망을 한층 확대하고 발전시킨 것입니다. 이에 따라 한국판 뉴딜은 디지털, 그린, 휴먼이라는 세 축을 세우게 되었고, 지역균형의 정신을 실천하는 포괄적 국가프로젝트로 한 단계 더 진화하게 되었습니다.

'휴먼 뉴딜'을 통해 전 국민 고용안전망 구축, 부양의무자 기준 전면폐지 등 고용안전망과 사회안전망을 더욱 튼튼히 하면서, 저탄소·디지털 전환에 대응하여 사람 투자를 대폭 확대해 나가겠습니다. 사회 변화의 핵심 동력인 청년층을 집중 지원하고, 날로 커지고 있는 교육과 돌봄 격차 해소에 중점을 두겠습니다. 소프트웨어 인재 9만여 명을 비롯하여, 시스템반도체, 바이오헬스, 미래차 등 신성장산업 인재를 기업과 대학이 중심이 되어 실효성 있게 양성할 수 있도록 최대한 지원하겠습니다.

대한민국의 미래인 청년들에게 맞춤형 자산 형성을 지원하고, 주거 안정, 교육비 부담 완화를 위한 정책적 지원을 아끼지 않겠습니다. 양질의 직업교육 프로그램과 창업지원 등으로 청년들의 일자리 창출과 함께 혁신의 주역이 되도록 적극 뒷받침하겠습니다. 교육격차 해소를 위해 4대 교육 향상 패키지를 도입하고, 양질의 돌봄 서비스 기반을 대폭 확충하여, 취약계층의 돌봄 안전망을 강화하겠습니다.

둘째, 디지털 전환과 그린 전환에 더욱 속도를 높이겠습니다.

국민의 일상과 전 산업에 5G와 인공지능을 결합하여, 디지털 초격차를 유지하겠습니다. 메타버스, 클라우드, 블록체인, 사물형 인터넷 등 ICT 융합 신산업을 지원해 초연결, 초지능 시대를 선도하겠습니다.

탄소중립과 온실가스 감축 목표의 차질 없는 이행을 위해 '그린 뉴딜' 속에 탄소중립 추진 기반을 구축하겠습니다. 온실가스 측정·평가시스템을 정비하고, 탄소 국경세 도입 등 국제질서 변화에 적극 대응하겠습니다.

녹색 인프라를 더욱 확충하고, 전기차와 수소차 등 그린 모빌리티 사업을 가속화하면서, 탄소 저감 기술 개발과 녹색금융으로 저탄소 경제 전환을 촉진할 것입니다.

셋째, 공정한 전환을 이루겠습니다.

디지털 경제와 저탄소 경제 전환을 위한 기업들의 사업 구조 개편을 적극 지원하고, 직무 전환 훈련과 재취업 지원을 통해 노동자들이 새로운 일자리로 원활하게 이동할 수 있도록 돕겠습니다.

마지막으로, 한국판 뉴딜의 진화에 따라 투자를 대폭 확대하겠습니다. 2025년까지 한국판 뉴딜 총투자 규모를 기존의 160조 원에서 220조 원으로 확대할 것입니다. 지역의 적극적 참여는 한국판 뉴딜의 강력한 추동력입니다. 우수한 지역 뉴딜 사업을 지원하여, 대한민국 구석구석까지 그 성과를 빠르게 확산할 것입니다. 국민참여형 뉴딜펀드 1000억 원을 추가로 조성하여 한국판 뉴딜의 성과를 국민과 공유하겠습니다.

존경하는 국민 여러분, 우리는 코로나 위기를, 오히려 기회로 만들어 우리 역량을 제대로 발휘했습니다. 한국판 뉴딜이 우리의 가장 강한 정책 도구가 될 것입니다. 한국판 뉴딜은 코로나 극복의 희망이며 우리 정부를 넘어선 대한민국 미래전략입니다. 한국판 뉴딜은 계속 발전하고 진화할 것입니다. '한국판 뉴딜 2.0'에 머물지 않고, 선도국가를 향해 앞으로 나아갈 것입니다.

한국판 뉴딜의 주인은 국민입니다. 진화의 주역도 국민입니다. 국민들께서 깊은 관심과 애정으로 동참해 주시길 바랍니다. 포용적이고 지속 가능한 미래, 선도국가를 향해 국민과 함께 힘차게 가겠습니다. 감사합니다.

이후 추진 내용
- 코로나19로 인한 위기 극복 및 경제·사회구조 변화에 선제 대응하고 있습니다.
- 디지털·그린·휴먼·지역균형 뉴딜을 추진해 국가 대전환을 추진하고 있습니다.
- 재정투자를 2020년 5.4조 원, 2021년 27.1조 원, 2022년 33.1조 원으로 늘려 대전환 추동력을 마련했습니다.
- 데이터기본법, 탄소중립기본법 입법 완료 등 제도적 기반을 마련하고 연간 4조 원 규모 정책형 뉴딜펀드를 조성했습니다.

- 한국판 뉴딜 연도별 투자규모

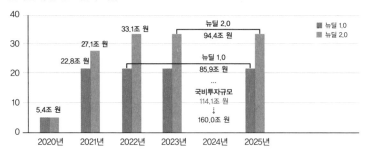

디지털 뉴딜

	2020	2021	2025
데이터시장 (조 원)	20.0	24	43
공공서비스 디지털전환	대면	40%	80%
온라인 진출 소상공인 (만 명)	5.3	10.6	32

그린 뉴딜

	2020	2021	2025
임대주택 개선 (만 호)	1	9.3	22.5
재생에너지 (GW)	17.5	21.9	42.7
클린팩토리 (개)	98	428	1,800

휴먼 뉴딜

	2020	2021	2025
고용보험 가입 (만 명)	1,367	1,480	2,100
AI·SW인재 (만 명)	0.5	2.1	10
농어촌 인터넷(개)	642	1,200	망 구축 완료

두 번째 미래,
탄소중립

20.10.28 〈2021년도 예산안 시정연설〉 대한민국 최초로 2050 탄소중립 목표를 선언

20.12.10 〈대한민국 탄소중립선언〉 탄소중립과 경제 성장, 삶의 질 향상을 동시에 달성하는 2050 탄소중립 비전 마련

20.12.12 〈기후목표 정상회의 연설〉 한국의 탄소중립 비전 소개

21.5.29 〈탄소중립위원회 출범식 겸 1차 전체회의〉 탄소중립위원회 출범 축하 및 당부

21.5.30-31 〈2021 P4G 서울 녹색미래 정상회의〉 탄소중립을 위한 한국의 역할 및 의지 표명

21.10.18 〈탄소중립위원회 제2차 전체회의〉 2050 탄소중립 시나리오, 2030 NDC 상향안 심의·의결

21.10.30-31 〈G20 정상회의〉 2050 탄소중립 달성을 위한 정책 설명, 개도국의 탄소중립 지원 노력 강조

21.11.1-2 〈유엔기후변화협약 당사국총회COP26 정상회의〉 우리나라 2030 NDC 발표, 〈글로벌 메탄서약〉 가입, 2050 석탄발전 폐지, 대對개도국 산림복원 및 남북 산림협력 의지 표명, '청년기후서밋' 제안

대한민국의
세 가지 약속

기후행동 정상회의
2019년 9월 23일

　존경하는 사무총장과 각국 대표 여러분, 2020년 파리협정 이행을 앞두고, '행동'으로 실천하는 방법을 함께 모색하게 되어 뜻깊게 생각합니다.

　한국은 국경을 넘어, 인류의 포용성을 강화하기 위해 다자주의적 노력에 함께하고 있습니다. 오늘 나는 '지속가능발전과 기후 환경 변화 대응'을 위해 국제사회에 세 가지의 약속과 한 가지의 제안을 드리고자 합니다.

　첫째, 한국형 지속가능발전 목표 수립을 비롯하여 지속 가능한 저탄소 경제로 조기에 전환하기 위해 다양한 방안을 모색해 나가겠습니다.

　한국은 파리협정을 충실히 이행하고 있습니다. 동아시아 최초로 전국 단위 배출권 거래제를 시행하고 있으며, 석탄화력발전소 4기를 감축했고, 2022년까지 6기를 더 감축할 예정입니다. 올해 1월에는 수소경제 로드맵을 발표하였고, 재생에너지와 수소에너지 확대를 도모하고 있습니다.

내년에 제출할 '온실가스감축목표'와 '2050년 장기 저탄소 발전 전략'에 이러한 한국의 의지를 적극적으로 반영할 예정입니다.

둘째, 녹색기후기금 공여액을 두 배로 늘리겠습니다.

2019년 유엔 개발계획 집행이사회 의장국으로 활동해 온 것처럼 국제사회의 일원으로서 책임을 다하고자 합니다. 한국의 기여가 녹색기후기금 활동을 더욱 활성화하는 계기가 되길 바랍니다.

셋째, 내년도 '제2회 P4G 정상회의' 한국 개최를 선언합니다.

내년 6월 한국의 서울에서 개최되는 'P4G 정상회의'는 파리협정과 지속가능발전 목표 이행을 위해 국제사회의 결속을 강화하는 계기가 될 것입니다. P4G와 한국에 본부를 둔 녹색기후기금과 글로벌 녹색성장연구소 간의 협력이 강화되면 개발도상국 지원이 한층 확대될 것입니다.

마지막으로, '세계 푸른 하늘의 날' 지정을 제안합니다.

세계보건기구에 의하면 매년 700만 명 이상 대기오염으로 조기 사망하고 있습니다. 대기질 개선을 위해서는 공동연구와 기술적 지원을 포함한 초국경적인 국제협력과 공동대응이 반드시 필요합니다. 한국은 반기문 전前 유엔 사무총장을 위원장으로 하는 '국가기후 환경회의'를 설립하여 국내적인 노력과 함께 국제사회와의 협력을 강화하고 있습니다. 대기질 개선을 위한 국제사회의 협력은 저탄소 시대를 촉진하는 길이기도 합니다.

회원국들의 적극적인 참여와 지지를 당부드립니다.

기후행동 정상회의를 주최한 사무총장의 노력과 리더십에 경의를 표합니다.

대단히 감사합니다.

탄소중립을 신성장 동력과
새로운 일자리 창출의 기회로

제55회 국무회의
2020년 11월 3일

탄소중립은 기후 위기에 공동 대응하기 위해 세계가 함께 나아가야 할 방향입니다. 세계 각국은 지속 가능한 지구를 위한 피할 수 없는 선택으로 탄소중립을 선언하고 있습니다. 가장 앞선 EU는 지난해 그린딜을 통해 2050년 탄소중립을 발표했고, 중국은 2060년, 일본은 2050년을 목표로 탄소중립을 선언하는 등 전 세계가 기후 위기 극복이라는 공동의 목표를 향해 나아가고 있습니다. 우리도 국제사회의 책임 있는 일원으로서 이 같은 세계적 흐름에 적극 동참해야 합니다. 저는 국회 시정연설에서 그 의지를 담아 2050년 탄소중립을 목표로 나아가겠다는 무거운 약속을 했습니다. 기후 위기를 엄중히 인식하고 필요한 대응과 행동에 나서겠다는 선언입니다.

2050년 탄소중립을 실현하는 것은 결코 쉬운 일이 아닙니다. 화석연료 의존이 높으면서 재생에너지의 비중이 아직 낮고, 제조업

3부 우리는 대한민국 100년의 미래를 열었습니다

중심의 산업구조를 가진 우리나라로서는 더욱 쉽지 않은 도전입니다. 대체에너지의 비용을 낮추는 것도 큰 과제입니다.

그러나 기후 위기 대응은 선택이 아닌 필수입니다. 인류의 생존을 위해서도, 대한민국의 미래를 위해서도 반드시 가야만 하는 길입니다. 피할 수 없는 일이라면 규제에 이끌려 가기보다 능동적이고 적극적인 자세로 과감히 도전에 나설 필요가 있습니다. 탄소중립을 실현하기 위해 온실가스 감축을 위한 전방위적 노력과 함께 이를 계기로 우리 사회 전 영역의 혁신을 추동하면서 저탄소 사회로의 이행에 속도를 높여야 합니다.

탄소중립은 우리 경제의 성장을 유지하기 위해서도 꼭 필요한 과제입니다. 이미 저탄소 경제는 새로운 경제질서가 되고 있습니다. EU 등 주요 국가들은 환경 규제와 장벽을 더욱 높이고 있어, 이를 뛰어넘으려면 기업들도 친환경·저탄소 경제로 가야만 살아남을 수 있습니다. 우리 경제의 지속 가능한 발전을 위해서라도 탄소중립을 오히려 기술 혁신과 산업구조 혁신의 계기로 삼고, 신성장 동력과 새로운 일자리 창출의 기회로 만들어야 할 것입니다.

2050년 탄소중립을 목표로 나아가기 위해서는 국가적으로 차분하고 냉철하게 준비해 나갈 필요가 있습니다. 화석연료 중심의 에너지를 친환경 재생에너지로 전환하는 에너지 전환 로드맵을 정교하게 가다듬으면서 온실가스 감축 계획도 재점검해 주시기 바랍니다. 특히 탈탄소와 수소경제 활성화, 재생에너지 비중 확대 등 에너지 전환 가속화를 위한 방안을 다각도로 강구해 주기 바랍니다. 녹색산업 생태계 구축을 위한 산업혁신 전략도 보다 속도감 있게 추진해야 할 것입니다.

저탄소 산업구조로 전환하기 위한 다방면의 지원을 강화하면서 산업계의 혁신적 탈탄소 신기술과 대체연료 개발을 강력히 뒷받침해야 하겠습니다. 건물과 수송의 저탄소화에도 각별히 관심을 가져야 할 것입니다. 에너지 투입을 최소화하고, 재활용·재사용을 최대화하는 순환 경제로의 대전환을 힘 있게 추진하면서, 저탄소 경제로의 이행에 따른 기업과 노동자 보호대책에도 만전을 기해 주기 바랍니다.

2050년 탄소중립을 위해서는 강력한 추진 기반이 마련되어야 합니다. 국가전략으로서 추진해야 성과를 낼 수 있는 만큼 추진 체계부터 힘 있게 구축할 필요가 있습니다. 스스로 탄소중립 목표를 세워 앞서 가고 있는 서울, 광주, 충남, 제주 등 지자체의 노력을 모든 지자체로 확산하고, 민간의 참여와 협력도 이끌어 낼 필요가 있습니다. 구체적인 방안 마련을 통해 국민 공감대를 형성하는 노력과 함께 산업계와의 소통 노력도 더욱 강화해 주기 바랍니다.

탄소중립을 뒷받침하기 위한 제도적 기반도 마련해야 할 것입니다. 국회에서도 여야 합의로 '2050 탄소중립'을 목표로 한 '기후 위기 대응 비상 결의안'을 의결한 정신을 살려 적극 협조해 주시고, 앞으로 여러 정부에서 노력이 지속되어 나갈 수 있도록 함께 지혜를 모아 주시기 바랍니다.

3부 우리는 대한민국 100년의 미래를 열었습니다

오늘의 우리가 어떻게 하느냐에 따라
내일을 바꿀 수 있습니다

대한민국 탄소중립 선언
2020년 12월 10일

존경하는 국민 여러분, 올 한 해 정말 애 많이 쓰셨습니다.

코로나로 사랑하는 이를 잃어야 했던 모든 분들과 지금 이 순간에도 병마와 싸우고 계신 분들께 위로의 마음을 전합니다. 불편과 불이익을 감수하며 방역에 함께해 주신 국민 여러분께 진심으로 경의를 표하며, 내 이웃과 가족을 위해 묵묵히 땀 흘리며 헌신하고 계시는 수많은 생활 속 영웅들께도 감사 인사를 올립니다.

국민 여러분, 많은 과학자가 오래전부터 기후 위기와 그로 인한 신종감염병이 인류를 위협하게 될 것이라고 경고해 왔습니다. 그러나 일상에 바쁜 우리에게 절실하게 와닿지 않았습니다.

무너져 내리는 빙하나 길 잃은 북극곰을 보며 안타까워했지만, 먼 나중의 일로 여겼습니다. 그런데 어느새, 기후 위기가 우리의 일상에 아주 가까이 와 있었습니다. 지난 10년 사이, 100년 만의 집중호우, 100년 만의 이상고온, 100년 만의 가뭄, 폭염, 태풍, 최악의 미세먼지 등 '100년 만'이라는 이름이 붙는, 기록적 이상기후가 매년 한반도를 덮쳤습니다.

올해 태어난 우리 아이들이 30대에 접어드는 2050년이면, 한반도의 일상은 지금과 또 달라질 것입니다. 여름은 길어지고 겨울은 짧아질 것입니다. 폭염과 열대야 같은 극한 기후가 더 많이 늘어날 것입니다. 병해충 피해가 겹치게 되면, 쌀을 비롯한 곡물 수확량도 크게 감소할 수 있습니다. 가축을 키우는 일도 지금보다 어려워질 것입니다. 우리나라에만 분포하는 한라산의 구상나무, 소백산의 은방울꽃은 사진으로만 남고, 청개구리 울음소리마저 듣지 못할지도 모릅니다.

그나마 우리나라는 나은 편입니다. 시야를 바깥으로 돌려 보면, 세계적인 이상기후가 세계 도처에서 이미 인류에게 많은 고통을 주고 있습니다. 기후 위기는 코로나와 마찬가지로 가장 취약한 지역과 계층, 어려운 이들을 가장 먼저 힘들게 하다가, 끝내는 모든 인류의 삶을 고통스럽게 할 것입니다.

국민 여러분, 그러나 지금 말씀드린 암담한 미래는, 인류가 변화 없이 지금처럼 살아간다면 그렇게 될 것이라는 말입니다. 어제의 우리가 오늘을 바꿨듯, 오늘의 우리가 어떻게 하느냐에 따라 내일을 바꿀 수 있습니다.

우리 국민들은 이미 30년 전부터 환경을 지키기 위한 실천을 계속해 왔습니다. 1990년 2.3킬로그램에 이르던 1인당 하루 생활 쓰레기량은 종량제를 전면 도입한 1995년부터 줄어들어, 지금 1킬로그램 내외로 유지하고 있습니다. 지난 20년간, 재활용률도 크게 증가해 매립하거나 소각해야 하는 쓰레기량도 많이 줄었습니다. 국민들은 음식물 쓰레기와 일회용품 줄이기, 재활용품 분리배출 같은 일상 속 실천으로 지구를 살리는 일에 이미 동참하고 계십니다.

그동안 정부는 국민과 함께 기후 위기를 극복하기 위해 노력해왔고, 성과도 많았습니다.

산업발전과 함께 지속적인 증가 추세였던 온실가스 배출량이 지난해 처음으로 감소로 돌아섰고, 올해 더 감소할 것으로 예상됩니다. 우리 정부는 신규 석탄발전소 건설 허가를 전면 중단하고, 노후 석탄발전소 10기를 조기 폐지하는 등 석탄발전을 과감히 감축하고, 재생에너지를 확대했으며, 노후 경유차의 공해저감과 친환경차 보급에 많은 노력을 기울여 왔습니다.

기업들도 탈탄소 대표 산업인 태양광, 전기차, 수소차 분야에 적극 투자하여 세계시장을 선도하고 있습니다. 전기차 배터리와 에너지 저장장치 분야에서도 세계시장 점유율 1위를 차지하고 있습니다. 그럼에도 심각한 것은 기후 변화의 속도가 빨라지고 있다는 사실입니다.

2018년 우리나라에서 열린 IPCC 48차 총회에서 만장일치로 채택된 '지구온난화 1.5도 특별보고서'는 산업화 이후 지구 온도가

1.5도 이상 상승하면 해수면 상승과 이상기후 등으로 수많은 인류의 삶이 위기에 처할 것이라고 경고했습니다. 위기는 이미 우리 눈앞에 다가오고 있습니다. 각 나라가 앞다투어 '2050년 탄소중립'을 선언하고 있는 이유입니다.

세계 각국과 글로벌 기업들은 인류 공동의 목표를 달성하기 위해 협력하는 한편, 새로운 시대에 맞는 경쟁력을 갖추기 위해 혁신의 속도를 높이고 있습니다. 이미 EU를 시작으로 주요국들은 탄소 국경세 도입을 기정사실화하고 있습니다. 친환경 기업 위주로 거래와 투자를 제한하려는 움직임이 확산되고 있고, 국제 경제 규제와 무역 환경도 급변하고 있습니다.

제조업의 비중이 높고 철강, 석유화학을 비롯하여 에너지 다소비 업종이 많은 우리에게 쉽지 않은 도전입니다.

그러나 전쟁의 폐허를 딛고, 농업 기반 사회에서 출발해 경공업, 중화학 공업, ICT에 이르기까지 끊임없이 발전하며 경제 성장을 일궈 온 우리 국민의 저력이라면 못 해낼 것도 없습니다. 우리는 배터리, 수소 등 우수한 저탄소 기술을 보유하고 있고, 디지털 기술과 혁신역량에서 앞서가고 있습니다.

200년이나 늦게 시작한 산업화에 비하면, 비교적 동등한 선상에서 출발하는 '탄소중립'은 우리나라가 선도국가로 도약할 기회이기도 합니다. 지난 7월 발표한 '그린 뉴딜'은 '2050 탄소중립 사회'를 향한 담대한 첫걸음입니다.

한발 더 나아가 탄소중립과 경제 성장, 삶의 질 향상을 동시에 달성하는 '2050년 대한민국 탄소중립 비전'을 마련했습니다. 전 세계적인 기후 위기 대응을 '포용적이며 지속 가능한 성장'의 기회로 삼아 능동적으로 혁신하며, 국제사회를 선도하는 것이 목표입니다. 우리 아이들의 건강하고 넉넉한 미래를 만들어 가는 것입니다.

첫째, 산업과 경제, 사회 모든 영역에서 '탄소중립'을 강력히 추진해 나가겠습니다.

재생에너지 중심으로 에너지 주공급원을 전환하고, 재생에너지, 수소, 에너지IT 등 3대 에너지 신산업을 육성하겠습니다.

둘째, 저탄소 산업 생태계 조성에 힘쓰겠습니다.

저탄소 신산업 유망 업체들이 세계시장을 선점할 수 있도록 지원하겠습니다. 대기업부터 스타트업까지 서로 협력할 수 있는 플랫폼을 구축하여 혁신 생태계를 조성하겠습니다. 원료와 제품 그리고 폐기물의 재사용·재활용을 확대하여 에너지 소비를 최소화하는 순환 경제를 활성화하겠습니다.

셋째, 소외되는 계층이나 지역이 없도록 공정한 전환을 도모하겠습니다.

지역별 맞춤형 전략과 지역 주도 녹색산업 육성을 통해 지역 주민의 일자리와 수익을 창출할 것입니다. 정부의 책임이 무겁습니다. 우리 정부에서 기틀을 세울 수 있도록, 말씀드린 세 가지 목표를 달성하기 위해 과감히 투자하겠습니다. 기술개발을 확대하고,

연구개발 지원을 대폭 강화하겠습니다.

'2050 탄소중립' 목표를 이루기 위해서는 기술 발전이 가장 중요합니다. 기술 발전으로 에너지 전환의 비용을 낮춰야 합니다. 우리의 핵심기술이 세계를 선도하고, 미래 먹거리가 될 수 있도록 정부가 든든한 뒷받침이 되겠습니다. '탄소중립 친화적 재정프로그램'을 구축하고, 그린 뉴딜에 국민들의 참여가 활발해질 수 있도록 녹색 금융과 펀드 활성화에도 적극 나서겠습니다.

내년 5월 우리는 '제2차 P4G 정상회의'를 서울에서 개최합니다. 국제사회와 함께 '탄소중립' 실현에 앞장서겠습니다. 임기 내에 확고한 '탄소중립 사회'의 기틀을 다지겠습니다.

존경하는 국민 여러분, '탄소중립'은 어려운 과제이지만 피할 수 없는 과제입니다. 그러나, 우리가 어려우면 다른 나라들도 어렵고, 다른 나라가 할 수 있으면 우리도 할 수 있습니다. 우리는 코로나를 극복하며 세계를 선도하고 있습니다. 'K-방역'은 세계의 표준이 되었고, 세계에서 가장 빨리 경제를 회복하고 있습니다.

'2050 탄소중립 비전' 역시 국민 한 분 한 분의 작은 실천과 함께하면서 또다시 세계의 모범을 만들어 낼 수 있다고 믿습니다. 우리 모두의 일상 속 작은 실천으로 지구를 살리고 나와 이웃, 우리 아이들의 삶을 바꿀 수 있습니다. 더 늦기 전에, 지금 바로 시작합시다.

감사합니다.

3부 우리는 대한민국 100년의 미래를 열었습니다

자연의 회복 없이
삶의 회복도 불가능합니다

P4G 서울 녹색미래 정상회의
2021년 5월 30일

존경하는 각국 정상과 국제기구 대표 여러분, 전 세계에서 화상으로 함께하고 계신 여러분, '2021 P4G 서울 녹색미래 정상회의'에 참석해 주셔서 감사합니다.

'더 늦기 전에, 지구를 위한 행동'을 시작해 주신 여러분 모두를 한국 국민들과 함께 진심으로 환영합니다. 오늘은 우리와 지구를 위해 '포용적 녹색 회복을 통한 탄소중립 비전 실현'의 지혜를 함께 모으는 날입니다. 함께 행동하고 실천하는 것이 P4G의 정신입니다. 한국은 지난 월요일부터 'P4G 녹색미래주간'을 시작해 물, 농업·식량, 녹색기술, 해양, 에너지 등 15개 주제 기후 환경 분야 일반 세션을 진행 중입니다.

오늘부터 이틀간 개최되는 정상회의에는 전 세계 50여 개 국가 정상과 20여 개 국제기구 수장이 함께하여 지속 가능한 세계라는,

공동의 목표를 향해 나아갈 것입니다. 기후 환경 전문가를 비롯한 학계, 기업, 시민사회, 미래세대 등 많은 분들의 지혜가 모이고 있습니다. 이번 회의를 통해 인류의 역사가 공존의 역사로 전환되길 기대합니다.

한국 국민들은 지난날 식민지와 전쟁, 산업화를 겪으며 인간과 자연이 서로에게 얼마나 큰 영향을 미치는지 경험했습니다. 다른 나라에 산림자원을 빼앗기고, 나무를 베어 땔감이나 산업용 연료로 썼습니다. 전쟁의 포탄과 산불로 숲이 더욱 황폐해지면서 물을 보전하지 못해 가뭄과 홍수가 반복되면서 농산물 생산량이 줄어들었습니다. 그러나 한국 국민들은 자연을 되살려냈습니다. 민둥산에 나무를 심었고, 쓰레기를 줄이며 자연을 살리기 위해 행동했습니다. 그 결과, 산림 회복을 시작한 지 불과 20년 만에 유엔식량농업기구로부터 '제2차 세계대전 이후 산림녹화에 성공한 유일한 개발도상국'이라는 평가를 받았습니다. 오늘날 한국의 경제 성장은 자연의 회복과 함께 이루어졌습니다. 반세기 전 한국 국민들의 노력과 성취는 자연의 회복 없이 삶의 회복이 불가능하며, 함께 행동해야 회복이 가능하다는 것을 보여 주었습니다.

지금 인류가 당면한 기후 위기를 해결할 수 있는 해답 역시 명확합니다. 다짐을 넘어 함께 실천하는 것이며, 선진국과 개도국이 협력하는 것입니다. 지난해부터, 세계는 코로나 위기 극복에 애쓰면서, 한편으로 세계보건총회와 유엔총회, G20, 아세안+3, 기후적응

정상회의, 세계기후정상회의를 비롯한 다양한 대화 테이블을 마련하여 협력을 넓히고 있습니다. 이상기후와 신종 감염병의 근본 원인인 기후 위기를 해결하기 위해 더 높은 목표를 약속하고, 실천하며, 위기 속에서 새로운 희망을 만들고 있습니다.

한국 역시 국제사회의 기후 위기 극복 노력에 선제적이고 적극적으로 동참할 것입니다. 인간과 지구의 공존 속에서 지속 가능한 발전을 위해 포용적 녹색회복의 길에 함께할 것입니다.

지구를 함께 지키고 계신 여러분, 나는 '2021 P4G 서울 녹색미래 정상회의'를 통해 기후 위기 해결을 위한 우리의 연대가 더욱 굳건해지길 바라며, 한국 국민들을 대표해 국제사회에 몇 가지를 약속하고자 합니다.

첫째, 한국은 '2030 국가 온실가스 감축목표'를 추가 상향하겠습니다.

지난해 선언한 2050 탄소중립 목표의 중간 목표로써 2030년의 NDC를 상향하여 이미 약속드린 대로 오는 11월 제26차 기후변화 당사국 총회에서 제시할 것입니다. 해외 신규 석탄발전 공적 금융 지원도 중단하기로 했습니다. 국내에서는 이미 우리 정부 출범과 함께 신규 석탄화력발전소 건설 허가를 전면 중단하고, 노후 석탄화력발전소 10기를 조기에 폐지하면서 태양광과 풍력 등 재생에너지 발전 비중을 빠르게 늘리고 있습니다. 화석연료와 과감히 작별하기 위한 대한민국의 노력에 이웃 국가들의 동참이 확대되기를 기대합니다.

둘째, 한국이 국제사회의 지원 속에서 산림 회복을 이룬 것처럼, 개발도상국들과 적극 협력하겠습니다.

석탄화력발전 의존도가 큰 개발도상국들의 에너지 전환을 돕겠습니다. 2025년까지 기후·녹색 ODA를 대폭 늘려 녹색회복이 필요한 개발도상국들을 돕는 한편, 글로벌녹색성장연구소에 500만 달러 규모의 그린 뉴딜 펀드 신탁기금을 신설하겠습니다. 개발도상국들이 맞춤형 녹색성장 정책을 마련할 수 있도록 지원하겠습니다.

나라마다 경제 발전의 단계가 다르고 석탄 화력 의존도에 큰 차이가 있기 때문에, 전 세계적인 저탄소 경제의 전환을 위해서는 개발도상국들에 대한 선진국들의 더 많은 지원이 필요하다는 것을 강조하고 싶습니다.

P4G의 지속 가능한 운영을 위한 지원도 아끼지 않겠습니다. 400만 달러 규모의 기금을 신규로 공여하여 창의적인 녹색성장 프로젝트가 확산되는 데 기여하겠습니다.

셋째, 다양한 생물종의 보호를 위해 더욱 노력하겠습니다.

한국은 2019년 평화산림이니셔티브를 제시해 분쟁지역에서 생명의 근원인 땅과 숲을 되살리고, 평화를 정착시키기 위해 노력해 왔습니다. 오는 10월 중국에서 개최되는 제15차 생물다양성 당사국 총회의 성공을 위해 국제사회와 공조할 것입니다.

자연을 위한 정상들의 서약, 생물다양성보호지역 확대 연합, 세계 해양 연합 등의 이니셔티브에 동참하여, '2020년 이후 글로벌 생물다양성 목표'가 채택될 수 있도록 기여하겠습니다.

생물 다양성의 보고인 한반도 비무장지대의 자연 생태계 보존을 위해서도 국제사회가 관심을 가져 주기 바랍니다. 온실가스의 감축 노력은 해운과 선박 분야에서도 이루어져야 합니다.

해양쓰레기를 줄이기 위한 노력도 중요합니다. 플라스틱과 일회용품이 바다로 흘러가 해양 생태계를 파괴하고 인류의 건강을 위협하고 있습니다. 한국도 국토의 삼면이 바다인 해양국가로서 유엔 차원의 해양플라스틱 관련 논의가 조속히 개시될 수 있도록 적극 협력하겠습니다.

넷째, 2050 탄소중립을 향한 여정이 지속 가능한 발전의 길이 될 수 있도록 적극적이고 선제적인 정책을 펴 나가겠습니다.

탄소중립은 인간이 지구와 공존하기 위한 길이지만, 혁신 기술, 혁신 산업, 혁신적인 일자리 등을 많이 만들어 낼 수 있는 기회이기도 합니다. 한국은 지난해 '그린 뉴딜 정책'을 통해 '2050 탄소중립 사회'를 향한 담대한 걸음을 시작했습니다. 대통령 직속의 '2050 탄소중립위원회'를 중심으로 목표 달성을 위한 시나리오를 구체적으로 마련해 나갈 예정입니다.

2050 탄소중립을 성공하기 위해서는 기술 혁신이 매우 중요합니다. 한국은 그린 에너지원으로서 수소의 잠재력에 주목해, 세계 최초로 수소 관련 법률을 제정하고, 수소차, 수소충전소, 수소 연료전

지 등 수소 생태계 활성화를 위한 기술 혁신에 박차를 가하고 있습니다.

기업과 민간도 함께 노력하고 있습니다. 탄소중립과 RE100을 선언하는 기업들이 늘고 있고, ESG는 기업 경영의 새로운 표준이 되었습니다. 수송 부문 탄소중립을 위해 국내 110여 개 주요 기업이 2030년까지 보유 차량 120만 대 이상을 전기·수소차로 전환하겠다고 선언했습니다. 112개 금융 기관은 2050 탄소중립을 위한 기후금융 지지를 선언했고, 세계 3대 연기금인 국민연금기금도 탈석탄을 선언했습니다.

우리 정부도 2030년까지 정책금융의 녹색 분야 자금 지원 비중을 지금의 두 배인 13퍼센트까지 확대하는 한편, 녹색금융이 원활하게 운영될 수 있도록 한국형 녹색분류체계를 구축할 계획입니다. 한국은 '그린 뉴딜'의 경험과 성과를 세계 각국과 공유하며, 2050 탄소중립을 향해 함께 나아가겠습니다.

존경하는 각국 정상과 국제기구 대표 여러분, 화상으로 함께하고 계신 참석자 여러분, 우리는 오늘 개회식을 어린이, 청소년, 청년들의 목소리로 시작했습니다. 미래세대의 절박함에 더 귀를 기울이자는 뜻입니다. 우리의 현재가 미래를 만듭니다. 공존과 상생의 가치를 우리 스스로 느낄 때 미래는 달라질 수 있습니다.

'2021 P4G 서울 녹색미래 정상회의'가 미래세대를 포함한 우리 모두의 더 안전하고 지속 가능한 미래, 인류의 포용적 녹색회복과 탄소중립을 향한 중요한 걸음이 되기를 바랍니다.

한국은 2023년 제28차 기후변화당사국 총회 유치를 추진하고자 합니다. 또한 앞으로도 개발도상국과 선진국을 잇는 가교 국가로서 책임과 역할을 다할 것입니다. 이번 회의가 실천 가능한 비전을 만들고, 협력을 강화하는 장이 될 수 있도록 개최국으로서 끝까지 최선을 다하겠습니다.

감사합니다.

아무도
가 보지 않은 길

2050 탄소중립위원회 제2차 전체회의
2021년 10월 18일

여러분, 반갑습니다. 영국에서 열릴 COP26 정상회의를 앞두고, '2050 탄소중립 시나리오'와 '2030 온실가스감축목표 상향안'을 사실상 확정하는 매우 중요한 회의를 열게 되었습니다. 기후 위기는 먼 미래의 일이 아닌 당장 오늘의 문제가 되었습니다. 지난 8월 '기후 변화에 관한 정부 간 협의체IPCC'는 지금 수준의 온실가스 배출량이 유지된다면, 지구 온도 1.5도 상승 시점이 기존의 예측보다 10년이나 빠른 2040년 이전이 될 가능성이 높고, 기상이변이 더욱 잦아질 것이라는 암울한 전망을 내놓았습니다. 이미 세계는 지구온난화로 인한 이상기후로 큰 어려움을 겪고 있습니다. 올여름에는 폭우와 홍수, 폭염과 산불로 수많은 인명 피해와 막대한 재산 피해를 입었습니다. 자연이 인간에게 주는 분명한 경고라고 하지 않을 수 없습니다.

이에 따라 국제사회의 대응도 매우 절박해지고 긴박해졌습니

3부 우리는 대한민국 100년의 미래를 열었습니다

다. 2015년 파리협정 이후 탄소중립을 선언하거나 지지한 국가가 134개국에 이르며, 대부분의 나라들이 온실가스 감축 목표를 이전 보다 대폭 상향하여 공약하고 있습니다. EU와 미국 등 주요 선진국들은 탄소국경세 도입 등 각종 환경규제를 강화해 나가고 있습니다. 기업들 사이에서도 재생에너지를 의무적으로 사용하는 RE100 선언이 확산되고 있습니다. 자본시장에서도 기업의 탄소중립 노력이 투자의 중요한 조건과 기준으로 자리 잡아 가고 있습니다. 그야말로 국제 경제질서와 무역 환경이 급변하고 있는 것입니다.

우리나라도 국제사회의 책임 있는 일원으로서, 인류 공동체의 생존과 발전을 위한 노력에 함께 힘을 모을 것입니다. 우리 경제의 지속성장과 국가경쟁력을 높이기 위해서도 더욱 속도감 있게 온실가스 감축과 탄소중립 실현에 나설 것입니다. 국가의 명운이 걸린 일입니다. 오늘 심의, 결정하게 될 '2030 온실가스 감축목표NDC 상향안'은 국제사회에 우리의 탄소중립 의지를 확실히 보여 주는 것입니다. 2030년까지 2018년 배출량 대비 40퍼센트 감축하는 것으로, 기존 26.3퍼센트에서 대폭 상향했습니다. 우리의 여건에서 할 수 있는 최대한 의욕적인 감축목표입니다.

1990년 또는 2000년대에 이미 배출정점에 도달하여 더 오랜 기간 배출량을 줄여 온 기후 선진국들에 비해, 2018년에 배출정점을 기록한 우리 입장에서는 훨씬 가파른 비율로 온실가스를 줄여 나가야 하기 때문에 감축 속도 면에서 상당히 빠르고, 매우 도전적인 목표입니다. 정부는 기업들에게만 그 부담을 넘기지 않고 정책적, 재정적 지원을 아끼지 않겠습니다. 국민들도 행동으로 나설 때입니다. 정부와 기업과 국민들이 함께 한마음으로 힘을 모아야만 우리는 그 목표를 달성할 수 있습니다. 국내에서의 온실가스 감축 노력을 최우선으로 하면서 국외 감축 노력도 병행해 나갈 것입니다.

우리의 저탄소 기술과 투자를 통해 후발국들의 감축 노력을 지원함으로써 전 지구적 차원의 탄소중립 실현에 기여하겠습니다. 기후위기 대응에서 선도국과 후발국의 가교 역할을 높이겠다는 우리 정부의 다짐을 실천하는 길이기도 합니다. 국내 저탄소 기술과 산업이 해외 진출을 확대하는 기회도 될 것입니다.

'2050 탄소중립 시나리오'는 우리가 가야 할 방향성을 제시한 것으로서, 아무도 가 보지 않은 길을 당당히 가겠다는 원대한 목표입니다. 두 가지 시나리오 모두, 미래의 기술 발전까지 염두에 두고 각 부문별로 최대한의 배출량 감축 의지와 함께 흡수 기술 발전과 흡수원 확충을 통한 흡수량 확대 의지까지 담았습니다. 매우 어려운 길이지만, 담대하게 도전하여 반드시 이행해야 합니다.

첫째, 태양광, 풍력 등 재생에너지를 확대하고, 친환경에너지 중심으로 에너지 구조를 획기적으로 전환해야 합니다. 탄소중립 시대 핵심 에너지원인 수소를 생산, 저장, 운송, 활용하는 수소경제 생태계 조성에도 박차를 가해야 하겠습니다.

둘째, 각 부문별로 특단의 온실가스 감축 노력을 기울이면서 흡수원을 확충하는 노력도 강화해 주기 바랍니다. 우선, 저탄소 산업 구조로 속도감 있게 전환해야 합니다. 산업계가 적극적으로 노력해 주고 있어 매우 다행입니다. 정부는 기업들의 노력을 최대한 지원하며 뒷받침하겠습니다. 또한, 건물, 수송, 농축수산, 폐기물 등 다방면에서 감축 노력을 강화해야 하겠습니다. 특히 전기차, 수소차 등 친환경차 보급에 더욱 속도를 내고 세계시장을 선도해 나갈 것입니다. 이산화탄소보다 훨씬 온실효과가 높아 최근 국제적으로 크게 부각되고 있는 메탄 감축에도 힘을 쏟아 주기 바랍니다. 흡수원을 늘려 나가는 노력도 중요합니다. 산림의 흡수능력을 강화하기 위한 노력과 함께 도시숲 가꾸기 등 신규 흡수원을 지속 확충하고, 해양의 흡수 능력을 높이는 노력도 특별히 강화해 주기 바랍니다.

셋째, 에너지 다소비 행태를 바꾸어야 합니다. 우리의 의식주가 바로 탄소배출의 원천입니다. 에너지를 최대한 절약하고, 친환경 에너지를 사용하며 대중교통 이용, 플라스틱 줄이기 등 작은 실천들이 모여 탄소중립 사회로 나아갈 수 있을 것입니다. 정부는 탄소중립 시대를 이끌어 나가기 위해 필요한 지원을 아끼지 않겠습니다. 탄소중립기본법을 제정하여 탄소중립을 체계적으로 추진할 수 있는 체제를 마련했고, 온실가스 인지예산제도도 도입했습니다.

내년도 탄소중립 예산은 12조 원 규모로 대폭 확대 편성했습니다. 앞으로 이 분야에 대한 재정 지원을 더욱 확대해 나갈 것입니다. 무엇보다 저탄소 기술 확보가 국가경쟁력을 좌우하는 시대입니다.

정부는 기술 개발 투자를 늘리고, 탄소중립 시대를 이끌어 나갈 미래 신성장 동력 확보와 새로운 일자리 창출에 전력을 다할 것입니다. 탄소중립이라는 도전이 청년과 미래세대에게 새로운 기회가 되도록 노력하겠습니다. 감사합니다.

이후 추진 내용
• 탄소중립전략을 수립(2020년)하고 2030년 온실가스 감축목표(NDC)를 상향(2021년) 했습니다.

• 과거 배출경로 및 NDC(Nationally Determinded Contribution, 국가 온실가스 감축목표)

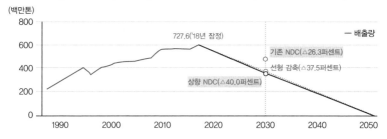

• 탄소중립 예산을 2021년 7.7조에서 2022년 11.4조 원(+48퍼센트)으로 대폭 확대했습니다.

경제구조저탄소화(7.9조원)	저탄소 생태계(0.8조원)	공정한 전환(0.5조원)	제도적 기반(2.2조원)
에너지·모빌리티전환	유망·혁신기업 육성	취약산업·계층 지원	녹색금융·F&D
산업구조·국토 대전환	순환경제 활성화	기후변화 적응지원	제도기반·국제협력
기후대응기금 신설(2.4조원), 온실가감축인지예산제도(2022년 시범운영)			

• 산업전환에 따른 피해 최소화를 위한 기업·근로자·지역 차원의 공정한 노동전환 지원체계를 구축했습니다.
• P4G 서울정상회의 개최, COP26 참여, 기후행동재무장관연합 가입 등 개도국 기후대응을 지원하고 국제 기후 리더십을 제고했습니다.

3부 우리는 대한민국 100년의 미래를 열었습니다

세 번째 미래,
포용국가

17.6.2.	〈서울요양원 현장방문〉 치매국가책임제 추진을 위한 치매환자, 가족, 현장 종사자 간담회
17.8.9.	〈건강보험 보장성 강화 정책 발표〉 3대 비급여 해소, 비급여의 급여화, 취약계층 의료비 부담 완화 계획 발표
18.4.4	〈온종일돌봄체계 구축방안 발표〉(서울 성동구 경동초등학교 방문) 학교 및 마을돌봄 확대를 통하여 2022년까지 53만 명의 아동에게 돌봄서비스 제공
18.9.12.	〈발달장애인 평생케어 종합대책 발표 및 초청 간담회 "다 함께 잘 사는 포용국가"〉 발달장애인 생애주기별(영유아기, 학령기, 청장년기, 중노년기) 필요서비스 발표
19.2.19	〈포용국가 사회정책 대국민 보고〉 "국민 전 생애 기본생활 보장, 2022 국민의 삶이 달라집니다"
19.6.25.	〈'장애등급제 폐지' 대통령 SNS 메시지〉 "장애등급제 폐지하고 맞춤형 서비스 확대, 제도변경 과정의 불이익 최소화하겠다"
20.8.28.	〈국립중앙의료원 현장방문〉 공공의료 현장방문: 공공병상 및 인력 확보 현황 등 점검
21.8.12.	〈건강보험 보장성 강화대책 4주년 성과 보고대회〉 건강보험 보장성 강화정책 성과 점검 및 향후 계획 발표
21.11.19	〈'제15회 아동학대 예방의 날' SNS 메시지〉 민법상 징계권 폐지, 즉각분리제도 시행 등 아동보호 정책 강화 및 긍정양육 129 원칙 선포

아픈 국민의 손을
정부가 꼭 잡아 드리겠습니다

건강보험 보장 강화 정책 발표
2017년 8월 9일

여러분, 반갑습니다. 힘든 투병 생활 속에서도 희망을 지키고 계신 환자와 보호자, 가족 여러분께 가슴 깊이 존경과 위로의 말씀을 드립니다. 국민의 건강과 생명을 지키기 위해 애쓰고 계신 의료인들께도 감사의 인사를 드립니다.

오늘 여러분들을 만나니 촛불로 빛나던 광장이 떠오릅니다. 지난 겨울, 촛불을 높이 들었던 국민들 마음속에는 아플 때나, 건강할 때나 나와 내 가족의 삶을 든든하게 지켜 주는, 나라다운 나라에 대한 간절한 열망이 있었습니다. 그런 나라를 만들고 싶습니다.

열심히 살아가는 가족이 있습니다. 어느 날 갑자기 아이가 아프면, 아이 간병에 밤낮없이 매달립니다.

병원비 마련을 위해 야근에 부업까지 합니다. 그래도, 아이만 다시 건강해질 수 있다면 이런 일 아무것도 아니라며 부모는 웃을 것

3부 우리는 대한민국 100년의 미래를 열었습니다

입니다. 이제 그 짐을 국가가 나누어 지겠습니다.

아픈 국민의 손을 정부가 꼭 잡아 드리겠습니다.

국민 여러분!

의료비 부담이 계속 늘어나고 있습니다. 의료비로 연간 500만 원 이상을 지출하는 국민이 46만 명에 달합니다. 의료비 때문에 가정이 파탄 나고 있습니다. 기초생활수급자들을 조사해 보니, 빈곤층 가정으로 떨어진 가장 큰 이유 중 첫 번째가 실직이었고 두 번째가 의료비 부담이었습니다. 간병은 환자를 둔 가족들의 가장 큰 걱정거리입니다. 간병이 필요한 환자는 약 200만 명에 달합니다. 그런데 그중 75퍼센트가 건강보험 혜택을 받지 못해, 가족이 직접 간병하거나 간병인을 고용해야 합니다. 간병을 위해 지방에서 올라와 병실에서 함께 생활하는 가족도 34만 명에 이릅니다. 간병이 환자 가족의 생계와 삶까지 파탄 내고 있습니다. 하지만 의료비 중 건강보험이 부담하는 보장률은 60퍼센트 수준으로 OECD 평균인 80퍼센트에 한참 못 미칩니다.

국민의 의료비 본인부담률은 OECD 평균의 두 배입니다. 또한 건강보험 보장률이 낮다 보니, 가구당 월평균 건강보험료가 9만 원인데 비해, 민간 의료보험료 지출이 28만 원에 달합니다.

국민의 건강과 생명을 지키는 것은 국가의 가장 기본적인 책무입니다. 국민이 아픈데 지켜 주지 못하는 나라, 의료비 부담으로 가계가 파탄 나는 나라, 환자가 생기면 가족 전체가 함께 고통받는 나라, 이건 나라다운 나라가 아닙니다.

아픈 것도 서러운데, 돈이 없어서 치료를 못 받는 것은 피눈물이 나는 일입니다. 아픈데도 돈이 없어서 치료를 제대로 못 받는 일이 없도록 하겠습니다.

환자와 가족의 눈물을 닦아 드리고, 국민의 건강을 지키는 나라다운 나라를 만들겠습니다.

존경하고, 사랑하는 국민 여러분!

저는 오늘, 환자와 보호자, 가족, 의료진 모두가 온 힘을 다해 삶에 대한 희망을 지키고 키워 가는 현장에서 새 정부의 건강보험 보장성 강화 정책을 기쁜 마음으로 보고드립니다. 새 정부는 건강보험 하나로 큰 걱정 없이 치료받고, 건강을 되찾을 수 있도록 건강보험의 보장성을 획기적으로 높이겠습니다. 이는 국민의 존엄과 건강권을 지키고, 국가 공동체의 안정을 뒷받침하는 일입니다.

올해 하반기부터 바로 시작해서 2022년까지 국민 모두가 의료비 걱정에서 자유로운 나라, 어떤 질병도 안심하고 치료받을 수 있는 나라를 만들어 가겠습니다.

첫째, 치료비의 많은 부분을 차지하는 비급여 문제를 해결하겠습니다.

지금까지는 명백한 보험 적용 대상이 아니면 모두 비급여로 분류해서 비용 전액을 환자가 부담했습니다. 국민의 의료비 부담이 커질 수밖에 없었습니다. 앞으로는 미용, 성형과 같이 명백하게 보험

3부 우리는 대한민국 100년의 미래를 열었습니다

대상에서 제외할 것 이외에는 모두 건강보험을 적용하겠습니다. 꼭 필요한 치료나 검사인데도 보험 적용이 안 돼서, 포기하는 일이 없도록 하겠습니다.

특히, 환자의 부담이 큰 3대 비급여를 단계적으로 해결하겠습니다. 예약도 힘들고, 비싼 비용을 내야 했던 대학병원 특진을 없애겠습니다. 상급 병실료도 2인실까지 보험을 적용하겠습니다.

1인실의 경우에도 1인실 입원이 꼭 필요한 환자에게는 건강보험 혜택을 드리겠습니다. 환자와 보호자 모두를 더욱 힘들게 만드는 간병의 굴레로부터 벗어나도록 하겠습니다. 간병이 필요한 모든 환자의 간병에 대해 건강보험을 적용하겠습니다. 보호자가 안심하고 생업에 종사할 수 있도록 '보호자 없는 병원'을 늘려 가겠습니다.

둘째, 고액 의료비 때문에 가계가 파탄 나는 일이 없도록 만들겠습니다.

당장 내년부터 연간 본인부담 상한액을 대폭 낮추겠습니다. 본인부담 상한제 인하의 혜택을 받는 환자가 현재 70만 명에서 2022년 190만 명으로 세 배 가까이 늘어나게 될 것입니다. 특히, 하위 30퍼센트 저소득층의 연간 본인부담 상한액을 100만 원 이하로 낮추고, 비급여 문제를 적극적으로 해결해서 실질적인 의료비 100만 원 상한제를 실현하겠습니다.

어르신과 어린이처럼 질병에 취약한 계층은 혜택을 더 강화하겠습니다. 당장 올해 하반기 중으로, 15세 이하 어린이 입원진료비의 본인부담률을 현행 20퍼센트에서 5퍼센트로 낮추고, 중증치매 환자의 본인부담률을 10퍼센트로 낮추겠습니다. 어르신들 틀니 부담도 덜어 드리겠습니다.

셋째, 절박한 상황에 처한 환자를 한 명도 빠뜨리는 일이 없도록 의료안전망을 촘촘하게 짜겠습니다.

4대 중증질환에 한정되었던 의료비 지원 제도를 모든 중증질환으로 확대하고, 소득하위 50퍼센트 환자는 최대 2000만 원까지 의료비를 지원받을 수 있게 하겠습니다.

지원이 필요한데도 잘 모르거나 억울하게 탈락해서 지원받지 못하는 일이 없도록 하겠습니다. 개별 심사 제도를 신설해 한 분 한 분 꼼꼼하게 지원하겠습니다. 대학병원과 국공립병원의 사회복지팀을 확충해서, 도움이 필요한 중증환자를 먼저 찾고, 퇴원 후에도 지역 복지시설과 연계해 끝까지 세심하게 돌봐 드리도록 하겠습니다.

2022년까지 이런 계획을 차질 없이 시행하면, 160일을 입원 치료받았을 때 1600만 원을 내야 했던 중증치매 환자는 앞으로는 같은 기간, 150만 원만 내면 충분하게 됩니다. 어린이 폐렴 환자가 10일 동안 입원했을 때 내야 하는 병원비도 130만 원에서 40만 원으로 줄어들게 될 것입니다.

전체적으로는 전 국민의 의료비 부담이 평균 18퍼센트 감소하고, 저소득층은 46퍼센트 감소하는 효과가 있을 것입니다.

또한 민간의료보험료 지출 경감으로 가계 가처분 소득이 늘게 됩니다.

존경하는 국민 여러분, 지금까지 말씀드린 병원비 걱정 없는 든든한 나라를 만들기 위해서는 앞으로 5년간 30조 6000억 원이 필요합니다.

그동안 쌓인 건강보험 누적흑자 21조 원 중 절반가량을 활용하고, 나머지 부족 부분은 국가가 재정을 통해 감당하겠습니다. 동시에 앞으로 10년 동안의 보험료 인상이 지난 10년간의 평균보다 높지 않도록 관리해 나갈 것입니다. 국민의 세금과 보험료가 한 푼도 허투루 쓰이지 않도록 비효율적이고 낭비적인 지출은 철저히 관리해 나가겠습니다.

국민 부담은 최소화하면서 국민 혜택을 극대화하기 위해 전력을 다하겠습니다. 의료계의 걱정도 잘 알고 있습니다. 비보험 진료에 의존하지 않아도 정상적으로 운영될 수 있도록 적정한 보험수가를 보장하겠습니다. 의료계와 환자가 함께 만족할 수 있는 좋은 의료제도를 만들겠습니다.

국민 여러분, 환자와 가족 여러분, 저는 오늘 투병 중인 청소년들을 만났습니다. 참으로 힘든 고통 속에서도 작곡가가 되고, 검사가 되겠다는 꿈과 희망을 키우고 있었습니다. 저는 오늘 말씀드린 새 정부의 건강보험 정책이 희망을 지켜 가고 있는 우리 아이들의 용기에 대한 우리 모두의 응답이 되길 간절히 기원합니다.

이 나라의 주인이 국민이라는 사실을, 자라나는 이 땅의 모든 아이들과 아프고 힘든 사람들이 피부로 느낄 수 있게 되기를 바랍니다.

국민이 아플 때 같이 아파하고 국민이 웃을 때 비로소 웃는 국민의 나라, 공정하고 정의로운 대한민국을 향해 한 걸음 한 걸음 굳건히 나아가겠습니다.

아픔은 덜고 희망은 키우겠습니다.

감사합니다.

혁신 성장도,
포용국가도 사람이 중심입니다

포용국가 사회 정책 대국민보고
2019년 2월 19일

우리 정부는 '혁신적 포용국가'를 목표로 하고 있습니다.

4차 산업혁명 시대를 맞아 혁신 성장을 이뤄 가면서 동시에 국민 모두가 함께 잘 사는 포용적인 나라를 만들어 가자는 뜻입니다.

대한민국이 혁신적 포용국가가 된다는 것은 혁신으로 함께 성장하고, 포용을 통해 성장의 혜택을 모두 함께 누리는 나라가 된다는 의미입니다.

혁신 성장이 없으면 포용국가도 어렵지만, 포용이 없으면 혁신 성장도 없습니다. 혁신 성장도, 포용국가도 사람이 중심입니다.

포용국가에서는 국민 한 사람 한 사람의 역량이 중요합니다. 마음껏 교육받고, 가족과 함께 충분히 휴식하고, 기본적인 생활을 유지해야 개인의 역량을 발전시킬 수 있습니다. 이 역량이 4차 산업혁명 시대에 지속 가능한 혁신 성장의 원동력이 될 것입니다.

포용국가는 국가가 국민에게, 또는, 잘사는 사람이 그보다 못한 사람에게 시혜를 베푸는 나라가 아닙니다.

서로가 서로에게 힘이 되어 주면서 국민 한 사람 한 사람과 국가 전체가 더 많이 이루고 더 많이 누리게 되는 나라입니다. 국가가 국민의 일상을 지켜 주어야 한다는 개념이 정책에 반영되고, 그 정책이 국민에게 체감되기 시작된 것은 얼마 되지 않았습니다.

김대중 정부에서 처음 국민기초생활보장제도를 도입했습니다. 빈곤층 국민이 최소한의 삶을 영위할 수 있도록 했습니다. 지금으로부터 정확히 20년 전의 일입니다.

20년 사이 우리 국민의 의식은 더욱 높아졌고, 국가는 발전했습니다. 최소한의 삶을 보장하는 것만으로는 인간으로서의 존엄을 지키지 못한다는 것을 알게 됐습니다. 대한민국의 국력과 재정도 더 많은 국민이 더 높은 삶의 질을 누릴 수 있도록 뒷받침하는 데 충분할 정도로 성장했습니다.

우리 정부가 추진하는 포용국가의 목표는 바로 이 지점, 기초생활을 넘어 국민의 기본생활을 보장해야 한다는 점에서 시작합니다.

오늘 발표한 포용국가 추진 계획은 돌봄·배움·일·노후까지 '모든 국민'의 생애 전 주기를 뒷받침하는 것을 목표로 합니다. 건강과 안전, 소득과 환경, 주거에 이르기까지 삶의 '모든 영역'을 대상으로 합니다.

모든 국민이, 전 생애에 걸쳐, 기본생활을 영위하는 나라, 포용국

3부 우리는 대한민국 100년의 미래를 열었습니다

가 대한민국의 청사진입니다.

　이미 최저임금 인상, 건강보험 보장성 강화, 치매 국가책임제, 기초연금 인상, 아동수당 도입을 비롯한 정책들로 많은 국민께서 거대한 변화의 시작을 느끼고 계십니다.

　오늘 발표된 계획이 차질없이 추진되면 2022년이면 유아부터 어르신까지, 노동자부터 자영업과 소상공인까지, 장애가 있어도 불편하지 않게 우리 국민이라면 누구나 남녀노소 없이 기본생활을 누릴 수 있게 됩니다.

　포용국가 4대 사회 정책 목표를 통해 국민들의 삶이 어떻게 달라질 수 있을지 말씀드리겠습니다.

　첫째, 국민 누구나 기본생활이 가능한 튼튼한 사회안전망을 만들고 질 높은 사회서비스를 제공하겠습니다.

　사회서비스 분야의 일자리가 늘어나고, 일자리의 질도 높아질 것입니다. 그 결과는 국민의 안전과 삶의 질이 높아지는 돌봄 경제 선순환으로 돌아올 것입니다.

　둘째, 사람에 대한 투자를 아끼지 않겠습니다.

　기술이 발전하고, 산업이 발달하는 모든 원천은 사람에게 있습니다. 누구나 돈 걱정 없이 원하는 만큼 공부하고, 실패에 대한 두려움 없이 꿈을 위해 달려가고, 노후에는 안락한 삶을 누릴 수 있게 됩니다. 이런 토대 위에서 이뤄지는 도전과 혁신이 우리 경제를 혁신 성장으로 이끌 것입니다.

셋째, 일자리를 더 많이, 더 좋게 만들겠습니다.

누구도 배제되지 않고, 차별과 편견 없이 일할 수 있는 나라, 실직할지 모른다는 두려움 없이 일할 수 있는 나라가 될 것입니다. 새로운 시대, 새로운 직업에 적응하기 위해 교육을 보장하고, 스스로의 역량을 키울 수 있는 나라로 만들어 가겠습니다.

넷째, 충분한 휴식이 일을 즐겁게 하고 효율을 높입니다.

더 높은 삶의 질을 누릴 수 있도록 여가가 우리의 일상이 되도록 하겠습니다. 아이가 커가는 시간에 더 많이, 더 자주 함께하면서도 소득이 줄지 않게 하겠습니다. 과도한 노동시간을 줄이고, 일터도 삶도 즐거울 수 있게 하겠습니다. 멀리 가지 않고도 바로 집 근처에서 문화를 즐기실 수 있게 할 것입니다.

세계는 지금 지나친 양극화와 경제 불평등으로 인한 갈등, 차별과 배제의 극복, 나라 간의 격차와 환경문제 등 각 나라가 직면한 현실과 전 지구적인 문제 해결을 위해 혁신적 포용국가에 주목하고 있습니다. 세계은행, 유엔, IMF, OECD를 비롯한 많은 국제기구도 각 나라에 포용국가의 길을 권고하면서 우리나라의 도전을 지켜보고 있습니다.

변화는 늘 두렵습니다. 그러나 우리는 식민지와 전쟁을 겪으면서 아무것도 없는 빈손으로 불과 70여 년 만에 세계 11위 경제 대국이 되었습니다. 이런 성과를 우리는 변화에 빠르게 대처하면서 이뤄냈습니다.

농업에서 경공업, 중화학공업, 첨단 ICT에 이르기까지 그 어느 나라도 해내지 못한 엄청난 변화를 스스로 이뤄내며 2차 세계대전 후의 신생 독립국가 중 유일하게 선진국으로 도약했습니다.

우리는 맨손에서 성공을 이룬 저력이 있습니다. 우리는 변화를 두려워하지 않고, 오히려 능동적으로 이용하는 국민입니다. 우리 국민의 저력과 장점이 한데 모인다면 포용국가로의 변화를 우리가 선도할 수 있고, 우리가 이뤄낸 포용국가가 세계 포용국가의 모델이 될 수 있다고 자신합니다. 그러기 위해서 남은 과제들을 잘 해결해야 합니다. 무엇보다 국회의 입법과 예산지원이 필요합니다.

정부는 상반기에 중기재정계획을 마련하고, 당·정·청이 긴밀히 협의하여 관련 법안과 예산을 준비할 것입니다.

행복한 삶은 국민이 누려야 할 당연한 권리입니다. 함께 잘사는 길로 가는 일이니만큼, 국회의 초당적인 협력을 반드시 이끌어 내겠습니다.

포용국가는 모두 함께 만들어 가는 나라입니다. 정부와 국민 간에, 서로가 서로에게 힘이 되기를 희망합니다.

감사합니다.

위기를 넘어
완전한 정상화로

2022년도 경제 정책 방향 보고
2021년 12월 20일

여러분 반갑습니다.

우리 정부 마지막이 될, 내년도 경제 정책 방향을 보고하게 되었습니다. 돌아보면, 임기 내내 위기의 연속이었고, 쉴새 없이 새로운 도전에 맞서야 했던 시기였습니다. 불평등이 심화되고, 저성장이 고착화되는 시대적 상황에서 벗어나기 위해 더불어 잘살고, 역동적으로 성장하는 혁신적 포용국가를 국정 목표로 끊임없이 매진해 왔습니다. 코로나 경제 위기에 직면해서도 국가 역량을 총동원하여 위기 극복에 전력을 기울였습니다. 급변하는 세계질서와 시대적 도전을 마주하여 우리 경제의 미래를 걸고 모든 경제 주체들이 힘을 모았습니다.

어려운 시기, 많은 위기와 도전을 헤쳐 오며 우리 경제는 기대를 뛰어넘는 놀라운 저력을 보여 주고 있습니다. 포용과 혁신의 힘으로 위기 속에서 더욱 강한 경제로 거듭나고 있고, 추격형 경제에서 선도형 경제로 나아가고 있습니다.

무엇보다 우리 경제는 위기 극복의 새로운 역사를 쓰며, 위기를 기회로 삼아 명실상부한 글로벌 경제대국으로 발돋움했습니다. 세계 주요 선진국 중 가장 빠른 회복력을 보여 주며, 10대 경제 대국의 위상을 굳건히 했습니다. 우리 정부에서 3만 달러를 돌파한 1인당 국민소득이 올해는 3만 5000달러 수준을 기록할 것으로 예상됩니다. 수출과 무역 규모도 사상 최대 실적을 경신했고, 외국인 직접투자도 역대 최대를 기록하고 있습니다. 고용도 코로나 이전 수준을 회복하고 있습니다.

가장 긍정적인 성과는, 위기 속에서 소득의 양극화를 줄이고, 분배를 개선한 점입니다. 최근 발표된 가계금융복지 조사 결과를 보면, 코로나 타격이 가장 심했던 지난해, 모든 계층에서 소득이 증가한 가운데 소득 하위 계층의 소득이 더 많이 증가하여, 5분위 배율, 지니계수, 상대적 빈곤율 등 3대 분배지표가 뚜렷하게 개선되었습니다. 위기의 한복판에서 분배지표를 개선시킨 놀라운 성과입니다. 이로써 우리 정부 출범 이후 4년 연속 분배지표가 개선되었고, 이 추세는 최근 3분기 가계동향조사 결과에서 확인되듯이 올해에도 이어지고 있습니다. 그렇게 되면, 우리 정부 5년 내내 분배지표가 모두 개선되는 것입니다. 시장 소득에서 그처럼 분배가 개선된 것은 아니었습니다. 최저임금 인상, 건강보험 보장성 강화, 기초연금과 장애인연금 확대 등 우리 정부가 꾸준히 추진한 포용 정책의 효과이면서, 위기 시에 과감한 확장 재정을 통해 정부가 국민의 삶을 지키는 버팀목 역할에 최선을 다한 결과입니다. 재정의 분배 개선 기능이 크게 높아진 것에 큰 보람을 느끼며, 이러한 재정 기능이 지속되기를 바랍니다. 지표의 개선에도 불구하고 여전히 어려운 국민들이 많습니다. 정부는 포용적 회복이 되어야만 완전한 회복이 될 수 있다는 신념으로 마지막까지 포용 정책에 더욱 힘을 쏟겠습니다.

한편으로 위기 속에서도 우리 경제는, 미래 먹거리 창출과 선도형 경제로 전환을 가속화하고 있습니다. 세계 최고 수준의 혁신역량을 바탕으로 주력 제조업과 신산업이 함께 눈부신 성장세를 이끌고 있고, 제2벤처붐으로 우리 경제의 역동성과 미래 경쟁력을 키우고 있습니다. 한류 콘텐츠는 세계인의 마음을 사로잡으며 새로운 성장 동력으로 부상하고 있습니다. K-팝, K-드라마, K-반도체, K-배터리, K-미래차, K-바이오, K-조선, K-뷰티 등 많은 K-산업들이 세계를 선도하며 도약하고 있습니다.

우리 경제가 성장과 분배, 혁신과 포용의 관점에서 모두 두 마리 토끼를 잡는 성과를 거둔 것은 매우 다행스러운 일입니다. 정부와 국민, 기업 모두 힘을 모아 이룬 국가적 성취입니다. 정부는 임기 마지막까지 성과를 더욱 발전시키고 부족한 부분을 채워나가는 데 온 힘을 다하겠습니다. 2022년 경제정책 방향에는 '위기를 넘어 완전한 정상화를 이루겠다'는 정부의 정책 의지를 담았습니다. 완전한 경제 정상화는 안정된 방역 속에서만 이룰 수 있습니다. 굵고 짧은 방역 강화로 다시 일상회복으로 돌아가야 내수와 고용 회복세를 이어 갈 수 있습니다. 정부는 빠른 일상회복을 위해 전력을 기울이겠습니다. 방역조치 강화로 인한 소상공인들의 어려움에 대해서는 방역지원금, 손실보상, 금융지원 등 가용 재원을 총동원하여 다각도로 지원을 확대해 나가겠습니다.

수출뿐 아니라 투자와 소비, 모든 분야에서 활력을 높여 빠른 회복과 도약의 기조가 다음 정부로 이어지도록 하겠습니다. 특히 민생 지원을 본격화하고 격차와 불평등 해소에 주력하겠습니다. 코로나의 직격탄을 맞은 피해 업종을 중심으로 내수 회복과 재도약을 지원하는 데 중점을 두겠습니다. 신산업 성장과 벤처 활력이 민간 일자리 확대로 이어지도록 정책 역량을 집중하고, 고용구조와 근로 형태 변화에 대응하여 고용 안전망을 더욱 보강하겠습니다.

정부는 최고의 민생과제인 주거 안정에 전력을 다하여 부동산 가격의 하향 안정세를 확고한 추세로 정착시키고, 주택공급에 더욱 속도를 내겠습니다. 대내외 경제 리스크 관리에도 만전을 기하여 공급망, 물가, 가계 부채, 통화정책 전환 등 우리 경제를 위협하는 요인에 대해 선제적으로 대비하겠습니다.

선도국가로 도약하기 위한 노력은 한시도 멈출 수 없습니다. 한국판 뉴딜 2.0의 본격 추진으로 선도형 경제 전환과 탄소중립 시대, 친환경·저탄소 경제 전환을, 국가의 명운을 걸고 강력히 추진해 나가겠습니다. 그것이 우리 정부의 시대적 책무라고 믿습니다.

임기가 5개월도 채 남지 않았습니다. 아직 위기는 끝나지 않았고, 극복해야 할 과제가 많습니다. 다 함께 유종의 미를 거둘 수 있도록 최선을 다해 주시기 바랍니다.

감사합니다.

이후 추진 내용

- 의료비 중 가계 직접부담 비율이 33.7퍼센트(2017)에서 29.2퍼센트(2020)로 감소했습니다.
- 재난적 의료비 지원건수가 8687건(2018)에서 1만 3476건(2020), 지원액이 210억 원(2018)에서 341억 원(2020)으로 증가했습니다.
- 공보육 이용률이 23.6퍼센트(2017)에서 35.3퍼센트(2021), 종일돌봄 이용자수가 33만 5000명(2017)에서 44만 명(2021)으로 증가하는 등 영유아, 초등학생 자녀에 대한 돌봄 서비스를 확대했습니다.
- 장애등급을 폐지하고 장애 정도에 따라 구분하는 수요자 맞춤형 지원 서비스를 제공하고 있습니다.

· 건강보험 보장률

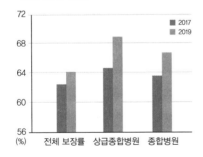

· 치매안심센터 이용자 수

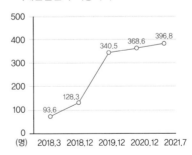

G7 정상회의
사진 한 장의 의미

G7 정상회의 초청국 대한민국의 국격과 위상을 백 마디의 말보다 한 장
의 사진이 더 크게 말하고 있습니다. G7 정상들 사이, 대한민국 대통령의
자리가 대한민국의 오늘이고, 우리 후세 대통령의 자리는 더 영광될 것
임을 확신합니다.

이번 G7의 가장 큰 성과 중 하나는, 대한민국의 과거가 쌓아 온 '현재의 성취감에 대한 확인'과, '미래의 자신감에 대한 확신'입니다. 이것은 대한민국과 대한민국의 위대한 국민이 대한민국 대통령의 어깨에 힘을 실어 준 결과입니다.

　이번 G7 정상회의에 우리는 2년 연속 초청받았습니다. 이번 초청 4개국 중 호주, 인도, 남아공이 영연방국가임을 감안하면 실질적으로 '대한민국은 유일한 초청국'이라고 설명하지 않아도, 이 사진 한 장이 대한민국의 위상을 웅변한다고 평가합니다. 국민의 힘으로 달려온 지난 70여 년의 역사는 사진처럼 자랑스러운 현재가 되었습니다.

　대한민국과 대한민국 국민이 자랑스럽습니다.

후손을 찾지 못한 분이 1,839분입니다.

정부는 장군의 유해봉환을 계기로

국내외에 계신 독립유공자 후손을 찾고,

그 뿌리를 계승하기 위한 노력도 소홀히 하지 않을 것입니다.

홍범도 장군의 목소리가 들리는 듯합니다.

긴 여행을 끝내고 어머니의 땅으로 돌아온 장군의 마음을

의동순 지인께서 우리에게 전해주었습니다.

▲ '홍범도 장군 유해 안장식 추모사' 부분, 막판까지 거듭되는 연설문 수정.

◀ 미국 워싱턴 공식 방문 후,
직접 작성한 순방 소회 글.

아무도
흔들 수 없는
나라